Anna Breitsameter
Sabine Glas-Peters
Angela Pude

MENSCHEN

Deutsch als Fremdsprache
Arbeitsbuch

Hueber Verlag

Literaturseiten:
Nur wir fünf; Alte Freunde, neue Freunde: Urs Luger, Wien

8. 7. 6. | Die letzten Ziffern
2023 22 21 20 19 | bezeichnen Zahl und Jahr des Druckes.
Alle Drucke dieser Auflage können, da unverändert,
nebeneinander benutzt werden.
1. Auflage

Umschlaggestaltung: Sieveking · Agentur für Kommunikation, München
Layout und Satz: Sieveking · Agentur für Kommunikation, München
Verlagsredaktion: Jutta Orth-Chambah, Marion Kerner, Nikolin Weindel, Hueber Verlag, Ismaning
Druck und Bindung: Westermann Druck GmbH, Braunschweig
Printed in Germany
ISBN 978-3-19-111902-7

Art. 530_00044_001_06

Das Arbeitsbuch *Menschen* dient dem selbstständigen Üben und Vertiefen des Lernstoffs im Kursbuch.

Aufbau einer Lektion:

Basistraining: Vertiefen und Üben von Grammatik, Wortschatz und Redemitteln. Es gibt eine Vielfalt von Übungstypologien, u.a. Aufgaben zur Mehrsprachigkeit (Bewusstmachen von Gemeinsamkeiten und Unterschieden zum Englischen und/ oder anderen Sprachen) und Aufgaben füreinander (gegenseitiges Erstellen von Aufgaben für die Lernpartnerin / den Lernpartner).

Training Hören, Lesen, Sprechen und Schreiben: Gezieltes Fertigkeitentraining, das unterschiedliche authentische Textsorten und Realien sowie interessante Schreib- und Sprechanlässe umfasst. Diese Abschnitte bereiten gezielt auf die Prüfungen vor und beinhalten Lernstrategien und Lerntipps.

Training Aussprache: Systematisches Üben von Satzintonation, Satzakzent und Wortakzent sowie Einzellauttraining.

Test: Möglichkeit für den Lerner, den gelernten Stoff zu testen. Der Selbsttest besteht immer aus den drei Kategorien *Wörter, Strukturen und Kommunikation*.
Je nach Testergebnis stehen im Internet unter *www.hueber.de/menschen* vertiefende Übungen in drei verschiedenen Schwierigkeitsgraden zur Verfügung.

Lernwortschatz: Der aktiv zu lernende Wortschatz mit Angaben zum Sprachgebrauch in der Schweiz (CH) und in Österreich (A) sowie Tipps zum Vokabellernen.

Modulseiten:
Weitere Aufgaben, die den Stoff des Moduls nochmals aufgreifen und kombiniert üben.

Wiederholungsstation Wortschatz/Grammatik bietet Wiederholungsübungen zum gesamten Modul.

Selbsteinschätzung: Mit der Möglichkeit, den Kenntnisstand selbst zu beurteilen.

Rückblick: Abrundende Aufgaben zu jeder Kursbuchlektion, die den Stoff einer Lektion noch einmal in zwei unterschiedlichen Schwierigkeitsstufen zusammenfassen.

Literatur: In unterhaltsamen Episoden wird eine Fortsetzungsgeschichte erzählt.

Piktogramme und Symbole

Hörtext auf CD ▶1 02

Kursbuchverweis KB 3

Aufgaben zur Mehrsprachigkeit

Aufgaben füreinander

Lernstrategien und Lerntipps — TIPP: Notieren Sie Gegensätze.

Regelkasten für Phonetik — REGEL: Am Wort- und Silbenende spricht man „b", „d" und „g" wie ___, ___ und ___.

Vertiefende Aufgabe

Erweiternde Aufgabe

Übungen in drei Schwierigkeitsgraden zu den Selbsttests und die Lösungen zu allen Aufgaben im Arbeitsbuch finden Sie im Internet unter *www.hueber.de/menschen.*

INHALT

INHALT

Mein Opa war auch schon Bäcker.

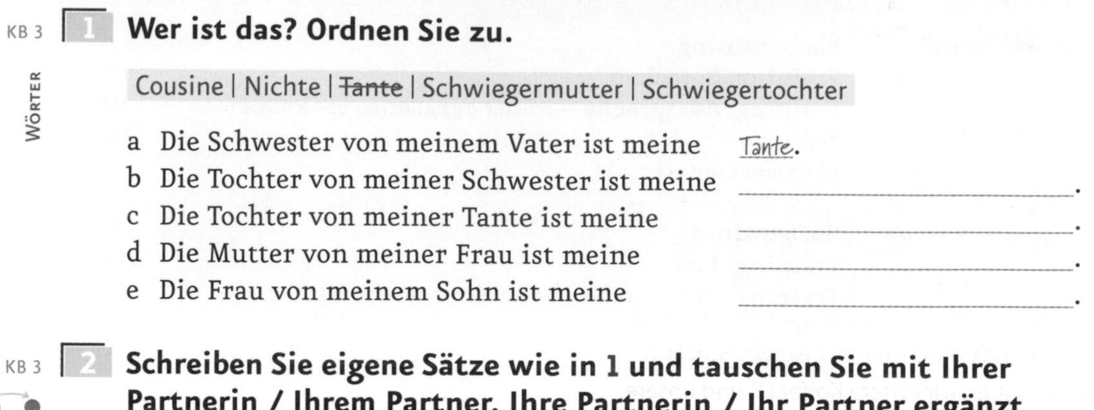

KB 3 | WÖRTER

1 Wer ist das? Ordnen Sie zu.

Cousine | Nichte | ~~Tante~~ | Schwiegermutter | Schwiegertochter

a Die Schwester von meinem Vater ist meine Tante.
b Die Tochter von meiner Schwester ist meine ____________.
c Die Tochter von meiner Tante ist meine ____________.
d Die Mutter von meiner Frau ist meine ____________.
e Die Frau von meinem Sohn ist meine ____________.

KB 3

2 Schreiben Sie eigene Sätze wie in 1 und tauschen Sie mit Ihrer Partnerin / Ihrem Partner. Ihre Partnerin / Ihr Partner ergänzt.

KB 3 | WÖRTER

3 Ergänzen Sie wie im Beispiel und vergleichen Sie.

Deutsch	Englisch	Meine Sprache oder andere Sprachen
Tante – Onkel	uncle	
Cousine –	cousin	
Nichte –	nephew	
Schwiegermutter –	father in law	

KB 3 | STRUKTUREN

4 Possessivartikel im Nominativ

a Ordnen Sie zu. unser | ~~Ihre~~ | eure | ihr | Ihr

1 Sind das Ihre Schlüssel, Herr Wyss?
2 Wow. Habt ihr ein neues Auto? – Nein, das ist nicht ____________ Auto.
3 Sind das ____________ Fahrräder?
4 Ist das ____________ Hund? – Nein, das ist ____________ Hund.

STRUKTUREN ENTDECKEN

b Ergänzen Sie die Possessivartikel aus a und die fehlenden Formen in der Tabelle.

	• der Neffe	• das Enkelkind	• die Nichte	die Schwiegereltern
ich	mein	mein	meine	meine
du	dein		deine	
er				
sie				
wir				
ihr				
sie				
Sie				Ihre

BASISTRAINING

KB 3

STRUKTUREN ENTDECKEN

5 Markieren Sie die Possessivartikel im Akkusativ und die Possessivartikel im Dativ. Ergänzen Sie dann die Tabelle.

Viele Grüße aus Waterville. Fast hätten wir unseren Flug (a) nicht mehr bekommen. Doch wir hatten Glück: das Flugzeug war nicht pünktlich. Nur mit unseren Koffern (b) hatten wir Pech. Die sind leider nicht in Cork angekommen. Wir haben lange auf unser Gepäck (c) gewartet. Dann hat man uns am Flughafen gesagt: „Wir schicken Ihnen das Gepäck nach." Erst spät abends waren wir in unserem Hotel (d). Nach zwei Tagen haben wir unsere Koffer (e) und unsere Tasche (f) endlich bekommen und wir waren glücklich: „Nun fangen die Ferien richtig an."

	Akkusativ	Dativ
●	unseren	unserem
●		
●		unserer
●		

KB 3

STRUKTUREN

6 Was ist richtig? Kreuzen Sie an.

a ■ Was willst du werden?
▲ Vielleicht Bäcker, genau wie ☒ mein ○ meine ○ meinem Vater und ○ mein ○ meine ○ meinen Brüder.

b ■ Was ist denn ○ unser ○ euer ○ eure Vater von Beruf?
▲ ○ Unser ○ Euer ○ Sein Vater ist Schauspieler.
■ Schauspieler! Möchtet ihr auch Schauspieler werden?
▲ Nein, ich finde ○ sein ○ ihren ○ seinen Beruf langweilig. Man muss immer so viele Texte lernen.
■ Ja, das stimmt. Aber ○ unser ○ unsere ○ unserer Tante ist Tänzerin. ○ Ihr ○ Sein ○ Ihren Beruf finde ich toll.

c In unserer Familie gibt es viele Ärzte. Mein Opa und mein Vater finden ○ ihren ○ ihr ○ unseren Beruf toll. Meine Schwester hat auch Medizin studiert, doch am Anfang war es nicht einfach für sie. Aber ○ ihr ○ ihre ○ ihren Studium hat ihr am Ende gut gefallen. Und mit ○ ihrem ○ seinem ○ ihren Job ist sie nun sehr zufrieden.

KB 5

WIEDERHOLUNG STRUKTUREN

7 Ergänzen Sie in der richtigen Form.

a Meine Schwester und ich haben als Kinder viel gestritten (streiten).

b Es gab ein Unwetter, aber wir ____________ Glück (haben). Es ____________ nichts ________________ (passieren).

c Ich ____________ dich ________________ (rufen), aber du ____________ mich leider nicht ________________ (hören).

d Jan ____________ mir ________________ (sagen), Alina ____________ ihre Prüfung ________________ (bestehen).

e Letzte Woche ____________ wir Xaver und Michelle ________________ (besuchen). Sie ____________ ________________ (umziehen).

KB 6

8 Umfrage: Was habt ihr als Kinder oder Jugendliche am liebsten gemacht?

WÖRTER

a Ordnen Sie zu.

Bäume | ~~Geschichten~~ | draußen | Fußballbilder | Hobby | Mannschaft | Puppen | Sachen | Witze

1 Ich habe meiner Schwester immer Geschichten erzählt. Am liebsten über Könige und Prinzessinnen. Sie hat immer total gern zugehört.
2 Früher habe ich fast jeden Tag mit dem Nachbarjungen gespielt. Der hatte viele gute Ideen, war lustig und hat oft ______ erzählt.
3 Ich war am liebsten draußen im Wald und bin auf ______ geklettert. Zum Glück ist nie etwas passiert. Manchmal habe ich auch mit meinen Freundinnen ______ übernachtet. Dann haben wir aber nicht so viel geschlafen.
4 Ich hatte nur ein ______: Fußball. Ich habe in einer ______ gespielt. Da hatten wir am Wochenende oft Spiele. Und zur WM und EM haben wir natürlich immer ______ gesammelt.
5 Als Kind habe ich gern mit ______ gespielt. Und ich war gern auf dem Flohmarkt und habe ______ verkauft.

WIEDERHOLUNG STRUKTUREN

b Markieren Sie die Verben im Perfekt in a und ergänzen Sie die Tabelle.

Typ *machen – gemacht* *fahren – gefahren*	Typ *anmachen – angemacht*	Typ *telefonieren – telefoniert*	Typ *erkennen – erkannt*
			übernachten – übernachtet

KB 8

9 Sortieren Sie.

KOMMUNIKATION

① Kolja, habe ich dir schon von meinem Cousin Fridolin erzählt? Also pass auf:

○ Und weißt du, was dann passiert ist? Eines Morgens hat er allen erzählt: Ich verkaufe das Geschäft. Er hat aber nicht sofort einen Käufer gefunden.

○ Zum Schluss hat er das Geschäft einfach geschlossen, ein paar Sachen gepackt und ist nach Alaska geflogen. Heute lebt er dort allein in den Wäldern und ist glücklich.

○ Nach der Schule hat er zuerst eine Ausbildung als Friseur gemacht. Er war immer fleißig und hat schon mit 19 Jahren einen eigenen Friseursalon aufgemacht. Er hat viel Geld verdient und sein Geschäft ist schnell gewachsen.

KB 8

10 „Ihre" Tante Martha. Machen Sie Notizen und erzählen Sie zu zweit eine Geschichte.

SPRECHEN

1: früh heiraten, 18 Jahre
2: zwei Kinder bekommen
...

TRAINING: SCHREIBEN

1 Eine E-Mail beantworten

a Lesen Sie Peters E-Mail an seinen Cousin und markieren Sie die Satzanfänge.

Lieber Luis,
wie geht´s Dir? Ich bin zum Glück wieder gesund. Letzte Woche habe ich alte Fotos von unserem Großvater gefunden. Leider habe ich ihn nicht gut gekannt. Früher hast Du ihn doch als Kind oft besucht. Oder? Kannst Du mir ein bisschen von ihm erzählen? Das würde mich sehr interessieren.
Viele Grüße
Peter

b Schreiben Sie eine E-Mail an Peter.

- Schreiben Sie im Perfekt: Was hat der Großvater gemacht?
- Beginnen Sie die Sätze mit dem markierten Satzteil.
- Vergessen Sie die Anrede am Anfang und den Gruß am Ende nicht.

TIPP: Beginnen Sie nicht jeden Satz mit „Er/Sie …“. Variieren Sie die Satzanfänge. Beginnen Sie die Sätze zum Beispiel mit „Im Winter …“ oder „Früher …“.

unser Opa immer Witze erzählen – wir im Winter zusammen oft Spiele spielen – als junger Mann: er mit dem Fahrrad bis nach Afrika fahren – er früher viel reisen – er mit 60 Jahren noch klettern – er uns Kinder oft in die Berge mitnehmen – er auch sehr gut zeichnen

______________ Peter,
danke für Deine E-Mail. Zum Glück bist Du wieder gesund. Mir geht es auch gut.
Du möchtest mehr von unserem Opa wissen. Also: ______________
____
Und weißt Du, was er als junger Mann gemacht hat? ______________
____
____
____
Ich habe noch ein Bild von ihm. Das muss ich Dir unbedingt mal zeigen.
Unser Opa war schon lustig. Besuch mich doch mal.
____

TRAINING: AUSSPRACHE *lange und kurze Vokale*

▶1 02 1 Hören Sie und markieren Sie den Wortakzent: lang (_) oder kurz (.)

e: Neffe – Brezel
o: Opa – Onkel
ö: Söhne – Töchter
u: Puppe – Bruder
ü: Brüder – Mütter

2 Kreuzen Sie an.

REGEL: **Vokale klingen**
○ gleich. (Opa = Onkel)
○ nicht gleich. (Opa ≠ Onkel)

▶1 03 3 Hören Sie und sprechen Sie nach.

a der Bäcker – die Brezel – Der Bäcker backt Brezeln.
b Jugendliche – die Puppe – Jugendliche spielen nicht mit Puppen.
c Brüder – verrückt – Meine fünf Brüder sind verrückt.
d der Onkel – komisch – Dein Onkel ist aber komisch!
e Töchter – Söhne – Meine Großeltern hatten sechs Töchter und zehn Söhne.

TEST

1 Familie. Ergänzen Sie.

WÖRTER

a Cousin und Cousine
b ______________ und Nichte
c ______________ und Tante
d Schwiegervater und ______________

_/3 PUNKTE

2 Ordnen Sie zu.

gezeichnet | gespielt | gestritten | ~~geklettert~~ | erzählt

WÖRTER

■ Elena, wie war denn deine Geburtstagsparty?
▲ Nicht so toll! Ich habe Amelie und Theresa eingeladen. Wir waren bei meinen Großeltern, ihr Garten ist sehr groß. Am Anfang war es sehr lustig. Wir sind auf Bäume geklettert (a) und haben dort oben Witze ______________ (b). Dann aber haben Amelie und Theresa ______________ (c) und Amelie ist nach Hause gegangen. Theresa und ich haben zuerst eigene Comics ______________ (d) und dann ein paar Computerspiele ______________ (e).

_/4 PUNKTE

3 Ergänzen Sie das Perfekt oder das Präteritum in der richtigen Form.

STRUKTUREN

■ Amelie, was ist los?
▲ Ach, ich (a) war (sein) heute mit Theresa bei Elena. Sie hat ihren Geburtstag (b) ______________ (feiern). Zuerst haben wir Kuchen (c) ______________ (essen) und viel (d) ______________ (lachen). Dann hat Theresa lange mit Hannes (e) ______________ (telefonieren). Danach (f) ______________ (haben) sie schlechte Laune. Das habe ich nicht (g) ______________ (verstehen) und wir haben gestritten. Am Ende (h) ______________ (haben) ich keine Lust mehr und bin nach Hause.

_/7 PUNKTE

4 Ergänzen Sie die Possessivartikel.

STRUKTUREN

a Amelie und Theresa, was sind eure Lieblingswitze?
b Wir können gut zeichnen. ______________ Comics sind super.
c Oh, Melanie hat etwas vergessen, ______________ Puppen und Bücher liegen noch hier.
d Herr Kuhnert, Ihr Garten und ______________ Blumen sind wunderschön.

_/3 PUNKTE

5 Ordnen Sie zu.

KOMMUNIKATION

Später bin | Habe ich | Sie war | Dann habe | Und wisst | Also passt | Ich hatte

______________ (a) euch schon von früher erzählt? ______________ (b) auf: Meine Mutter hat immer gesagt, ich soll Lehrerin werden. ______________ (c) Lehrerin und mein Großvater war auch Lehrer. ______________ (d) aber keine Lust, das war nichts für mich. ______________ (e) ich studiert und als Journalistin gearbeitet. ______________ (f) ihr, was dann passiert ist? ______________ (g) ich noch einmal zur Uni gegangen – und jetzt bin ich auch Lehrerin!

_/7 PUNKTE

Wörter		Strukturen		Kommunikation	
●	0–3 Punkte	●	0–5 Punkte	●	0–3 Punkte
●	4–5 Punkte	●	6–7 Punkte	●	4–5 Punkte
●	6–7 Punkte	●	8–10 Punkte	●	6–7 Punkte

www.hueber.de/menschen

LERNWORTSCHATZ

1 Wie heißen die Wörter in Ihrer Sprache? Übersetzen Sie.

Familie

Cousin der, -s
Cousine die, -n
Neffe der, -n
Nichte die, -n
Onkel der, -
Tante die, -n
Schwieger-
(Schwiegervater/
-mutter/-sohn/
-tochter)

Kindheit und Jugend

Geschichte die, -n
Jugendliche
der/die, -n
Puppe die, -n
Sache die, -n
Spiel das, -e
Witz der, -e

klettern,
ist geklettert
sammeln,
hat gesammelt
streiten,
hat gestritten
übernachten,
hat übernachtet
verkaufen,
hat verkauft
zeichnen,
hat gezeichnet

verrückt
früher

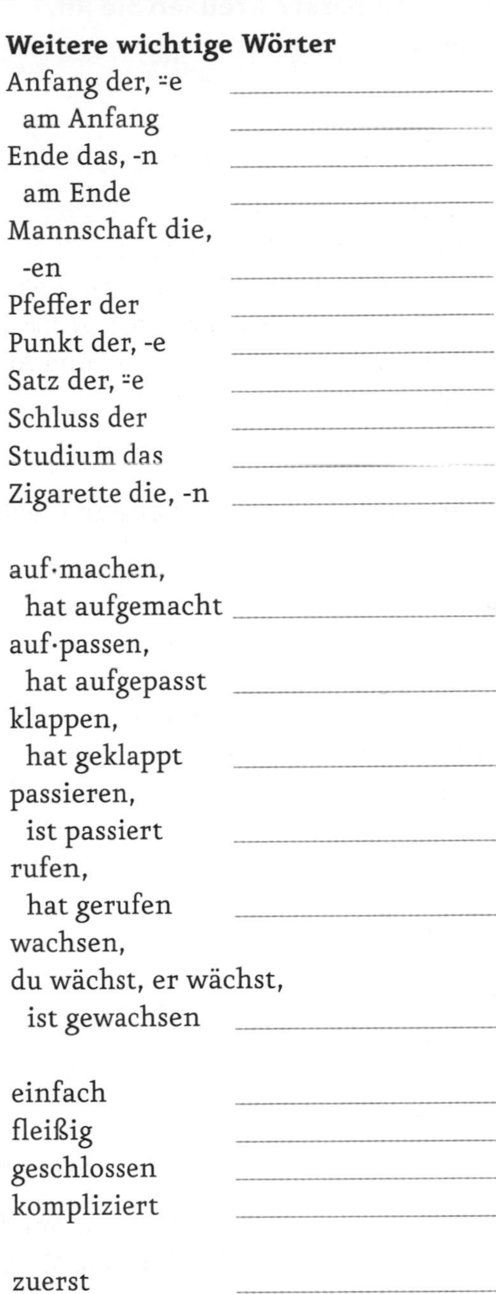

Weitere wichtige Wörter

Anfang der, ¨-e
am Anfang
Ende das, -n
am Ende
Mannschaft die,
-en
Pfeffer der
Punkt der, -e
Satz der, ¨-e
Schluss der
Studium das
Zigarette die, -n

auf·machen,
hat aufgemacht
auf·passen,
hat aufgepasst
klappen,
hat geklappt
passieren,
ist passiert
rufen,
hat gerufen
wachsen,
du wächst, er wächst,
ist gewachsen

einfach
fleißig
geschlossen
kompliziert

zuerst
zum Schluss

TIPP Lernen Sie Wortpaare (feminin und maskulin).

2 Welche Wörter möchten Sie noch lernen? Notieren Sie.

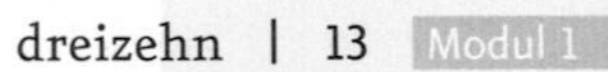

Wohin mit der Kommode?

KB 3 **1** **Welches Verb passt? Kreuzen Sie an.**

WÖRTER

	liegt	sitzt	steht	hängt	versteckt	
a Lara	○	⊗	○	○	○	im Auto immer vorn.
b Das Sofa	○	○	○	○	○	vor der Heizung.
c Die Mutter	○	○	○	○	○	das Geschenk unter dem Bett.
d Die Lampe	○	○	○	○	○	über dem Tisch.
e Das Kissen	○	○	○	○	○	auf dem Stuhl.

KB 3 **2** **Mein Zimmer. Ordnen Sie zu und ergänzen Sie den Artikel.**

WIEDERHOLUNG STRUKTUREN

in | in | an | auf | auf | über | vor | ~~zwischen~~ | neben

a Mein Tisch steht *zwischen der* ● Tür und ______ ● Fenster.
b Rechts ____________ ______ ● Wand hängt ein Kalender.
c ____________ ______ ● Tisch hängt ein Bild.
d Der Laptop steht ____________ ______ ● Tisch.
e ____________ ______ ● Zimmer gibt es auch ein Sofa.
f ____________ ______ ● Sofa liegt ein Kissen.
g Rechts ____________ ______ ● Sofa steht ein Schrank.
h ____________ ______ ● Sofa liegt ein Teppich.
i Rechts ____________ ______ ● Ecke steht ein Fernsehgerät.

KB 5 **3** **Lösen Sie das Rätsel.**

WÖRTER

Waagerecht →
1 Auf diesem Möbelstück stehen oft ein Computer und ein Telefon. Es steht oft im Büro.
2 Das hängt am Fenster.
3 Zimmer = …
4 Es ist aus Papier. Man braucht es zum Beispiel für die Hausaufgaben.
5 hell ↔ …
6 Sachen = …
7 In diesem Möbelstück stehen oft Bücher.

Senkrecht ↓:
Das bringt man aus dem Urlaub mit:

____

BASISTRAINING

KB 5 **4** **Wohin?**

STRUKTUREN ENTDECKEN

a **Ordnen Sie zu und ergänzen Sie in der richtigen Form.**

stellen | ~~legen~~ | legen | hängen

1 Ich lege die Zeitung auf die Couch.
2 Wir ___________ das Geschirr in die Küchenschränke.
3 ___________ du bitte den Bleistift neben das Papier?
4 Julia ___________ die Lampe über den Tisch.

b **Ergänzen Sie aus a.**

	Wohin ?
● der	
● das	
● die	auf die Couch
● die	

KB 5 **5** **Ergänzen Sie die Präpositionen und die Artikel.**

STRUKTUREN

a Leg doch bitte das Kissen auf die Couch ___________ ______ anderen Kissen.
b Soll ich die Zeitungen ___________ ______ Fernsehgerät legen?
c Kannst du die Hausschuhe ___________ ______ Bett stellen?
d Ich stelle die Blumen ___________ Fenster.
e Hier liegt ja immer noch das Bild von Tante Erika. Warum hängen wir es nicht ___________ ______ Schreibtisch?
f Den Müll können wir erst mal ___________ ______ Tür stellen.
g Stell den Koffer bitte ___________ ______ Schrank.
h Die Handtücher kannst du ___________ Bad hängen.

KB 5 **6** **Im Möbelhaus. Ergänzen Sie die Verben und die Artikel in der richtigen Form.**

STRUKTUREN

stellen | stehen | ~~hängen~~ | hängen | liegen | legen

a ■ Das ist doch ein tolles Bild. Das können wir über das Sofa hängen.
▲ Aber bei uns ___________ doch schon so viele Bilder über d______ Sofa.

b ■ Der Teppich ist schön und nicht mal teuer. Den ___________ wir in______ Schlafzimmer.
▲ Aber vor d______ Bett ___________ doch schon ein Teppich.

c ■ Da ___________ eine Kommode zwischen zwei Fenstern. Das sieht gut aus.
▲ Ja, hier schon. Aber in unser______ Wohnung können wir diese Kommode nicht zwischen d______ Fenster ___________. Sie ist viel zu groß.

KB 6

7 Wo steht/liegt/hängt …? Wohin stellen/legen/hängen …?

Machen Sie fünf Kärtchen mit *Wo?* oder *Wohin?* und Dingen. Legen Sie die Kärtchen auf einen Stapel. Ziehen Sie ein Kärtchen und fragen Sie. Ihre Partnerin / Ihr Partner antwortet.

Wohin?
Spiegel

Wo?
Vorhang

▲ Wohin soll ich den Spiegel hängen?
■ Häng ihn in den Flur.
■ Wo hängt der Vorhang?
▲ …

KB 7 KOMMUNIKATION

8 In der neuen Wohnung. Ergänzen Sie die Tipps.

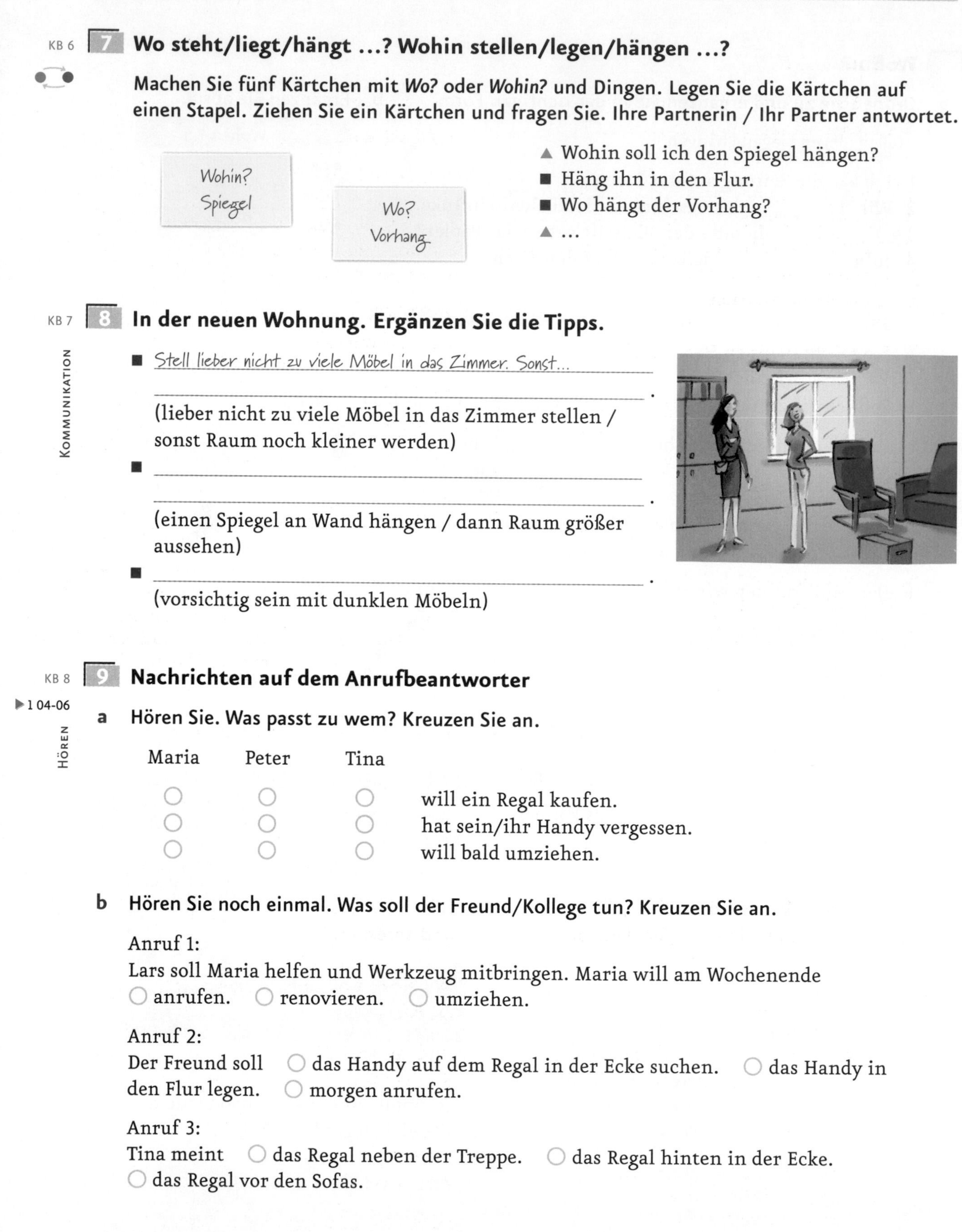

■ *Stell lieber nicht zu viele Möbel in das Zimmer. Sonst…*
____.
(lieber nicht zu viele Möbel in das Zimmer stellen / sonst Raum noch kleiner werden)

■ ____
____.
(einen Spiegel an Wand hängen / dann Raum größer aussehen)

■ ____.
(vorsichtig sein mit dunklen Möbeln)

KB 8 ▶ 1 04-06 HÖREN

9 Nachrichten auf dem Anrufbeantworter

a Hören Sie. Was passt zu wem? Kreuzen Sie an.

Maria	Peter	Tina	
○	○	○	will ein Regal kaufen.
○	○	○	hat sein/ihr Handy vergessen.
○	○	○	will bald umziehen.

b Hören Sie noch einmal. Was soll der Freund/Kollege tun? Kreuzen Sie an.

Anruf 1:
Lars soll Maria helfen und Werkzeug mitbringen. Maria will am Wochenende
○ anrufen. ○ renovieren. ○ umziehen.

Anruf 2:
Der Freund soll ○ das Handy auf dem Regal in der Ecke suchen. ○ das Handy in den Flur legen. ○ morgen anrufen.

Anruf 3:
Tina meint ○ das Regal neben der Treppe. ○ das Regal hinten in der Ecke.
○ das Regal vor den Sofas.

TRAINING: LESEN

1 Im Baumarkt

Lesen Sie die Aufgaben und die Infotafel. Sie suchen etwas. Wo finden Sie das? Kreuzen Sie an.

1 Ihr Wohnzimmer ist zu dunkel. Sie möchten eine andere Farbe für die Wände.
- ☒ a Erdgeschoss: Bauen und Renovieren
- b 1. Stock: Haus und Wohnen
- c 2. Stock: Dekoration

2 Sie möchten einen Herd kaufen. Wohin gehen Sie?
- a Untergeschoss: Werkzeug und Maschinen
- b Erdgeschoss: Bauen und Renovieren
- c 1. Stock: Haus und Wohnen

3 Ihre Wohnung soll schöner und gemütlicher werden. Sie möchten ein paar Dinge kaufen.
- a Erdgeschoss: Bauen und Renovieren
- b 1. Stock: Haus und Wohnen
- c 2. Stock: Dekoration

4 Sie haben zu wenig Licht an Ihrem Schreibtisch.
- a 1. Stock: Haus und Wohnen
- b 2. Stock: Dekoration
- c 2. Stock: Angebote

INFO

UNTERGESCHOSS
Werkzeug & Maschinen

ERDGESCHOSS
Garten: Gartengeräte, Gartenmöbel, Grills, Schwimmbäder, Balkon & Terrasse
Bauen und Renovieren: Wand, Boden, Fenster, Türen, Treppe

1. STOCK
Haus und Wohnen: Küche, Haushaltsgeräte, Möbel, Lampen & Leuchten, Ordnung & Aufbewahren

2. STOCK
Dekoration: Kissen, Vorhänge, Spiegel, Teppiche
Angebote
Information & Service

TIPP: Sie verstehen nicht alle Wörter? Das ist kein Problem. Sie kennen zum Beispiel „Dekoration" nicht. Der Kontext „Kissen, Vorhänge, Spiegel, Teppiche" hilft.

TRAINING: AUSSPRACHE *der Laut „r"*

▶1 07 **1 In welchem Wort hören Sie „r"? Markieren Sie und kreuzen Sie dann an.**

a unter den Schrank
b hinter das Regal
c über das Gerät
d vor den Raum

REGEL:
Am Wort- und Silbenanfang und in Silben
- ○ hört und spricht man „r".
- ○ hört und spricht man „r" nicht.

Am Wort- und Silbenende
- ○ hört und spricht man „r".
- ○ hört und spricht man „r" nicht.

▶1 08 **Hören Sie noch einmal und sprechen Sie nach.**

▶1 09 **2 Wo hört und spricht man „r"? Markieren Sie.**

Rüdiger und Rita
Rüdiger und Rita renovieren.
Sie diskutieren:
Welche Farbe an die Wand?
Rot? Grün? Braun? Orange?
Ach, Rita! Nimm du das in die Hand!

Hören Sie und sprechen Sie dann.

TEST

Wörter

1 Markieren Sie und ordnen Sie zu.

KSOUVENIROFFASKKISSENUNKDOPFERVORHANGIMKILÖREGALDOKYHERDABURSPIEGEL MUSLAWWERKZEUGTUREWOSCHREIBTISCHAWURTOZ

a Hier kann man arbeiten: Schreibtisch
b Sie liegen auf dem Sofa: ____________
c Dort kann ich mich sehen: ____________
d Das bringt man aus dem Urlaub mit: ____________
e Das hängt vor dem Fenster: ____________
f Hier kann man kochen: ____________
g Hier stehen viele Bücher: ____________
h Das braucht man zum Reparieren: ____________

_ /7 Punkte

Strukturen

2 Herrn Fischers Büro. Was ist richtig? Kreuzen Sie an.

Herr Fischer ☒ legt ○ liegt (a) seine Tasche in ☒ die ○ der (b) Ecke.
Er ○ stellt ○ steht (c) seinen Kaffee auf ○ den ○ dem (d) Schreibtisch.
Der neue Computer ○ steht ○ stellt (e) auch auf ○ dem ○ der (f) Schreibtisch. Die Rechnungen ○ liegen ○ legen (g) neben ○ dem ○ den (h) Drucker.
Herr Fischer ○ stellt ○ steht (i) seine Bücher ○ ins ○ in dem (j) Regal.

_ / 8 Punkte

Kommunikation

3 Was schreibt LUCKYGIRLY? Ordnen Sie zu.

der Raum zu unordentlich | einen Teppich | einen Spiegel an die Wand | viele Bücher | eine Lampe auf den Tisch | helle Kissen auf das Sofa

Alesseij312: Hilfe! Mein Wohnzimmer ist so ungemütlich. Es ist sehr dunkel. Mein Sofa ist schwarz und das Regal ist braun. Leider habe ich nicht viel Geld. Wer hat Tipps für mich?

LUCKYGIRLY: Das ist nicht so schwer – auch mit wenig Geld! Du brauchst Licht und Farbe! Stell ____________ (a). Das Licht ist dann wärmer als direktes Deckenlicht. Leg ____________ (b), gut sind rote oder gelbe Kissen. Häng ____________ (c), er macht den Raum größer und heller. Und ganz wichtig: Stell ____________ (d) ins Regal. Aber pass auf mit zu vielen Souvenirs, sonst wird ____________ (e). Leg auch ____________ (f) auf den Boden. Ich bin sicher, es sieht nun viel gemütlicher aus.

_ / 6 Punkte

Wörter	Strukturen	Kommunikation
● 0–3 Punkte	● 0–4 Punkte	● 0–3 Punkte
● 4–5 Punkte	● 5–6 Punkte	● 4 Punkte
● 6–7 Punkte	● 7–8 Punkte	● 5–6 Punkte

www.hueber.de/menschen

LERNWORTSCHATZ

1 Wie heißen die Wörter in Ihrer Sprache? Übersetzen Sie.

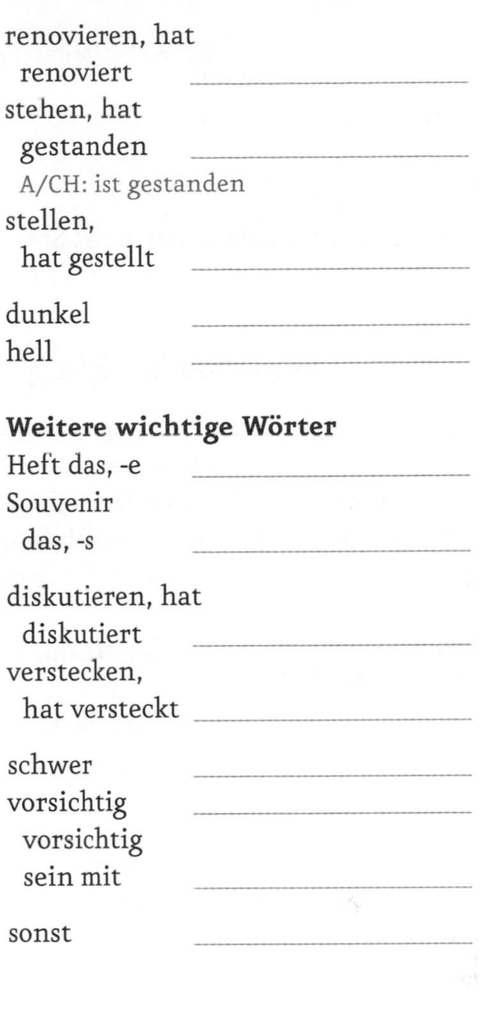

Einrichtung und Umzug

Ding das, -e ______
Ecke die, -n ______
in der Ecke ______
Fernsehgerät das, -e ______
A/CH: Fernseher der, -
Gegenstand der, ¨-e ______
Herd der, -e ______
Kissen das, - ______
A: Polster der,-
Raum der, ¨-e ______
Regal das, -e ______
Schreibtisch der, -e ______
CH: auch: das Pult, -e
Spiegel der, - ______
Tür die, -en ______
Vorhang der, ¨-e ______
Wand die, ¨-e ______
Werkzeug das, -e ______

einrichten, hat eingerichtet ______
hängen, hat gehängt / hat gehangen ______
A: ist gehangen
CH: ist gehängt
legen, hat gelegt ______
liegen, hat gelegen ______
A/CH: ist gelegen

renovieren, hat renoviert ______
stehen, hat gestanden ______
A/CH: ist gestanden
stellen, hat gestellt ______

dunkel ______
hell ______

Weitere wichtige Wörter

Heft das, -e ______
Souvenir das, -s ______

diskutieren, hat diskutiert ______
verstecken, hat versteckt ______

schwer ______
vorsichtig ______
vorsichtig sein mit ______

sonst ______

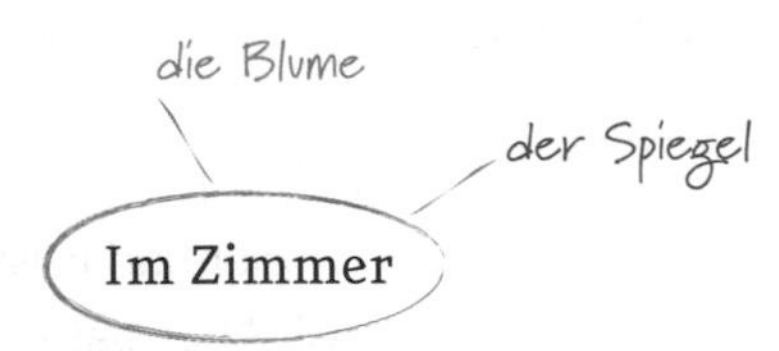

Geräte
der Herd
der Kühlschrank
das Fernsehgerät

TIPP Notieren Sie Wörter in Gruppen. Ergänzen Sie immer wieder.

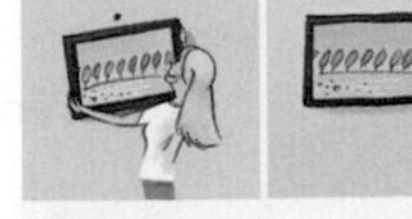
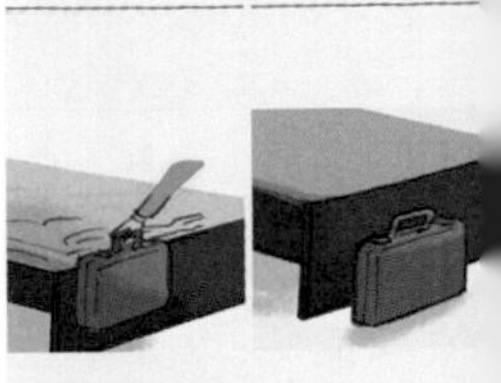

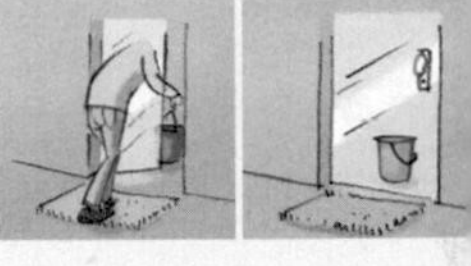

2 Welche Wörter möchten Sie noch lernen? Notieren Sie.

______
______
______

Hier finden Sie Ruhe und Erholung.

KB 3 **1 Nomen mit *-ung***

STRUKTUREN

a Bilden Sie Nomen. ~~wandern~~ | erfahren | anstrengen | beraten | anmelden | erholen

die Wanderung, ____________________

b Ordnen Sie die Wörter aus a zu.

1 Ich habe zurzeit in der Arbeit viel Stress. Zur *Erholung* möchte ich nächstes Wochenende in ein Wellness-Hotel fahren.
2 Ich war im Reisebüro. Aber ich habe fast keine Informationen bekommen. Die ____________ dort war wirklich nicht gut.
3 Jo arbeitet schon lange als Lehrerin. Sie hat in diesem Beruf viel ____________.
4 Komm, wir nehmen den Aufzug. Dann kommen wir ganz schnell und ohne ____________ nach oben.
5 Heute tun mir die Füße und die Beine weh. Denn ich war am Wochenende in den Bergen und habe eine ziemlich lange ____________ gemacht.
6 Hast du die ____________ für den Surfkurs schon ausgefüllt?

KB 3 **2 Ergänzen Sie die Verben oder Nomen mit Artikel.**

STRUKTUREN

Verben	Personen (Nomen)
fahren	*der Fahrer*
	der Wanderer
	! der Verkäufer
	der Berater
vermieten	

KB 4 **3 Versteckte Wörter**

WÖRTER

a Suchen Sie noch 12 Nomen.
die Wiese,

	A	B	C	D	E	F	G	H	I	J	K	L	M	N	O
1	U	U	F	I	R	D	D	W	W	P	P	H	U	N	D
2	Q	X	R	J	E	O	C	K	I	P	P	G	N	I	G
3	U	U	O	D	O	R	A	H	E	R	G	J	D	F	B
4	D	X	S	B	S	F	X	O	S	T	R	A	N	D	J
5	X	E	C	N	C	R	I	J	E	I	L	B	R	T	H
6	S	N	H	O	Q	F	E	O	Y	G	W	H	T	X	C
7	I	E	M	M	Q	D	B	A	M	E	E	N	H	F	F
8	M	B	L	U	M	E	L	Y	E	Q	F	J	B	J	K
9	M	E	K	D	H	V	C	X	T	T	B	A	U	M	X
10	K	R	J	X	K	D	U	C	N	K	H	Y	V	B	Y
11	O	G	K	F	L	U	S	S	B	A	F	E	O	V	D
12	E	Q	W	Q	X	W	B	G	Q	T	E	N	G	A	G
13	F	I	S	C	H	I	U	T	E	Z	Y	W	E	E	T
14	D	A	B	Q	A	P	Y	U	F	E	R	T	L	N	T

b **Schreiben Sie die Nomen aus a mit Artikel in die Tabelle.**

Landschaft	Pflanzen	Tiere
die Wiese		

KB 4 WÖRTER

4 Kleinanzeigen. Ergänzen Sie.

ⓐ

Bella Italia Sie lieben Italien, seine Kultur und die Sprache? Sie wollen noch mehr über Italien lernen?

Dann fahren Sie mit uns in die Toskana. In einer kleinen G r u p p e (max. 10 Personen) lernen Sie schnell. Der U ___ t ___ r ___ i c ___ t b e ___ i ___ ___ t um 9.00 Uhr und e ___ d ___ ___ um 13.00 Uhr.

Nachmittags b ___ ___ t e n wir interessante Ausflüge ___ n. A ___ß ___ r ___ e ___ können Sie auch bei unserem Italienisch-Kochkurs m ___ t m___ c ___en. Termine finden Sie online.

Unser A___ g ___ b___ t im Oktober: Sprachkurs mit Übernachtung und F___ h___ t (Bus)
1 Woche nur 987,- Euro

ⓑ

Frau (65 Jahre) s _o _ tl _ _h und a _t _ v sucht Reisepartner / -partnerin (60 +). Reist du gern? Bist du offen für fremde K _lt_ r_ n? Zusammen können wir viel e _l e _ e _. (0 82 51/26 307 899)

ⓒ

Suchen Sie R___ h ___ und Erholung an der frischen ___u ___t? Bei uns finden Sie schöne Wanderwege. Toureninfos und Wander-k ___ r ___ ___ bekommen Sie bei der Touristeninfo.

ⓓ

S T _ P _!

HIER GIBT ES BIO-OBST UND GEMÜSE DI ___E ___ T VOM BAUERNHOF! GESUND, GÜNSTIG UND GUT.

THOMAS GRÜN | WALDSTRASSE 27

ⓔ

Top- ___o___ e aus Mailand, Paris und London

Unser besonderer S___ r ___ i ___ e: Ein Einkaufsberater nur für Sie!

ⓕ

Sie möchten mal a ___d ___ ___s Urlaub machen: Übernachten Sie im Baumhaushotel.
4 Personen schon ab 198 Euro

KB 4 ▶ 1 10-11 HÖREN

5 Hören Sie die Gespräche.

a **Was passt am besten? Kreuzen Sie an.**

Gespräch 1:
◯ Wanderung in den Bergen ◯ Erholung in den Bergen ◯ Arbeit auf einem Bauernhof

Gespräch 2:
◯ Radtour nach Italien ◯ Städtereise nach Verona ◯ Strandurlaub am See

b Hören Sie die Gespräche noch einmal. Kreuzen Sie an.

Gespräch 1:	richtig	falsch
1 Leo hat mit Tieren gearbeitet.	○	○
2 Die Landschaft hat Leo nicht gefallen.	○	○
3 Leo ist gewandert.	○	○
4 Leo ist jeden Tag früh aufgestanden.	○	○
Gespräch 2:		
5 Eva meint, mit dem Fahrrad erlebt man alles ganz anders.	○	○
6 Die Tour hat in Verona begonnen.	○	○
7 Eva ist mit einer Reisegruppe gefahren.	○	○
8 Eva hat mit ihren Freunden am Strand übernachtet.	○	○

KB 6

WIEDERHOLUNG STRUKTUREN

6 Urlaubswünsche. Schreiben Sie die Sätze. Beginnen Sie mit dem markierten Wort.

a würden – ich – machen – gern – einen Surfkurs – .
b gern mal – du – machen – würden – Urlaub auf dem Bauernhof – ?
c buchen – Sie – welche Reise – würden – am liebsten – ?
d liegen – den ganzen Tag – ihr – würden – am liebsten – in der Sonne – .

Ich würde gern einen Surfkurs machen.

7 Was würden Sie gern im Urlaub machen?

Machen Sie eine Übung wie in 6. Tauschen Sie mit Ihrer Partnerin / Ihrem Partner. Ihre Partnerin / Ihr Partner schreibt die Sätze.

KB 6

KOMMUNIKATION

8 Ordnen Sie zu.

sind gerade in | liegen E-Bikes gerade im Trend | die Idee funktioniert | ich fahre lieber | ~~ich würde am liebsten~~ | gefällt mir überhaupt nicht | ich glaube schon

■ Ich habe eine Geschäftsidee: Wir bieten Stadttouren für Touristen an.
▲ Die Idee ist nicht schlecht. Aber *ich würde am liebsten* (a) Touren mit E-Bikes anbieten.
■ Was sind denn E-Bikes?
▲ Das sind Fahrräder mit Motor.
■ Echt? Also ______ (b) mit einem Fahrrad ohne Motor. Die Idee mit den E-Bikes ______ (c). Die sind doch nur für alte Leute.
▲ Das stimmt nicht. Außerdem ______ (d).
■ Was?! Elektrofahrräder ______ (e)? Glaubst du wirklich, ______ (f)?
▲ Ja, ______ (g).

TRAINING: SPRECHEN

1 Ein Ausflug mit dem Deutschkurs

a Sie wollen mit Ihrem Deutschkurs einen Ausflug machen. Auf dem Blatt stehen Ideen. Notieren Sie: Warum finden Sie eine Idee gut / Warum nicht?

AUSFLUG MIT DEM DEUTSCHKURS
Was:
- wandern in den Bergen
- an einen See fahren
- in eine Stadt fahren
- eine Fahrradtour machen

nicht alle sind sportlich
schwimmen
nicht teuer

TIPP: Überlegen Sie vor dem Sprechen: Warum ist Ihre Idee gut? Machen Sie Notizen. Dann wird das Sprechen leichter.

b Sprechen Sie mit Ihrer Partnerin / Ihrem Partner. Verwenden Sie Ihre Notizen aus a.

Ich würde am liebsten einen Ausflug an einen See machen. Da kann man schwimmen und in der Sonne liegen.

Ich würde gern / am liebsten … Da kann man …
Also ich finde/denke/mag …
Mir gefällt die Idee (nicht so) gut. Denn …
Mir gefällt die Idee auch sehr gut. Aber …
Echt/Wirklich? Ich würde lieber …

Mir gefällt die Idee auch sehr gut. Aber vielleicht ist das Wetter schlecht. Was machen wir dann?

TRAINING: AUSSPRACHE *der Nasal „ng“*

▶1 12
1 Hören Sie und kreuzen Sie an.

Beratung – Erfahrung – Erholung – Wanderung – Ordnung – Ausstellung

REGEL: Die Buchstabenkombination „ng“ spricht man als
○ einen Laut. ○ zwei Laute: „n“ und „g“.

▶1 13
2 Markieren Sie „ng“. Hören Sie und sprechen Sie nach.

a Velo-Touren zwischen Kreuzlingen und Rohrschach: ohne Anstrengung am See-Ufer entlangfahren. Beratung und Ausrüstung bei Velo-Mann!
b Erholung pur: Bei uns dürfen Sie langsam sein, lange schlafen, lange frühstücken und unsere gute Luft genießen. Hier ist die Welt noch in Ordnung!
c Am Langwieder See: Die Vögel singen, die Frösche quaken. Im Zelt auf Campingplätzen übernachten. Die perfekte Erholung!

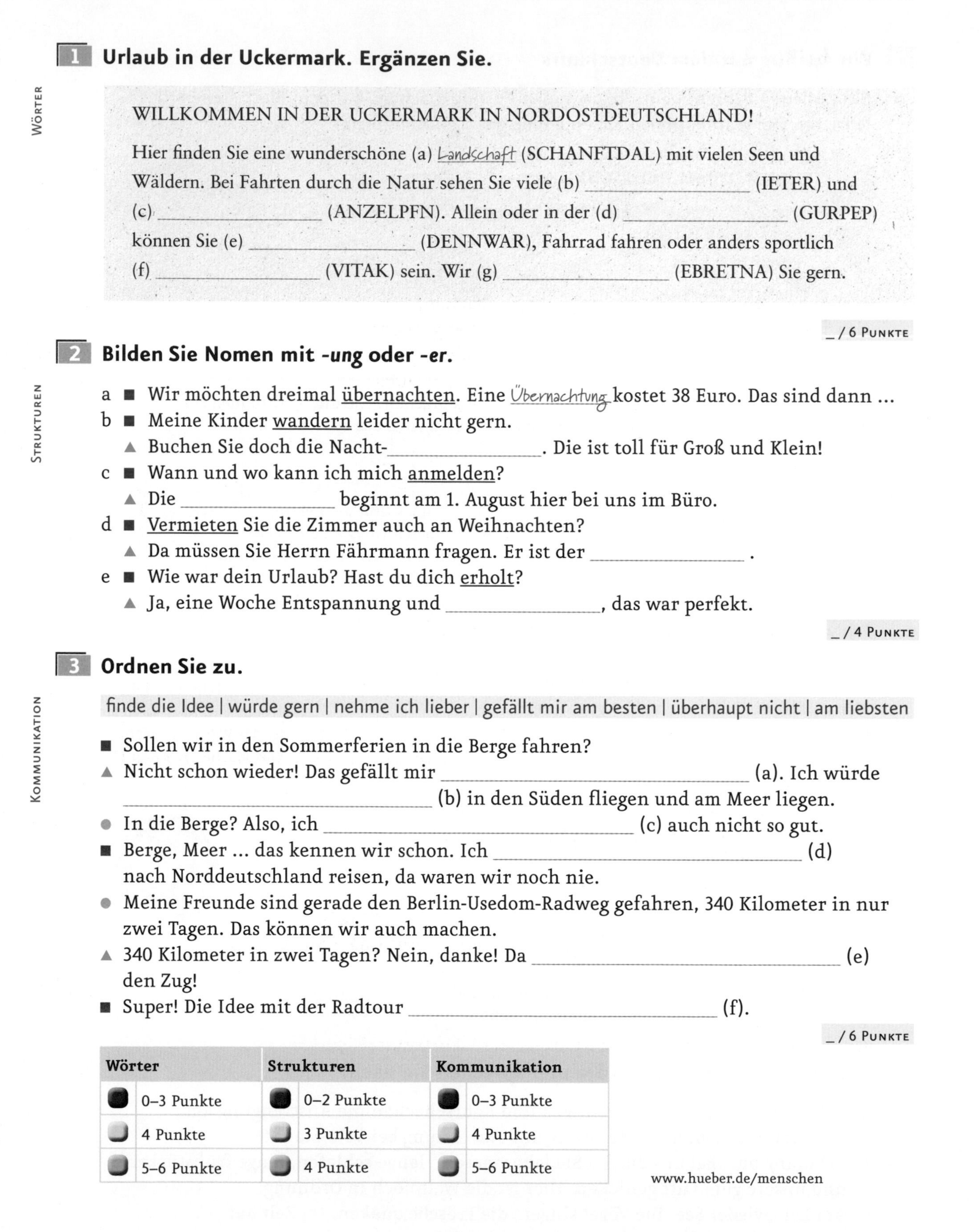

TEST

1 Urlaub in der Uckermark. Ergänzen Sie.

WÖRTER

WILLKOMMEN IN DER UCKERMARK IN NORDOSTDEUTSCHLAND!

Hier finden Sie eine wunderschöne (a) Landschaft (SCHANFTDAL) mit vielen Seen und Wäldern. Bei Fahrten durch die Natur sehen Sie viele (b) ________________ (IETER) und (c) ________________ (ANZELPFN). Allein oder in der (d) ________________ (GURPEP) können Sie (e) ________________ (DENNWAR), Fahrrad fahren oder anders sportlich (f) ________________ (VITAK) sein. Wir (g) ________________ (EBRETNA) Sie gern.

_ / 6 PUNKTE

2 Bilden Sie Nomen mit *-ung* oder *-er*.

STRUKTUREN

a ■ Wir möchten dreimal übernachten. Eine Übernachtung kostet 38 Euro. Das sind dann …

b ■ Meine Kinder wandern leider nicht gern.
▲ Buchen Sie doch die Nacht-________________. Die ist toll für Groß und Klein!

c ■ Wann und wo kann ich mich anmelden?
▲ Die ________________ beginnt am 1. August hier bei uns im Büro.

d ■ Vermieten Sie die Zimmer auch an Weihnachten?
▲ Da müssen Sie Herrn Fährmann fragen. Er ist der ________________ .

e ■ Wie war dein Urlaub? Hast du dich erholt?
▲ Ja, eine Woche Entspannung und ________________, das war perfekt.

_ / 4 PUNKTE

3 Ordnen Sie zu.

KOMMUNIKATION

finde die Idee | würde gern | nehme ich lieber | gefällt mir am besten | überhaupt nicht | am liebsten

■ Sollen wir in den Sommerferien in die Berge fahren?
▲ Nicht schon wieder! Das gefällt mir ________________ (a). Ich würde ________________ (b) in den Süden fliegen und am Meer liegen.
● In die Berge? Also, ich ________________ (c) auch nicht so gut.
■ Berge, Meer … das kennen wir schon. Ich ________________ (d) nach Norddeutschland reisen, da waren wir noch nie.
● Meine Freunde sind gerade den Berlin-Usedom-Radweg gefahren, 340 Kilometer in nur zwei Tagen. Das können wir auch machen.
▲ 340 Kilometer in zwei Tagen? Nein, danke! Da ________________ (e) den Zug!
■ Super! Die Idee mit der Radtour ________________ (f).

_ / 6 PUNKTE

Wörter	Strukturen	Kommunikation
0–3 Punkte	0–2 Punkte	0–3 Punkte
4 Punkte	3 Punkte	4 Punkte
5–6 Punkte	4 Punkte	5–6 Punkte

www.hueber.de/menschen

LERNWORTSCHATZ

3

1 Wie heißen die Wörter in Ihrer Sprache? Übersetzen Sie.

Natur und Umwelt
Dorf das, ¨-er ______
Katze die, -n ______
Pflanze die, -n ______
Landschaft die, -en ______
Luft die ______
Ruhe die ______
Strand der, ¨-e ______
Tier das, -e ______
Ufer das, - ______
Vogel der, ¨ ______

wandern, ist gewandert ______

Tourismus
Beratung die, -en ______
Erfahrung die, -en ______
Fahrt die, -en ______
Gruppe die, -n ______
Karte die, -n ______
Service der, -s ______
Trend der, -s ______
Unterricht der ______

an·bieten, hat angeboten ______
beraten, du berätst, er berät, hat beraten ______
beginnen, hat begonnen ______
buchen, hat gebucht ______
enden, hat geendet ______
erleben, hat erlebt ______
mit·machen, hat mitgemacht ______

aktiv ______
sportlich ______

Weitere wichtige Wörter
Mode die, -n ______

liegen in, hat gelegen ______
A/CH: ist gelegen

überhaupt nicht ______
anders ______
außerdem ______
direkt ______

TIPP
Notieren Sie unterwegs neue Wörter. Sie können auch Bilder malen.

2 Welche Wörter möchten Sie noch lernen? Notieren Sie.

______
______
______
______
______
______
______

WIEDERHOLUNGSSTATION: WORTSCHATZ

1 Meine Familie

a Bilden Sie Wörter.

~~NE~~ | NICH | SIN | ON | EL | TE | COU | TERN | KEL | ~~SI~~ | TE | SCHWIE | TAN | ~~COU~~ | GER

Cousine ______ ______
______ ______ ______

b Ordnen Sie die Wörter aus a zu.

1 ■ Bist du das? Du hattest früher ja blonde Haare!
▲ Ja. Neben mir steht meine Cousine (a) Dorothea. Wir sind gleich alt und haben früher viel zusammen gespielt. Neben uns ist mein ______ (b) Benedikt.
Dorothea und Benedikt sind die Kinder von ______ (c) Angelika und ______ (d) Thomas. Er ist der Bruder von meiner Mutter.

2 ● Das ist die Familie von meinem Mann. Hier heiratet seine ______ (a) Sarah. Sie ist die Tochter von seinem Bruder. Auf dem anderen Bild siehst du Sarahs Großeltern.
■ Das sind doch auch deine ______ (b), oder?
● Richtig!

2 Was war früher anders als heute? Ergänzen Sie.

Dorf | ~~Zigaretten~~ | Herd | Unterricht | Fernsehgerät | Puppen | Luft | Bauernhof

a Früher habe ich am Tag 20 Zigaretten geraucht, heute lebe ich gesünder.
b Als Kind habe ich mit ______ gespielt. Meine Tochter findet Computerspiele interessanter.
c In unserem ______ war die ______ früher besser, heute gibt es viele Fabriken.
d Meine Großeltern haben auf einem ______ gelebt, wir wohnen in der Stadt.
e In meiner Kindheit hatten wir auch kein ______.
f Meine Schwiegermutter hat früher mit Holz gekocht, jetzt hat sie einen ______.
g Der ______ in der Schule war anders, heute diskutieren die Lehrer mehr mit den Schülern.

3 Wo machen wir ein Picknick? Lösen Sie das Rätsel.

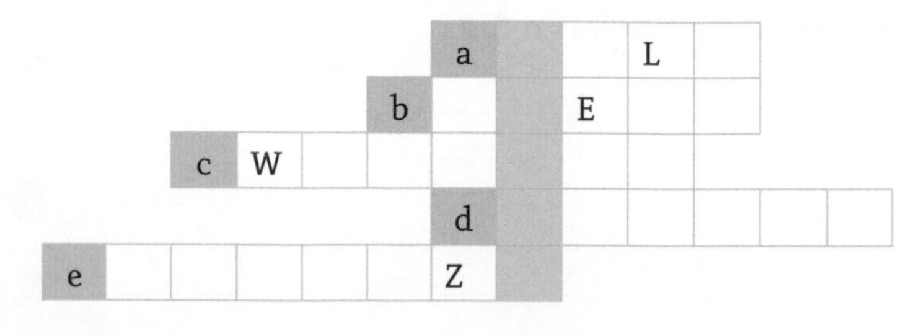

a Im ... stehen viele Bäume.
b Hunde, Katzen, Frösche und Vögel sind ...
c In den Bergen kann man gut ...
d Man schwimmt im Meer und liegt dann am ... in der Sonne.
e Eine Blume ist eine ...

Lösung: Auf einer _ _ _ S _ !

WIEDERHOLUNGSSTATION: GRAMMATIK

1 Montagmorgen in der Büroküche. Was ist richtig? Markieren Sie.

■ Guten Morgen. Wie geht's dir?
Wie war sein / seine / dein / deine (a) Wochenende?

▲ Na ja, es geht so. Mein / Meine / Ihr / Ihre (b) Schwiegermutter hat mich und sein / seinen / mein / meinen (c) Mann besucht und mal wieder eure / euren / unsere / unseren (d) Wohnung geputzt.

■ Was?! Wie findet mein / meinen / dein / deinen (e) Mann das eigentlich?

▲ Ach, der findet ja, ihre / ihr / seine / sein (f) Mutter soll jedes Wochenende zu uns kommen.

● Übrigens! Susanne arbeitet nicht mehr bei uns. Sie hat einen super Job bei Siemens gefunden.

■ Wow, mit seiner / seine / ihrer / ihre (g) Erfahrung verdient sie da sicher viel mehr als in unserer / unsere / seiner / seine (h) Firma.

● Vielleicht, aber mir macht meine / mein / deine / dein (i) Arbeit hier Spaß.

▲ Ach, da kommt ja Herr Dirks. Vielleicht hat er meinen / mein / ihren / ihr (j) Drucker schon repariert.

■ Guten Morgen, Frau Müller. Ihr / Ihre / Dein / Deine (k) Drucker ist fertig. Er steht in Ihrem / Ihr / deinem / dein (l) Büro.

2 Johanna hat ihr Zimmer neu eingerichtet. Ergänzen Sie die Präpositionen und die Artikel.

a Sie hat ein Sofa, einen Stuhl und einen Sessel ins Zimmer gestellt.
b ________ Sofa und ________ Sessel hat sie einen Tisch gestellt.
c Das Bett steht jetzt ________ Fenster.
d ________ Bett hängt ein Bücherregal.
e ________ Fenster hat sie Vorhänge gehängt.
f ________ Schrank liegt ein Teppich.
g Die Lampe hat sie ________ Tisch gehängt.
h ________ Wand ________ Sofa hängt ein Bild.

3 Ergänzen Sie die Tabellen.

Verben	Nomen + -ung
übernachten	die Übernachtung
buchen	

Verben	Nomen + -er
mieten	
	der Spieler
fahren	
	der Kletterer

Verben	Nomen + -ung	Nomen + -er
sammeln		
	die Zeichnung	

SELBSTEINSCHÄTZUNG Das kann ich!

Ich kann jetzt ...

... über Berufe sprechen: L01

Mein Großvater war ______________________
und mein Vater ist auch ____________________________.
Ich möchte auf __________________ Fall _________________________________, denn ich
finde den Beruf _____________________________.

... Familiengeschichten erzählen: L01

■ Habe ich dir schon ______ meiner Cousine __________________?
▲ Nein.
■ Also, ____________ auf: ...
Und __________ du, was dann _______________________ ist? Sie ...
Sie ___________ schon verrückt, meine ___________________.

... Einrichtungstipps geben: L02

______________________ einen Teppich auf den Boden. Dann ___________ das Zimmer gleich wärmer aus.
__________________ das Sofa unter das Regal.
__________________ mit großen Möbelstücken! ___________ Sie sie vor eine helle Wand, _________ wird das Zimmer schnell zu dunkel.

... etwas bewerten: L03

■ Welche Idee __________________ dir ______ besten?
▲ Also ich __________ den Öko-Wellness-Bauernhof am besten.
■ Echt? Die Idee _____________ mir _____________ nicht.
Ich glaube, das _________________________________ nicht.
▲ Doch, das glaube ich schon. Das __________ doch gerade im _________.

... Vorlieben und Wünsche ausdrücken: L03

■ Welche Reise würdest du am liebsten buchen?
▲ Ich ___________________________ die Wasserwanderung ____________________________.
■ Wirklich? Ich fahre __________ Fahrrad.

Ich kenne ...

... 10 Familienmitglieder: L01

Diese Familienmitglieder treffe ich oft:

____

Diese Familienmitglieder treffe ich nicht so oft:

____

... 10 Aktivitäten aus meiner Kindheit: L01

Das habe ich als Kind gern gemacht:

____

Das habe ich als Kind nicht / nicht so gern gemacht:

____

SELBSTEINSCHÄTZUNG Das kann ich!

... 10 Wörter zum Thema „Einrichtung und Haushalt“: L02

____

... 8 Wörter zum Thema „Natur und Umwelt“: L03
Das mag ich:
____
Das mag ich nicht:
____

Ich kann auch ...

... Besitzverhältnisse angeben (Possessivartikel): L01
Das sind u__________ Zigaretten.
Habt ihr e__________ Hausaufgaben gemacht?
Kann ich auch mit m__________ Kreditkarte zahlen?

... die Lage von Dingen und die Richtung angeben (Wechselpräpositionen): L02
Wo hängt die Lampe?__________
Wohin soll ich die Lampe hängen? __________

... sagen, wer das macht und was man macht (Nomen bilden): L03
Wer vermietet eine Wohnung? – Der V__________.
Sie erfahren viel. Sie machen viele E__________.

... eine Erzählung strukturieren: L01
z__________, dann, d__________, z_____ S__________

Üben / Wiederholen möchte ich noch ...

____

RÜCKBLICK

Wählen Sie eine Aufgabe zu Lektion 1 __________

1 Er war schon verrückt, mein Onkel Willi! Sehen Sie noch einmal die Bilder im Kursbuch auf Seite 13 an und beantworten Sie die Fragen.

a Wer hat gestritten?
b Warum?
c Was ist dann passiert?

2 Wann haben Sie zuletzt gestritten/verschlafen/gelacht/...?
Was ist dann passiert? Machen Sie zuerst Notizen und schreiben Sie dann eine Geschichte.

Wann verschlafen? /
Wer hat gestritten/gelacht?
Warum?
Was ist dann passiert?

RÜCKBLICK

Wählen Sie eine Aufgabe zu Lektion 2

1 Sehen Sie sich noch einmal die Fotos im Kursbuch auf Seite 16 an. Wie sind die Wohnungen eingerichtet? Welche Unterschiede gibt es?

Jasmins Wohnung
In Jasmins Wohnung hängen Bilder an der Wand.

Stefans Wohnung
In Stefans Wohnung hängen keine Bilder an der Wand. Stefan hat das Sofa in die Mitte gestellt.

2 Ihr Traumwohnzimmer

Wie würden Sie Ihr Traumwohnzimmer einrichten?
Schreiben Sie zu folgenden Punkten:
- Welche Möbel gibt es?
- Wo stehen die Möbel?
- Was ist für Sie noch wichtig?

In meinem Wohnzimmer gibt es ...
Das Sofa steht in der Mitte.
...

Wählen Sie eine Aufgabe zu Lektion 3

1 Lesen Sie noch einmal die Werbetexte im Kursbuch auf Seite 20 und 21.

Wo möchten Sie am liebsten Urlaub machen?
Wählen Sie einen Text. Schreiben Sie: Was machen Sie an einem Urlaubstag an diesem Ort.

Text A
Ich schlafe lange. Dann frühstücke ich. Es gibt Milch und Eier. Alles ist ganz frisch. Dann ...

2 Wohin würden Sie gern fahren?

a Suchen Sie im Internet, in einer Zeitung oder Zeitschrift einen Werbetext für einen interessanten Urlaubsort.

Schreiben Sie die Informationen in die Tabelle.

Urlaubsort	Was kann man da machen?	Was gefällt mir dort besonders?

b Schreiben Sie einen Text über den Urlaubsort.

Ich würde gerne nach ... fahren.
Da kann man ...
Ich ... gern.

NUR WIR FÜNF

Teil 1: Wohin fahren wir in Urlaub?

In der Schule haben sie alles gemeinsam gemacht. Sie haben sich jeden Tag gesehen.

Mara, Max, Ina, Ralf und Bernd.

Und jetzt, zehn Jahre später ... sind sie immer noch die besten Freunde.

Aber sie sehen sich nicht mehr so oft. Sie haben verschiedene Berufe und wohnen in verschiedenen Städten.

Doch manchmal treffen sie sich und machen gemeinsam Urlaub.

Sie chatten gerade, sie planen ihren Urlaub ...

MaraSupergirl: Urlaub auf dem Bauernhof? Sicher nicht!

Maxxx: Warum nicht? Das ist cool.

MaraSupergirl: Shopping ist cool. Tanzen ist toll.

Maxxx: Wandern gehen, in der Natur sein, das gefällt mir!

iBernd: Ich will nicht in der Natur sein.

Ina09: Weil es da kein Internet gibt.

iBernd: Genau.

MaraSupergirl: Warum fahren wir nicht nach Paris?

Ina09: Gute Idee.

Maxxx: Ohne mich. Ich kann kein Wort Französisch.

MaraSupergirl: Weil du in der Schule nichts gelernt hast.

Ina09: In Paris gibt es tolle Museen.

iBernd: Gähn! Langweilig!

Ina09: Was hast du gegen Museen?

Maxxx: Er schaut sich Bilder nur am Computer an.

King_Ralf: Leute, ich habe eine Idee. Ich habe euch einen Link geschickt. Schaut euch den mal an.

> Stadt und Land
> Machen Sie eine Radtour entlang der Spree und durch das Land um Berlin. Genießen Sie die wunderschöne Natur. Übernachten Sie auf Campingplätzen. Und danach haben Sie noch genug Zeit für Berlin, die Hauptstadt mit ihren vielen Museen und Einkaufsstraßen ...

Maxxx: Camping ist super.

MaraSupergirl: Ja, am besten ohne Dusche.

iBernd: Und ohne Strom.

Ina09: Aber Berlin, die Museen ...

MaraSupergirl: Und die Einkaufsstraßen ...

King_Ralf: Es gibt für jeden etwas.

Maxxx: Das könnte funktionieren.

MaraSupergirl: Vielleicht ...

Ina09: Ich finde, das ist eine gute Idee!

iBernd: Okay, probieren wir es.

King_Ralf: Super ... Auf nach Berlin!

Was darf es sein?

KB 2 **1** **Online-Umfrage zum Thema „Einkaufen". Ergänzen Sie.**

WÖRTER

1 Wo kaufen Sie lieber ein?
☐ in kleinen Geschäften ☐ auf dem M ___ ___ k ___ ☐ im S ___ ___ ___ ___ markt

2 Wie oft kaufen Sie ein?
☐ jeden Tag ☐ einmal bis z ___ e ___ ___ al p ___ ___ Woche ☐ einmal p ___ ___ Monat

3 Was nehmen Sie zum Einkaufen mit?
☐ Einkaufsz ___ t ___ e ___ ☐ Einkaufst ___ s ___ h ___

4 Wie gehen Sie am liebsten einkaufen?
☐ h ___ n ___ r ___ g ☐ s ___ ___ t ☐ weiß nicht

5 Achten Sie auf A ___ g ___ b ___ te?
☐ immer ☐ manchmal ☐ nie

Fragebogen absenden

KB 3 **2** **Ergänzen und vergleichen Sie.**

WÖRTER

	Deutsch	Englisch	Meine Sprache oder andere Sprachen
a	die Birne	pear	
b		jam/marmalade	
c		coke	
d		banana	

KB 4 **3** **Sonderangebote: Was kostet wie viel? Ergänzen Sie.**

WÖRTER

Eine Dose | Eine Tüte | Eine Packung | Ein Liter | ~~100 Gramm~~ | Ein Pfund | Ein Kilo

a 100 Gramm Weichkäse kosten 1,59 Euro.
b ______________________ kostet 0,86 Euro.
c ______________________ kostet 0,54 Euro.
d ______________________ kostet 1,29 Euro.
e ______________________ kostet 1,08 Euro.
f ______________________ kostet 0,98 Euro.
g ______________________ kostet 1,69 Euro.

SONDERANGEBOTE

Weichkäse aus Rohmilch
100 g / 1,59 €

Quark 40% Fett
500 g / 0,86 €

6 **Eier**
1,08 €

Mehl
1 kg / 0,54 €

Bohnen

0,98 €

Orangensaft
1 l / 1,29 €

Schokobonbons
1,69 €

KB 5 **4** **Das schmeckt doch nicht! Markieren Sie die Endungen der Adjektive und ergänzen Sie *der*, *das* oder *die*.**

STRUKTUREN ENTDECKEN

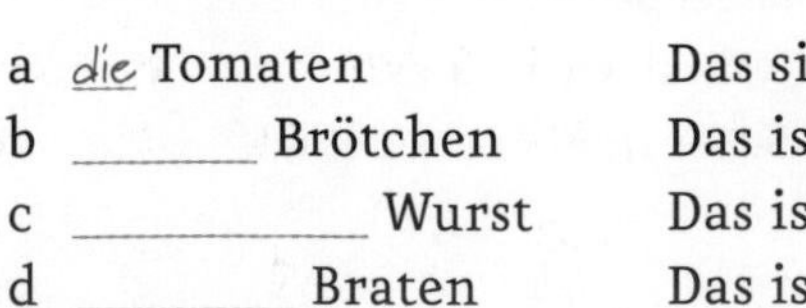

a die Tomaten — Das sind aber grüne Tomaten.
b ________ Brötchen — Das ist ja ein hartes Brötchen.
c ________ Wurst — Das ist doch keine normale Wurst.
d ________ Braten — Das ist aber ein fetter Braten.

BASISTRAINING

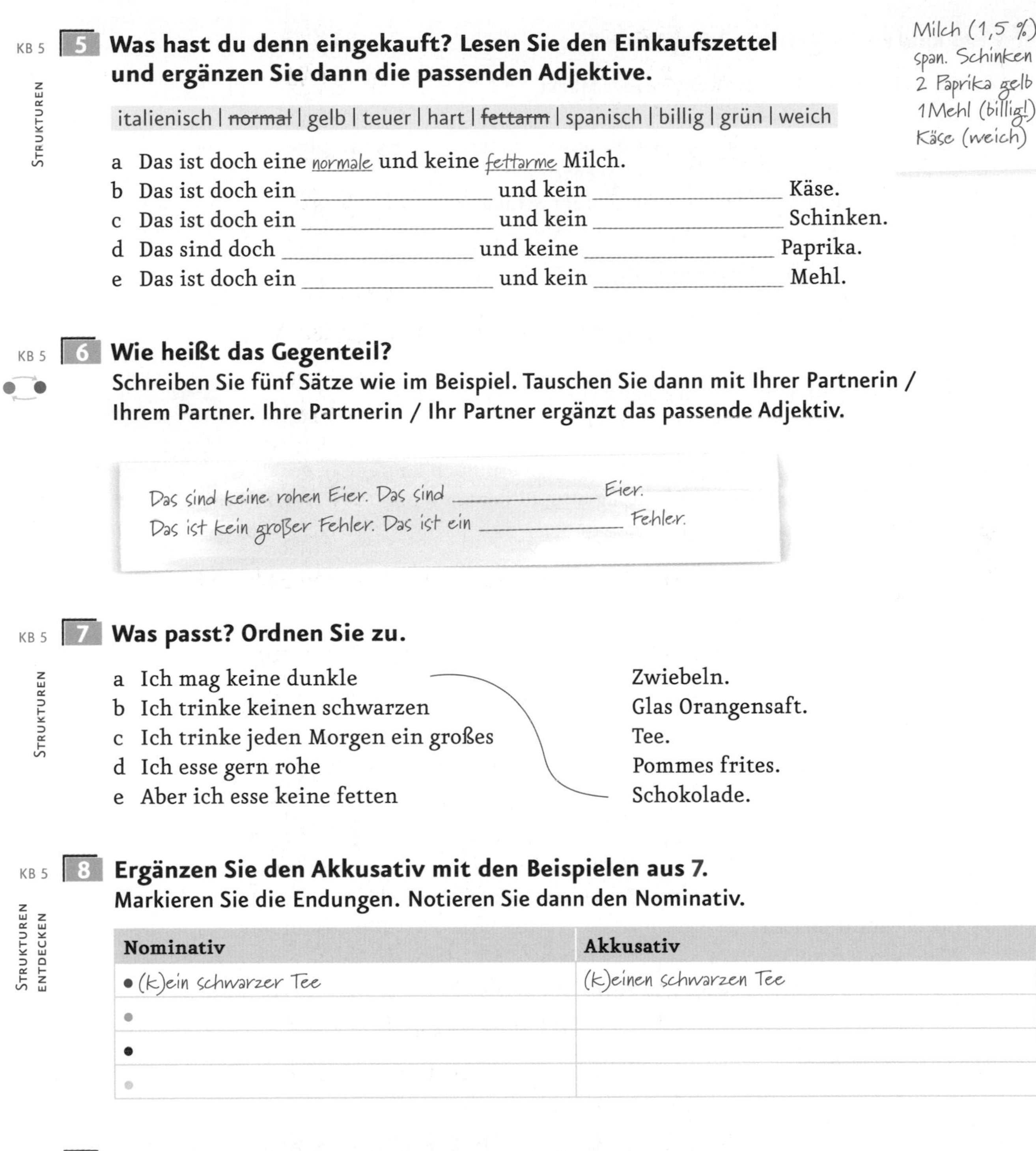

KB 5 | STRUKTUREN

5 Was hast du denn eingekauft? Lesen Sie den Einkaufszettel und ergänzen Sie dann die passenden Adjektive.

italienisch | ~~normal~~ | gelb | teuer | hart | ~~fettarm~~ | spanisch | billig | grün | weich

Milch (1,5 %)
span. Schinken
2 Paprika gelb
1 Mehl (billig!)
Käse (weich)

a Das ist doch eine normale und keine fettarme Milch.
b Das ist doch ein ________ und kein ________ Käse.
c Das ist doch ein ________ und kein ________ Schinken.
d Das sind doch ________ und keine ________ Paprika.
e Das ist doch ein ________ und kein ________ Mehl.

KB 5

6 Wie heißt das Gegenteil?

Schreiben Sie fünf Sätze wie im Beispiel. Tauschen Sie dann mit Ihrer Partnerin / Ihrem Partner. Ihre Partnerin / Ihr Partner ergänzt das passende Adjektiv.

Das sind keine rohen Eier. Das sind ________ Eier.
Das ist kein großer Fehler. Das ist ein ________ Fehler.

KB 5 | STRUKTUREN

7 Was passt? Ordnen Sie zu.

a Ich mag keine dunkle
b Ich trinke keinen schwarzen
c Ich trinke jeden Morgen ein großes
d Ich esse gern rohe
e Aber ich esse keine fetten

Zwiebeln.
Glas Orangensaft.
Tee.
Pommes frites.
Schokolade.

KB 5 | STRUKTUREN ENTDECKEN

8 Ergänzen Sie den Akkusativ mit den Beispielen aus 7.

Markieren Sie die Endungen. Notieren Sie dann den Nominativ.

Nominativ	Akkusativ
● (k)ein schwarzer Tee	(k)einen schwarzen Tee
●	
●	
●	

KB 5 | STRUKTUREN

9 Was ist im Kühlschrank? Ergänzen Sie die Endungen.

■ Müssen wir wirklich einkaufen gehen? Was haben wir denn noch im Kühlschrank?

▲ Da ist eine kleine (a) Packung Quark und ein mager____ (b) Käse. Wir haben auch noch ein paar alt____ (c) Kartoffeln und eine klein____ grün____ (d) Paprika. Da ist auch noch ein klein____ (e) Glas Marmelade. Wir haben ein hart gekocht____ (f) Ei, aber keine roh____ (g) Eier mehr. Zum Trinken haben wir nur noch eine groß____ (h) Flasche Cola.

KB 5 Strukturen

10 Wo kaufen Sie gern ein? Ergänzen Sie.

a im Urlaub auf ein*em* französisch*en* ● Markt
b in normal_____ ● Läden
c in ein_____ klein_____ ● Geschäft mit ein_____ nett_____ ● Verkäuferin
d in ein_____ modern_____ ● Einkaufszentrum
e in ein_____ schön_____ ● Laden in meiner Straße.

KB 6 Strukturen

11 Auf dem Flohmarkt. Ergänzen Sie die Endungen.

a ■ Da hinten sind schön*e* Gläser.
▲ Das ist gut. Wir brauchen klein_____ Wassergläser.

b ■ Ich suche ein nett_____ Geschenk für meine Freundin.
▲ Kauf ihr doch eine schön_____ Kette.

c ■ Ich möchte für meinen klein_____ Cousin ein Buch kaufen.
▲ Hier ist ein Kinderbuch mit lustig_____ Bildern.

d ■ Gibt es denn hier keine alt_____ Computer?
▲ Du hast doch schon einen alt_____ Computer zu Hause!

e ■ Oh! Das ist ein toll_____ Ring!
▲ Also, ich finde die Halskette mit klein_____ Blumen schöner.

KB 7 Kommunikation

12 Ergänzen Sie das Gespräch.

Das ist alles | Ich hätte gern | sonst noch etwas | Dann geben Sie | sind heute im Angebot | ~~Was darf es~~ | Meinen Sie | Wie viel darf | Gemüse brauche ich

● *Was darf es* (a) sein?
▲ _______________ (b) Tomaten.
● Möchten Sie normale Tomaten oder lieber Cocktailtomaten?
Die Cocktailtomaten _______________ (c). Die kosten nur 2,80 Euro je Kilo.
▲ _______________ (d) mir doch bitte die Cocktailtomaten.
● _______________ (e) es denn sein?
▲ Ein Pfund, bitte.
● Möchten Sie _______________ (f)?
▲ _______________ (g) nicht mehr, aber vielleicht noch ein Kilo von den Äpfeln.
● _______________ (h) die da oder die hier?
▲ Die da, bitte.
● Sonst noch etwas?
▲ Nein, danke. _______________ (i).

TRAINING: SPRECHEN

1 In einem Restaurant/Café bestellen

Was sagt der Gast? Was sagt der Kellner? Schreiben Sie die Sätze für den Gast auf gelbe und die Sätze für den Kellner auf blaue Kärtchen.

Was darf ich Ihnen bringen? | Ich hätte gern / Ich nehme … | Dann nehme ich … |
Ich möchte lieber … Geht das? | Das geht (leider nicht). | Kann ich … haben? |
Was darf es sein? | Tut mir leid. Wir haben kein(e) … | Wir haben nur noch … |
Soll es … oder … sein? | Möchten Sie lieber … oder …? | Ja, sehr gern. Sofort.

Dann nehme ich …

Möchten Sie lieber … oder …?

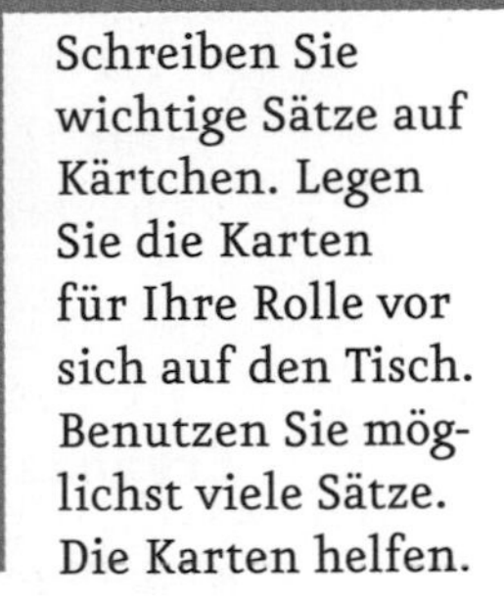

TIPP

Schreiben Sie wichtige Sätze auf Kärtchen. Legen Sie die Karten für Ihre Rolle vor sich auf den Tisch. Benutzen Sie möglichst viele Sätze. Die Karten helfen.

2 Spielen Sie mit Ihrer Partnerin / Ihrem Partner die Situationen. Verwenden Sie Sätze aus 1. Wechseln Sie die Rollen.

Sie sind Gast.

A Bestellen Sie ein französisches Frühstück mit einem Glas Orangensaft und einem grünen Tee.

B Bestellen Sie eine Cola und Schweinebraten mit Kartoffeln. Sie möchten aber nur eine halbe Portion. Denn Sie sind nicht sehr hungrig.

Sie sind Kellnerin/Kellner.

A Heute haben Sie keinen grünen Tee mehr. Der Orangensaft ist frisch gepresst oder normal. Was möchte der Gast? Fragen Sie.

B Es gibt eine kleine oder große Cola. Was möchte der Gast? Fragen Sie. Man kann in Ihrem Restaurant auch halbe Portionen bestellen.

TRAINING: AUSSPRACHE *Akzent und Rhythmus*

▶1 14 **1 Hören Sie. Hören Sie dann noch einmal und brummen oder klopfen Sie mit.**

einen milden Käse – einen mageren Schinken – grüne Bohnen – ein weich gekochtes Ei – eine warme Milch – einen grünen Tee – ein helles Brötchen – harte Birnen

▶1 15 **2 Hören Sie die Gespräche.**

a ■ Ich hätte gern einen milden Käse.
▲ Möchten Sie lieber einen weichen Käse oder einen harten?

b ■ Ich hätte gern einen mageren Schinken.
▲ Soll es ein roher Schinken sein oder ein gekochter?

c ■ Möchtest du ein weich gekochtes Ei?
▲ Oh ja. Weich gekochte Eier esse ich gern.
■ Wirklich? Ich nicht. Ich möchte lieber ein hart gekochtes Ei.

▶1 16 **Hören Sie noch einmal und sprechen Sie nach.**

1 Was steht auf dem Einkaufszettel? Ergänzen Sie.

WÖRTER

Pizza:
- je 250 g Schinken und S a l a m i (a)
- eine D _ _ _ (b) Mais
- zwei K _ _ _ (c) Mehl
- ein Pf _ _ _ (d) Tomaten
- eine P _ c k _ _ _ (e) Käse
- frischer K _ _ b _ a _ c h (f)

Dessert:
- ein _ i _ _ r (g) Milch (fettarm!)
- B i _ _ _ n (h), Äpfel und _ a n _ _ _ n (i)
- 500 g Q _ _ r _ (j)

Getränke:
- Wasser, Wein, Orangen_ a _ t (k)

_ / 10 PUNKTE

2 Ergänzen Sie die Endungen.

STRUKTUREN

■ Sollen wir für meine Geburtstagsparty eine große__ (a) Pizza backen?
▲ Gute Idee. Haben wir noch Mehl?
■ Ja, aber hier ist kein hell____ (b) Mehl.
▲ Ich schreibe es gleich auf den Einkaufszettel. Und wie viel Schinken und Salami brauchen wir?
■ Je 250 Gramm. Aber bitte keinen roh____ (c) Schinken und nur eine fettarm____ (d) Salami.
▲ Schon klar. Dann kaufe ich noch weich____ (e) Tomaten und einen mild____ (f) Käse.
■ Und als Dessert gibt es einen lecker____ (g) Kuchen.
▲ Oder wir machen einen frisch____ (h) Obstsalat.
■ Super! Ich freue mich schon.

_ / 7 PUNKTE

3 Ordnen Sie zu.

KOMMUNIKATION

Das ist alles | Wie viel darf es sein | Möchten Sie lieber | Ich hätte gern | Möchten Sie sonst noch | Was darf es sein

■ Hallo, Frau Fischer. ______________________________ (a)?
▲ ______________________________ (b) Schinken und Salami für eine Pizza.
■ ______________________ (c) einen rohen oder einen gekochten Schinken?
▲ Einen gekochten, bitte.
■ ______________________________ (d)?
▲ Geben Sie mir bitte 250 Gramm und dann noch 250 Gramm von der Salami.
■ Gern. ______________________________ (e) etwas?
▲ Nein, danke. ______________________ (f).

_ / 6 PUNKTE

Wörter		Strukturen		Kommunikation	
●	0–5 Punkte	●	0–3 Punkte	●	0–3 Punkte
●	6–7 Punkte	●	4–5 Punkte	●	4 Punkte
●	8–10 Punkte	●	6–7 Punkte	●	5–6 Punkte

www.hueber.de/menschen

LERNWORTSCHATZ

1 Wie heißen die Wörter in Ihrer Sprache? Übersetzen Sie.

Lebensmittel
Banane die, -n
Birne die, -n
Bohne die, -n
A: grüne Bohne = Fisole die, -n
Bonbon der/das, -s
A: Zuckerl das, -
CH: Täfeli das, - / Zältli das, -
Cola die
A: Cola das
CH: Coca-Cola, das
Gemüse das
Getränk das, -e
Marmelade die, -n
CH: Konfitüre die, -n
Mehl das
Quark der
A: Topfen der, -
Saft der, ⸚e

fett
fettarm
frisch
hart
mager
normal
roh
weich

TIPP
Notieren Sie Gegensätze.

hungrig – satt

Einkaufen
Dose die, -n
Gramm das, -e
A: 500 Gramm = 50 Dekagramm(dag)
Kilo(gramm) das, -(s)
Liter der, -
Packung die, -en
Pfund das, -e
A: halbe Kilo das
Portion die, -en
Tüte die, -n
A: Sackerl das, -
CH: Sack der, ⸚e
Zettel der, -
der Einkaufszettel

hungrig
satt

je
pro

Weitere wichtige Wörter
Gewohnheit die, -en
Essgewohnheit
Fehler der, -

bestellen, hat bestellt
hoffen, hat gehofft

nämlich

2 Welche Wörter möchten Sie noch lernen? Notieren Sie.

Schaut mal, der schöne Dom!

KB 3 **1 Welches Verb passt? Kreuzen Sie an.**

WÖRTER

a ein ausländischer Tourist ○ reisen ○ ankommen ⊗ sein
b zu Fuß einen Rundgang durch die Stadt ○ besichtigen ○ machen ○ gehen
c geöffnet/offen ○ wechseln ○ sein ○ machen
d Sehenswürdigkeiten ○ buchen ○ besichtigen ○ mitmachen
e auf einer Bank Geld ○ wechseln ○ kaufen ○ geben
f einem Kellner Trinkgeld ○ machen ○ geben ○ einladen
g eine Unterkunft für zwei Nächte ○ übernachten ○ buchen ○ gefallen
h wichtige Informationen in einem Prospekt ○ lesen ○ informieren ○ buchen
i eine Führung durch die Stadt ○ mitmachen ○ gehen ○ fahren
j einen guten Reiseführer ○ haben ○ besichtigen ○ mitmachen
k sich für Museen ○ besichtigen ○ gefallen ○ interessieren

KB 4 **2 Schreiben Sie die Wörter richtig.**

WÖRTER

a
Schöne *Ferien* (enFier)!
Schreib mir!
Ich __________ (efrue) mich über eine
__________ (karsPotte).

b
Hast Du meine __________ __________ (rienchNacht) nicht bekommen?
Warum rufst Du mich nie an?
Das __________ (gertär) mich!

c
Kannst Du den __________ (rerseReifüh) über Rom für mich in der Bibliothek __________ (engeabb)? Die Bibliothek ist nur bis 18.00 Uhr __________ (netöffge).
Danke und dickes Bussi ♥

KB 5 **3 Ergänzen Sie.**

WÖRTER

Club | Mauer | ~~Dom~~ | schick | berühmt | bunt

a Ein *Dom* ist eine große Kirche.
b Früher war zwischen Ost- und Westberlin eine __________.
c Ich kenne einen coolen __________. Da spielen immer interessante Bands.
d Das Haus hat viele Farben, es ist __________.
e Jeder kennt die Popsängerin Lady Gaga, sie ist __________.
f Dieses Stadtviertel ist gerade in, es ist sehr __________ geworden.

KB 5 **4** **Markieren Sie die Adjektivendungen und ergänzen Sie das Gegenteil.**

STRUKTUREN ENTDECKEN

a die freundlichen – die unfreundlichen Touristen
b die schönen – ______________________ Postkarten
c der geschlossene – ______________________ Supermarkt
d die langweilige – ______________________ Stadtführung
e die lange – ______________________ Schifffahrt
f das gute – ______________________ Wetter
g das alte – ______________________ Haus
h der kurze – ______________________ Brief

KB 5 **5** **Ihr Kursort**

Was gefällt Ihnen / Was gefällt Ihnen nicht?
Schreiben Sie sechs Beispiele. Tauschen Sie mit Ihrer Partnerin / Ihrem Partner.
Sie/Er ergänzt die Adjektivendungen.

Das gefällt mir:	Das gefällt mir nicht:
die alt_____ Häuser im Zentrum	das langweilig_____ Kunstmuseum

KB 5 **6** **Ordnen Sie zu und markieren Sie die Adjektivendungen.**

STRUKTUREN ENTDECKEN

das bunte | der kleinen | ~~den alten~~ | die schicken | dem bunten | ~~dem alten~~ | die kleine | den schicken

Akkusativ	Dativ
Ich mag … (nicht)	Das ist die Straße mit …
● den alten Supermarkt	dem alten Supermarkt
● ______________________ Haus	______________________ Haus
● ______________________ Kirche	______________________ Kirche
● ______________________ Geschäfte	______________________ Geschäften

KB 5 **7** **Auf dem Stadtrundgang. Ergänzen Sie.**

STRUKTUREN

a Den alten Dom finde ich viel schöner als die modern_____ Kirche.
b In den bunt_____ Prospekten sieht die Stadt viel schöner aus.
c Die alt___ Kamera ist total schwer. Warum hast du denn nicht die neu___ mitgenommen?
d In dem schick_____ Restaurant neben der Post würde ich auch gern essen.
e Hast du das nett_____ Café gesehen? Da können wir nach der Führung hingehen.
f Warum hast du denn die teur_____ Postkarten gekauft?
g Wie findest du denn das grün_____ Haus mit dem klein_____ Turm da vorne?
h In der klein_____ Kirche waren wir ja schon.

KB 5 | STRUKTUREN

8 Ergänzen Sie.

Hallo Sara,
viele (a) Grüße aus dem schönen (b) Wien.
Die Stadt ist toll. Am erst_____ (c) Tag habe ich einen lang_____ (d) Rundgang durch das Zentrum gemacht. Der Stadtführer war ein total lustig_____ jung_____ (e) Wiener. Die alt_____ (f) Häuser hier finde ich besonders schön. Ich habe auch eine nett_____ (g) Schifffahrt auf der schön_____ blau_____ (h) Donau gemacht. Gestern Abend war ich im berühmt_____ (i) Burgtheater. Die Schauspieler waren wirklich toll! Leider habe ich keine billig_____ (j) Unterkunft gefunden. Das Hotel liegt auch noch in einem ziemlich langweilig_____ (k) Stadtviertel. Aber sonst ist es hier toll. Ich hoffe, Du hast auch schön_____ (l) Ferien. Bis bald! Astrid

KB 7 | KOMMUNIKATION

9 Ergänzen Sie die Gespräche.

gefällt dir bestimmt | ist wirklich beeindruckend | ~~doch später auch noch~~ | meistens mit meinem Besuch | einverstanden | zeigst du ihr nicht | wollen wir nicht zuerst | machen wir es

a ■ Wollen wir am Samstagabend in einen Club gehen?
▲ Das ist eine gute Idee. Aber _______________ (a) essen gehen? In einen Club können wir doch später auch noch (b) gehen.
■ Ja gut, _______________ (c) so. Gehen wir erst in ein Restaurant. Das „Roma" ist gut. Das _______________ (d) auch.
▲ Okay, _______________ (e).

b ● Am Wochenende kommt eine Freundin zu Besuch. Was soll ich nur mit ihr machen?
▲ Warum _______________ (f) den Fernsehturm? Das mache ich _______________ (g).
● Ja, das ist eine gute Idee. Der Blick von dort oben _______________ (h).

KB 8 | SCHREIBEN

10 Ideen für einen Ausflug vorschlagen

Sie haben einer Freundin / einem Freund eine E-Mail geschrieben. Sie/Er hat Ihnen geantwortet:

Au ja. Lass uns einen Ausflug machen.
Wir können gleich nächsten Samstag fahren. Wohin sollen wir fahren?

a Sie haben Ihre Antworten auf einem Zettel notiert. Was möchten Sie wann machen? Ordnen Sie zu.

ⓐ einen Rundgang durch die Altstadt machen
ⓑ in einem typischen Restaurant essen
ⓒ mit dem Zug nach Salzburg fahren
ⓓ wieder nach Hause fahren
ⓔ eine Schifffahrt auf dem Fluss Salzach machen

Am Samstagmorgen c
Zuerst __
Mittags __
Am Nachmittag __
Am Abend __

b Schreiben Sie nun eine Antwort. Was möchten Sie machen?

Liebe/Lieber ...
Du hast nächsten Samstag Zeit. Das ist super.
Wir können am Samstagmorgen mit dem Zug ...

TRAINING: HÖREN

▶1 17 **1 Gespräch über den Besuch von einem Freund.**
Klara spricht mit einem Freund über ihre Pläne.

a Hören Sie das Gespräch. Was möchte Klara mit ihrem Besuch machen? Kreuzen Sie an.

1 in ein traditionelles Brauhaus gehen ○
2 den Wasserturm zeigen ○
3 italienisch essen ○
4 eine Schifffahrt machen ○
5 in einen Club gehen ○
6 ins Museum gehen ○
7 Sehenswürdigkeiten besichtigen ⊗
8 frühstücken ○

TIPP: Alle Aktivitäten können im Hörtext vorkommen. Achten Sie auf Negationen wie z. B. „Das ist nicht so gut." oder „Ich kann doch nicht …"

b Hören Sie noch einmal. Was möchte Klara wann machen? Ordnen Sie aus a zu.

Montag		Dienstag		Mittwoch
Nachmittag	Später	Nachmittag	Abend	Vormittag
7				

TRAINING: AUSSPRACHE *„sch", „st" und „sp"*

▶1 18 **1 Hören Sie und sprechen Sie nach.**

a Schaut mal, das schöne Schloss!
b Eine Schifffahrt auf dem Rhein ist schön.
c Das Römisch-Germanische Museum ist heute leider geschlossen.

▶1 19 **2 Wo hören Sie auch „sch"?**
Kreuzen Sie an und ergänzen Sie die Regel.

der Prospekt ○ der Spaß ○ später ○
spielen ○ die Stadt ○ das Kloster ○
der Tourist ○ die Ausstellung ○

REGEL: Am Wort- und Silbenanfang spricht man „sch" und schreibt ________.

3 Ergänzen Sie „s" oder „sch".

Lesen Sie laut.

a ■ Ha___t du Lu___t? Wir gehen in einen ___icken Club. Das macht be___timmt ___paß!
▲ Einver___tanden!
b Oma ___reibt eine Po___tkarte: „Eine ___iffahrt, die i___t lu___tig, eine ___iffahrt, die i___t ___ön …"
c Die ideale ___tadtbesichtigung? Zuer___t Kirchen mit bunten Fen___tern, dann ein Ausflug mit dem ___iff und zum ___luss Essen in einem ___icken Re___taurant.

▶1 20 **Hören Sie dann und vergleichen Sie.**

TEST

1 Ordnen Sie zu.

WÖRTER

Sehenswürdigkeiten | ~~Kamera~~ | Ferien | Geld | Reiseführerin | Touristen | Stadtrundgang | Postkarte

Liebe Charlotte,
was? Du hast die Kamera (a) im Dom liegen gelassen? Du bist ja echt verrückt.
Wir machen gerade ______________ (b) in Basel. Natürlich haben wir wie alle ______________ (c) einen ______________ (d) gemacht. Die ______________ (e) hat uns in zwei Stunden die wichtigsten ______________ (f) gezeigt.
War ganz interessant. Zum Glück war mein Cousin David dabei. Er studiert hier und ist echt süß!! Ich habe schon viele Sachen eingekauft. Jetzt habe ich fast kein ______________ (g) mehr. Weißt du was? Ich würde gern mal wieder eine richtige ______________ (h) bekommen. Schreibst du mir eine aus Köln?
Dickes Bussi zurück,
deine Süße

_ /7 PUNKTE

2 Basel an einem Tag. Ergänzen Sie die Endung.

STRUKTUREN

„Besuchen Sie das berühmte (a) Münster mit dem bunt__ (b) Dach. Dann gehen Sie zum Marktplatz, dort ist das rot__ (c) Rathaus. Interessieren Sie sich für Kunst? Hier gibt es fast 40 Museen! Sehr bekannt ist das Museum für Gegenwartskunst mit den modern__ (d) Bildern. Besichtigen Sie aber auch die wunderbar__ (e) Häuser und die alt__ (f) Stadtmauer im Stadtteil St. Alban. Sehenswert sind die vielen Plätze und die grün__ (g) Parks. Die jung__ (h) Leute treffen sich am Rheinufer. Auf dem beliebt__ (i) Platz ist immer etwas los."

_ /8 PUNKTE

3 Was sagen die Personen? Ergänzen Sie.

KOMMUNIKATION

■ Hallo David, gehen wir heute Abend zuerst ins Kino und d _ _ _ _ _ (a) in den neuen Jazz-Club?
▲ Hi Alessandro, k _ _ _ _ _ wir nicht a _ _ _ (b) nächste Woche gehen? Ich habe gerade Besuch von meiner Cousine Maria und ihrer Familie. Wir wollen heute eine Hafenrundfahrt machen. Du kannst ja mitkommen. Das g _ _ ä _ _ _ dir s _ c h _ _ (c).
■ Gern, das ist eine g _ _ _ I _ _ _ (d). Dann können wir auch die Dreiländerbrücke ansehen. Die ist w _ r k _ _ _ _ b _ e i _ _ _ _ c _ _ _ _ (e). Wo treffen wir uns?
▲ Um drei am Hafen?
■ E _ _ v _ _ _ _ _ _ _ _ _ _ (f)! Das w _ _ _ b _ _ _ _ _ _ _ lustig (g)!

_ /7 PUNKTE

Wörter	Strukturen	Kommunikation
● 0–3 Punkte	● 0–4 Punkte	● 0–3 Punkte
● 4–5 Punkte	● 5–6 Punkte	● 4–5 Punkte
● 6–7 Punkte	● 7–8 Punkte	● 6–7 Punkte

www.hueber.de/menschen

5

LERNWORTSCHATZ

1 Wie heißen die Wörter in Ihrer Sprache? Übersetzen Sie.

Tourismus

Besuch der, -e ______
Club der, -s ______
Ferien die (Pl.) ______
Führung die, -en ______
Kamera die, -s ______
Mauer die, -n (Stadtmauer) ______
Prospekt der, -e ______
Reiseführer der, - (Person und Buch) ______
A/CH: Reiseleiter der, - (Person)
Rundgang der, ⸚e ______
Sehenswürdigkeit die, -en ______
Tourist der, -en ______
Trinkgeld das, -er ______
Unterkunft die, ⸚e ______

besichtigen, hat besichtigt ______
interessieren (sich), hat sich interessiert ______
wechseln, hat gewechselt ______
Geld wechseln ______
zeigen, hat gezeigt ______

berühmt ______
geöffnet/offen ______

Weitere wichtige Wörter

Nachricht die, -en ______
Postkarte die, -n ______
Supermarkt der, ⸚e ______
Wunsch der, ⸚e ______

ab·geben, hat abgegeben ______
ärgern (sich), hat sich geärgert ______
dafür sein, war dafür, ist dafür gewesen ______
dagegen sein, war dagegen, ist dagegen gewesen ______
freuen (sich), hat sich gefreut ______

bunt ______
CH: auch: farbig
einverstanden ______
schick ______

bestimmt ______
A: sicher
meistens ______
später ______

TIPP
Schreiben Sie die Buchstaben eines Wortes untereinander. Finden Sie Wörter zu einem Thema.

T rinkgeld
O ffen
U nterkunft
R undgang
I nteressieren
S ehenswürdigkeit
T axi

2 Welche Wörter möchten Sie noch lernen? Notieren Sie.

______
______
______

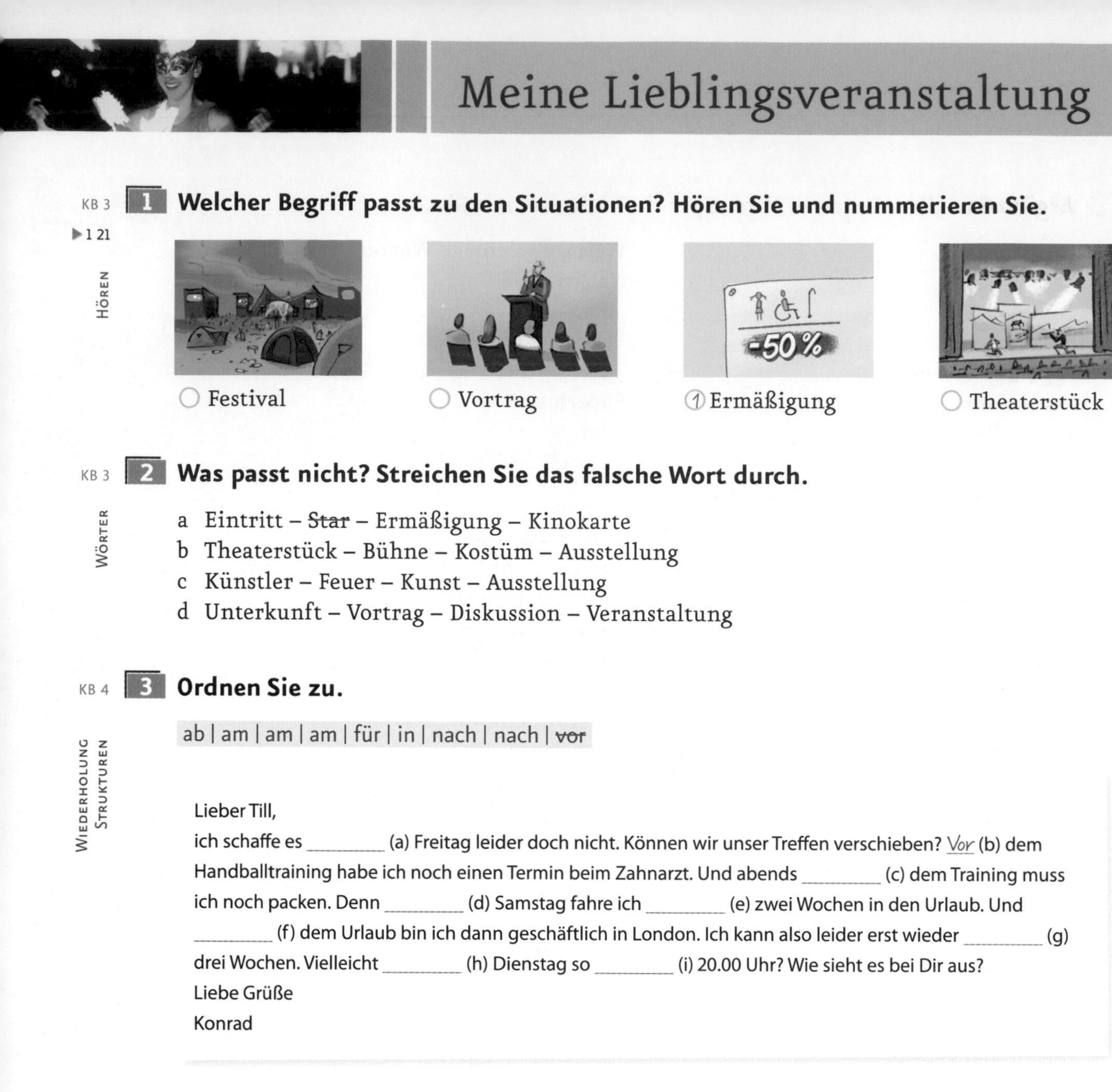

Meine Lieblingsveranstaltung

KB 3 ▶1 21 HÖREN

1 Welcher Begriff passt zu den Situationen? Hören Sie und nummerieren Sie.

○ Festival ○ Vortrag ① Ermäßigung ○ Theaterstück

KB 3 WÖRTER

2 Was passt nicht? Streichen Sie das falsche Wort durch.

a Eintritt – ~~Star~~ – Ermäßigung – Kinokarte
b Theaterstück – Bühne – Kostüm – Ausstellung
c Künstler – Feuer – Kunst – Ausstellung
d Unterkunft – Vortrag – Diskussion – Veranstaltung

KB 4 WIEDERHOLUNG STRUKTUREN

3 Ordnen Sie zu.

ab | am | am | am | für | in | nach | nach | ~~vor~~

Lieber Till,
ich schaffe es ______ (a) Freitag leider doch nicht. Können wir unser Treffen verschieben? Vor (b) dem Handballtraining habe ich noch einen Termin beim Zahnarzt. Und abends ______ (c) dem Training muss ich noch packen. Denn ______ (d) Samstag fahre ich ______ (e) zwei Wochen in den Urlaub. Und ______ (f) dem Urlaub bin ich dann geschäftlich in London. Ich kann also leider erst wieder ______ (g) drei Wochen. Vielleicht ______ (h) Dienstag so ______ (i) 20.00 Uhr? Wie sieht es bei Dir aus?
Liebe Grüße
Konrad

KB 4 STRUKTUREN

4 Was passt? Ordnen Sie zu.

a Wie lange machst du Urlaub?
b Ab wann kommen deine Eltern zu Besuch?
c Seit wann lernst du Deutsch?
d Dein erster Konzertbesuch: Wie lange ist das her?
e Arbeitest du schon lange hier in der Firma?

Nein, erst seit letztem Mai.
Seit einem Jahr.
Vom 15. August an.
Vom 21. Mai bis zum 9. Juni.
Über 8 Jahre.

KB 4

5 Schreiben Sie Fragen wie in 4. Geben Sie Ihrer Partnerin / Ihrem Partner die Fragen. Sie/Er antwortet.

Seit wann bist du verheiratet? — Seit 3 Jahren.
Wie lange ______?
Wann ______?
Ab wann ______?

KB 4 **6** **Ergänzen und vergleichen Sie.**

STRUKTUREN

	Deutsch	Englisch	Meine Sprache oder andere Sprachen
Seit wann? / Zeitraum	Ich lerne ________ einem Jahr Deutsch.	I have been learning german **for** one year.	
Seit wann? / Zeitpunkt	Ich wohne ________ 2012 in Madrid.	I have lived in Madrid **since** 2012.	

KB 4 **7** **Was ist richtig? Kreuzen Sie an.**

STRUKTUREN

■ Fährst du eigentlich dieses Jahr wieder nach Deutschland?
▲ Ja, ☒ in ○ vor (a) vier Monaten fahre ich nach Düsseldorf.
■ Und was machst du dort?
▲ Ich mache ○ seit ○ für (b) zwei Wochen einen Deutschkurs.
■ Warst du da nicht schon ○ im ○ am (c) letzten Jahr?
▲ Ja, das mache ich schon ○ vor ○ seit (d) drei Jahren jeden Sommer. Es macht großen Spaß. Vormittags haben wir Deutschunterricht und ○ über ○ nach (e) dem Unterricht gibt es noch ein interessantes Freizeitprogramm mit vielen Ausflügen und Veranstaltungen.
■ Klingt gut.
▲ Ja, ich kann dir mal einen Prospekt mitbringen. Und du? Fährst du dieses Jahr auch nach Deutschland?
■ Ja, ○ vor ○ seit (f) der Prüfung. Ich fahre nach Berlin.
▲ Toll. In Berlin war ich noch nie.
■ Ich war dort schon einmal, aber das ist schon ○ in ○ über (g) 10 Jahre her.

KB 4 **8** **Ordnen Sie zu. Hilfe finden Sie in 7.**

für | ~~in~~ | nach | seit | über | vor

a **temporale Präpositionen + Dativ**
in, ________________ + einem Monat / einem Jahr / einer Woche / zwei Jahren

b **temporale Präpositionen + Akkusativ**
________________ + einen Monat / ein Jahr / eine Woche / zwei Jahre

KB 4 **9** **Ergänzen Sie.**

STRUKTUREN

a ■ Wie lange wohnst du schon in der WG? ▲ Seit *drei Jahren* (3 Jahre).
b ■ Für wie lange möchtest du in Europa bleiben? ▲ Für ________________ (1 Jahr).
c ■ Wann beginnt dein Deutschkurs? ▲ In ________________ (1 Monat).
d ■ Wann hast du geheiratet? ▲ Vor ________________ (10 Jahre).
e ■ Wie lange dauert die mündliche Prüfung? ▲ Über ________________ (1 Stunde).
f ■ Wie lange ist die Ausstellung in Berlin?
▲ Vom ________________ bis ________________ (01.–31. Juli).
g ■ Ab wann studiert deine Freundin in Paris? ▲ Vom ________________ an (01. September).

KB 6 **10** **Ergänzen Sie.**

KOMMUNIKATION

ich etwas vorschlagen | Das machen wir | ~~Habt ihr einen Vorschlag~~ | Ich bin dagegen | treffen wir uns morgen | Was haltet ihr davon | Wie wäre es mit morgen

■ Wollen wir mit dem Deutschkurs nicht mal wieder eine Veranstaltung besuchen?
▲ Ja, gute Idee. Habt ihr einen Vorschlag?
● Wir können zu einer Lesung gehen.
■ Ach nein, das finde ich noch zu schwer. ______________________ (a).
■ Darf ______________________ (b)? Wir können doch ins Kino gehen. Es läuft gerade der deutsche Film „Männerherzen" im Original mit Untertiteln.
▲ Einverstanden! ______________________ (c)?
■ Das finde ich super. Wann denn?
● Um 19 Uhr. ______________________ (d)?
▲ Ja, okay. ______________________ (e).
Wollen wir zusammen hinfahren oder wollen wir uns vor dem Kino treffen?
■ Ich würde mich lieber direkt vor dem Kino verabreden. Ich wohne da in der Nähe.
▲ Okay, dann ______________________ (f) um 18.45 Uhr vor dem Kino. Ich bestelle die Eintrittskarten.

KB 7 **11** **Was ist richtig? Hören Sie und kreuzen Sie an.**

▶ 1 22

HÖREN

a Sandra fährt am übernächsten Wochenende ○ nach London. ⊗ nach Barcelona.
b Sie besucht ○ einmal ○ zweimal im Jahr zusammen mit alten Schulfreunden eine Stadt in Europa.
c ○ Vor 6 Jahren ○ Vor 8 Jahren waren sie in London.
d Sandra fährt ○ das erste Mal ○ das zweite Mal nach Barcelona.
e Das Sónar Festival ist ein berühmtes ○ Musikfestival. ○ Theaterfestival.
f Es findet immer ○ im Sommer ○ im Herbst statt.

TRAINING: LESEN

1 Veranstaltungen

Lesen Sie die Aufgaben a bis e und die Anzeigen 1 bis 6.
Welche Anzeige passt zu welcher Situation?
Für eine Situation gibt es keine passende Anzeige. Schreiben Sie hier den Buchstaben X.

a Sie gehen oft ins Stadtmuseum und finden den Eintritt zu teuer.
b Sie möchten eine Stadtführung machen.
c Sie möchten Karneval feiern.
d Sie möchten wissen: Welche Veranstaltungen finden in den Museen statt?
e Sie finden Veranstaltungen über Kunst interessant. Denn Sie möchten mehr über Kunst wissen.

TIPP
Lesen Sie zuerst die Situationen genau. Markieren Sie wichtige Wörter wie z. B. „Stadtmuseum", „Eintritt". Suchen Sie dann die passenden Anzeigen.

Situation	a	b	c	d	e
Anzeige	6				

1
ROSENMONTAG
Karnevalsparty
ab 21.00 Uhr
mit Kostüm ist der Eintritt frei
Nachtcafé

2
Swing Tanzparty
20.00 Uhr
im Festspielhaus
Eintritt: 5 Euro

3
KUNST DER MODERNE
Vortrag mit Diskussion
Karten unter 0871/2331907
Studentenermäßigung

4
Meine Stadt
Die Arbeiten von verschiedenen Künstlern kann man bis 3. März von 16–19 Uhr besichtigen
GALERIE MODERN

5
Museumsportal
Dresden
www.museen.de
Museen
Führungen
Veranstaltungen

6
Stadtmuseum
Kaufen Sie eine Jahreskarte!
Dafür ein Jahr keinen Eintritt
und kostenlose Führungen
und Veranstaltungen
Info unter Tel. 013 / 234590
und an der Kasse

AUSSPRACHE – f – AUSSPRACHE

TRAINING: AUSSPRACHE *„f", „v" und „w"*

▶1 23 **1 Hören Sie und sprechen Sie nach.**

a Feuer – Fest – fantastisch
b Vortrag – Veranstaltung – verabreden
c Karneval – Event – Video
d Schweiz – weltweit – Wissenschaft

2 Kreuzen Sie an.

REGEL
In deutschen Wörtern spricht man „v" normalerweise wie ◯ „f". ◯ „w".
In Wörtern aus anderen Sprachen (z. B. Latein, Französisch, Englisch) spricht man „v" wie ◯ „f". ◯ „w".

▶1 24 **3 Hören Sie und sprechen Sie dann.**

Kieler Woche
ein Segelsport-Event
mit Windjammerparade
Willst du mit?
Ja, gern, ja, gern, da freu ich mich.

Frauenfeld
ein Hip-Hop-Fest
mit den Fantastischen Vier
Wie wär's damit?
Okay, okay, das machen wir.

TEST

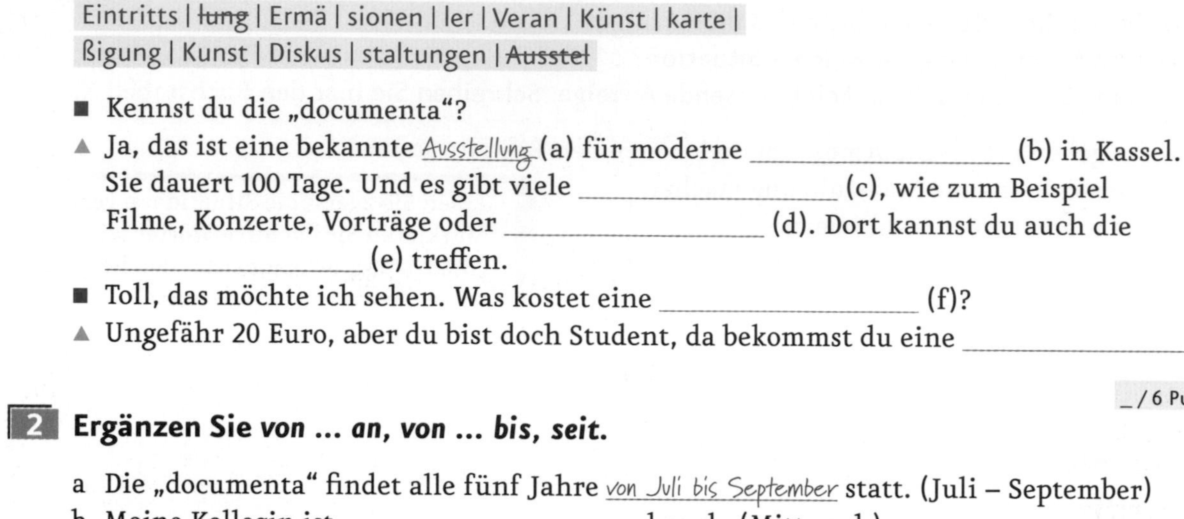

1 Bilden Sie Wörter und ordnen Sie zu.

WÖRTER

Eintritts | ~~lung~~ | Ermä | sionen | ler | Veran | Künst | karte | ßigung | Kunst | Diskus | staltungen | ~~Ausstel~~

■ Kennst du die „documenta"?
▲ Ja, das ist eine bekannte Ausstellung (a) für moderne ____________ (b) in Kassel. Sie dauert 100 Tage. Und es gibt viele ____________ (c), wie zum Beispiel Filme, Konzerte, Vorträge oder ____________ (d). Dort kannst du auch die ____________ (e) treffen.
■ Toll, das möchte ich sehen. Was kostet eine ____________ (f)?
▲ Ungefähr 20 Euro, aber du bist doch Student, da bekommst du eine ____________ (g).

_ / 6 PUNKTE

2 Ergänzen Sie *von ... an, von ... bis, seit.*

STRUKTUREN

a Die „documenta" findet alle fünf Jahre von Juli bis September statt. (Juli – September)
b Meine Kollegin ist ____________ krank. (Mittwoch)
c Mein Nachbar will ____________ nicht mehr rauchen. (Januar)
d Ich brauche das Auto ____________. (Dienstag – Sonntag)
e Wir leben ____________ in Deutschland. (Februar 1989)
f Ich kaufe mir im Dezember noch eine Fahrkarte. ____________ kostet sie mehr. (Januar)

_ / 5 PUNKTE

3 Ordnen Sie zu.

KOMMUNIKATION

etwas vorschlagen | hältst du davon | das passt | treffen wir uns | vielleicht mitkommen | eine gute Idee | nicht so gut

■ Hallo Anna, ich fahre am Mittwoch mit Tom zur „documenta". Möchtest du ____________ (a)?
▲ Sehr gerne. Fahrt ihr mit dem Zug?
■ Tom will mit dem Auto fahren. Das finde ich aber ____________ (b).
▲ Darf ich ____________ (c)? Mit dem Zug ist es viel billiger. Dann können wir ein Gruppen-Ticket kaufen.
■ Das ist ____________ (d). Ich glaube, das ist auch für Tom in Ordnung. Warte einen Moment, ich schau schnell im Internet. Hier ist ein Zug um 6.50 Uhr. Was ____________ (e)?
▲ Einverstanden, aber dann muss ich sehr früh aufstehen.
■ Dann ____________ (f) am Gleis 5.
▲ Okay, ____________ (g). Bis Mittwoch.

_ / 7 PUNKTE

Wörter		Strukturen		Kommunikation	
●	0–3 Punkte	●	0–2 Punkte	●	0–3 Punkte
●	4 Punkte	●	3 Punkte	●	4–5 Punkte
●	5–6 Punkte	●	4–5 Punkte	●	6–7 Punkte

www.hueber.de/menschen

LERNWORTSCHATZ

1 Wie heißen die Wörter in Ihrer Sprache? Übersetzen Sie.

Veranstaltungen
Bühne die, -n ______
Diskussion die, -en ______
Eintritt der ______
Ermäßigung die, -en ______
CH: auch: Reduktion die, -en
Festival das, -s ______
Karte die, -n ______
Eintrittskarte ______
CH: Billett das, -e
Kinokarte ______
Kostüm das, -e ______
Kunst die, ¨-e ______
Künstler der, - ______
Veranstaltung die, -en ______
Vortrag der, ¨-e ______

erleben, hat erlebt ______
statt·finden, hat stattgefunden ______
zahlen, hat gezahlt ______

spannend ______

Verabredungen
Vorschlag der, ¨-e ______

aus·machen, hat ausgemacht ______
CH: ab·machen, hat abgemacht (einen Termin abmachen)
halten von, du hältst von, er hält von, hat gehalten ______
hin ______
hin·fahren, du fährst hin, er fährt hin, ist hingefahren ______
lassen, du lässt, er lässt, hat gelassen ______
lass uns ... ______
mit·kommen, ist mitgekommen ______
verabreden (sich), hat sich verabredet ______
CH: auch: ab·machen, hat abgemacht
vor·schlagen, du schlägst vor, er schlägt vor, hat vorgeschlagen ______

prima ______
A: super, toll

Zeiträume
über ______
vom ... bis zum ... ______
von ... an ______

Weitere wichtige Wörter
Feuer das, - ______
Mal das, -e ______
das erste Mal ______
da ______
dort ______
genau ______
mal ______
ziemlich ______
zusammen ______

TIPP: Schreiben Sie wichtige Sätze auf und hängen Sie die Sätze in Ihrer Wohnung auf. Üben Sie.

2 Welche Wörter möchten Sie noch lernen? Notieren Sie.

______
______

WIEDERHOLUNGSSTATION: WORTSCHATZ

1 Lösen Sie das Rätsel und finden Sie das Lösungswort.

a Die Milch hat nur 1,5 % Fett, sie ist ... _ _ _ _ _ _ _ (7)

b Hier schreibe ich auf: Das muss ich einkaufen. _ _ _ _ _ _ _ _ _ _ _ _ _ _ (2)

c Ein Kilo sind zwei ... (3) _ _ _ _ _

d Es ist weiß. Man macht es aus Milch. _ _ _ _ (9)

e Man isst es zum Frühstück mit Brot, es ist aus Obst. _ _ _ _ _ _ _ _ _ (5)

f Gegenteil von „satt“. _ _ _ _ _ _ _ (8)

g Cola gibt es in der Flasche oder in der ... _ _ _ _ (4)

h Ein Getränk, zum Beispiel aus Äpfeln oder Birnen. _ _ _ _ (10)

i Das brauchen Bäcker für das Brot. (6) _ _ _ _

j So nennt man Tomaten, Bohnen, Paprika, Zwiebeln ... _ _ _ _ _ _ _ (1)

Lösungswort:

_ _ _ _ R _ _ _ _ _
1 2 3 4 5 6 7 8 9 10

2 Was für ein Tag! Ergänzen Sie das Gegenteil.

Jeden Tag hat unsere Post bis 18 Uhr geöffnet, nur heute nicht, da war sie schon um 16 Uhr geschlossen (a). Im Supermarkt habe ich kein mageres, sondern nur ______________ (b) Fleisch bekommen. Auch das Gemüse war schon alt und nicht mehr ______________ (c). In der Bäckerei waren die Brötchen hart und nicht ______________ (d). Ich habe mich geärgert und bin ins Kino gegangen. Doch der Film war sehr langweilig und überhaupt nicht ______________ (e)!

3 Pläne für die Ferien. Ordnen Sie zu.

Reiseführer | ~~Club~~ | Trinkgeld | Kunst | Touristen | Unterkunft | Sehenswürdigkeiten

■ Hallo Julia. Was machst du nach den Prüfungen? Studierst du?
▲ Später. Ich gehe zuerst für ein paar Monate ins Ausland. Ich habe einen Job in einem Club (a) in Portugal.
■ Toll! Was verdienst du dort?
▲ Nicht so viel, aber die ______________ (b) ist kostenlos und ich bekomme hoffentlich viel ______________ (c).
■ Das klingt gut. Ich würde am liebsten mitkommen.
▲ Oh ja, lass uns doch zusammen hinfahren! Dort suchen sie auch ______________ (d). Du hast doch ______________ (e) studiert.
■ Den ______________ (f) die ______________ (g) zeigen? Das würde ich gerne machen. Kannst du mir die Adresse geben? Dann bewerbe ich mich gleich.
▲ Ich hoffe, es klappt!

WIEDERHOLUNGSSTATION: GRAMMATIK

1 Quiz: Kennen Sie Deutschland, Österreich und die Schweiz?

Ergänzen Sie die Adjektivendungen und beantworten Sie dann die Fragen.

a Wo steht der berühmte Dom mit dem bunten Dach? Wien

b In welcher Stadt steht das bekannt__ Grossmünster mit den zwei groß___ Türmen?
____

c Kennen Sie das berühmt____ Schloss von König Ludwig II? Wie heißt es?
____

d Wo steht das bunt_____ Haus von Friedensreich Hundertwasser?
____
Der Künstler hat auch in anderen Städten bunt____ Häuser gebaut.

e Albert Einstein hat an einer berühmt_____ Universität studiert. Wo ist sie?
____

f Haben Sie in Berlin schon einmal in einem groß____ schick_____ Hotel übernachtet? Eines steht in der Nähe vom Brandenburger Tor? Wie heißt es? ______________________

g In welcher Stadt können Sie einen 368 Meter hoh_____ Fernsehturm besichtigen?
____

h In welcher Stadt kann man bei einer Hafenrundfahrt groß_____ Containerschiffe und die neu_____ Hafencity sehen? ______________________

i In welcher Stadt findet am erste___ Januar das berühmt___ Neujahrskonzert statt?
____

j Kennen Sie den 536 Quadratkilometer groß_______ See? Er liegt zwischen Deutschland Österreich und der Schweiz. ______________________

Lösung:
b Zürich c Schloss Neuschwanstein d Wien e Zürich (ETH = Eidgenössische Technische Hochschule Zürich) f Hotel Adlon g Berlin h Hamburg i Wien j Bodensee

2 Ordnen Sie zu.

am | seit | über | ~~vom … bis zum~~ | von … bis | vom … an

a

Wir sind vom 1. Juli bis zum 15. Juli in Urlaub.
__________ 16. Juli __________ haben wir wieder täglich __________ 9.00 __________ 17.00 Uhr für Sie geöffnet.

b

__________ 10 Jahren sind wir in unserem Reisebüro in der Winterstraße für Sie da.
Das wollen wir __________ 15. Mai mit Ihnen feiern. Kommen Sie zu uns.
Tolle Angebote warten auf Sie.

c

__________ 2 Wochen Wartezeit für einen Termin bei Ihrem Friseur?
Bei uns brauchen Sie keinen Termin.
Kommen Sie einfach vorbei.

SELBSTEINSCHÄTZUNG Das kann ich!

Ich kann jetzt ...

... beim Einkaufen sagen, was ich möchte: L04

■ Was darf es sein?
▲ Ich h__________ gern einen milden Käse.
■ Ja, gern. Wie viel darf es sein?
▲ G________________ Sie mir ________ 200 Gramm.
■ Darf es noch etwas sein?
▲ Nein, _________________. Das ist __________.

... Vorlieben äußern: L04

■ Ich habe dir eine kleine Portion Rührei bestellt.
▲ Aber ich ____________ gar kein Rührei. Ich ___________ ___________ ein weich gekochtes Ei.

... Vorschläge machen / mich verabreden: L05 / L06

_______________ wir zuerst den berühmten Dom be______________________?
Die berühmten Fenster sind wirklich sehens___________.
Danach k____________ wir eine Schifffahrt auf dem Rhein ____________.
______ __________ bestimmt lustig.
Was d__________ ihr?

Ich fahre in die Schweiz. M__________ du vielleicht mit______________________?
L_________ u________ doch zusammen fahren.
Was ___________ du davon?
D________ ich etwas vor_____________________?
W______ w___________ es denn mit dem nächsten Wochenende?
W____________ wir noch einen Treffpunkt aus_______________?

... Vorschläge ablehnen / Gegenvorschläge machen: L05 / L06

Ich bin ______________. Das ist doch langweilig.
Ich ___________ das nicht so gut.
W___________ wir nicht zuerst ins Museum gehen?
Also, ich _________ nicht. Das finde ich nicht so interessant.

... zustimmen / mich einigen: L05 / L06

Ja, das ist eine g________ I_________! / Ein_________________________!
Okay, das ______________ wir. / Ja okay, das p___________ auch.

Ich kenne ...

... 10 Lebensmittel: L04

Das esse ich gern:

____

Das esse ich nicht so gern:

____

... 5 Verpackungen und Gewichte: L04

____

... 10 Wörter zum Thema „Tourismus“: L05

____

SELBSTEINSCHÄTZUNG Das kann ich!

... **8 Wörter zum Thema „Veranstaltungen“:** L06 ○ ○ ○

Das finde ich interessant: ____________________

____

Das finde ich nicht so interessant: ____________________

____

Ich kann auch ...

... **Nomen näher beschreiben (Adjektive nach indefinitem und definitem Artikel):** L04 / L05 ○ ○ ○

▲ Ich hätte gern einen mager_____ Schinken.

■ Soll es ein roh_____ oder ein gekocht_____ Schinken sein?

Der berühmt_____ Dom ist wirklich sehr sehenswert.

Wir haben dem nett_____ Reiseführer ein Loch in den Bauch gefragt.

... **einen Zeitraum angeben (Temporale Präpositionen *von ... an, von ... bis, seit, über*):** L06 ○ ○ ○

_______ 8. _______ 10. Juli bin ich auf dem Openair Frauenfeld.

Es findet _______ vielen Jahr_____ immer im Sommer statt.

Üben / Wiederholen möchte ich noch ...

____

RÜCKBLICK

Wählen Sie eine Aufgabe zu Lektion 4 ____________________

1 Sie gehen mit Ihren Freunden frühstücken. Sehen Sie noch einmal im Kursbuch auf Seite 30 (Aufgabe 9) die Frühstückskarte an.

Was würden Sie für Ihre Freunde und für sich selbst bestellen? Notieren Sie.

	Essen	Getränke
Ihre Freundin lebt gesund.		einen frisch gepressten Orangensaft
Ihr Freund hat morgens immer sehr viel Hunger.		
Sie		

2 Mein perfektes Frühstück am Wochenende.

a Machen Sie zuerst Notizen.

Wo? zu Hause / im Café ...

Mit wem? ____________________

Wann? ____________________

Was essen/trinken Sie? ____________________

b Schreiben Sie dann einen Beitrag in einem Forum.

Wie frühstücken Sie gern am Wochenende?

Ich schlafe lange. Dann gehe ich in ein Café.

Am Wochenende frühstücke ich gern im Café ...

RÜCKBLICK

Wählen Sie eine Aufgabe zu Lektion 5

1 Ein Wochenende in Köln

Sehen Sie noch einmal im Kursbuch auf Seite 32/33 die Texte und Fotos an.
Planen Sie Ihr persönliches Wochenende in Köln. Ergänzen Sie den Terminkalender.

	Samstag	Sonntag
Vormittag		
Nachmittag	einkaufen gehen	an der alten Stadtmauer spazieren gehen
Abend		abfahren

2 Eine Stadt in Deutschland, Österreich oder in der Schweiz

Suchen Sie Fotos von Sehenswürdigkeiten einer interessanten Stadt.
Schreiben Sie Kommentare zu den Fotos:
Was gefällt Ihnen besonders?
Wo möchten Sie gern am Abend sein? ...

Den berühmten Stephansdom finde ich toll.

Wählen Sie eine Aufgabe zu Lektion 6

1 Wählen Sie eine Veranstaltung im Kursbuch auf Seite 36 (Aufgabe 3) und verabreden Sie sich mit einer Freundin / einem Freund.

■ Willst du zu Ars Electronica mitkommen? Du hast doch gesagt, das würde dich interessieren.
▲ Also, ich weiß nicht ...

2 Welche Veranstaltung haben Sie zuletzt besucht? Schreiben Sie einen Text wie im Kursbuch auf Seite 36 (Aufgabe 3). Machen Sie zunächst Notizen zu folgenden Fragen.

Auf welcher Veranstaltung waren Sie?
Was für eine Veranstaltung ist das?
Was haben Sie gemacht/gesehen/erlebt?
Was hat Ihnen besonders gut gefallen?
Was war nicht so toll?

NUR WIR FÜNF

Teil 2: Ich habe schon alles gesehen.

Drei Monate später in Berlin ...
„Noch einen Kaffee?", fragt der Kellner.
„Nein, danke."
Max lächelt zufrieden, die letzten drei Tage waren super. Bernd ist auch zufrieden, er surft im Internet und trinkt schon den dritten Milchkaffee.
Die Croissants schmecken gut, die Sonne scheint.
Alle sind zufrieden. Nur Mara ...
„Mir tut alles weh", sagt sie. „Drei Tage mit dem Rad fahren – das war hart."
„Du musst eben mehr Sport machen. Mir geht es gut", sagt Max.
„Du bist ja auch Fitnesstrainer. Dir muss es gut gehen ..."
Die Freunde sitzen in einem Café am Pariser Platz beim Brandenburger Tor in Berlin und planen die nächsten Tage.

„Zuerst gehen wir mal richtig shoppen. Das habe ich verdient."
„Nein, ich will ins Museum."
„Nein, in Berlin ist gerade eine große Computermesse. Da will ich unbedingt hin."
‚Oh nein, nicht schon wieder die gleiche Diskussion ...!', denkt Ralf. „Los, Leute, steht auf! Jetzt machen wir erst mal einen Spaziergang durch die Stadt."
„Habe ich schon gemacht", sagt Bernd.
„Unsinn, du warst die ganze Zeit bei uns."
Bernd zeigt auf sein Notebook: „Ist alles da drin."
„Wie – da drin?" fragt Max.
„Ich habe mir schon alles angesehen: den Potsdamer Platz, den Reichstag, die Oper, den Alexanderplatz, Schloss Charlottenburg, die Mauer ... Ich bleibe hier und trinke noch einen Caffè Latte. Und später gehe ich ins Museum."
Ina freut sich: „Super! In welches willst du gehen?"
„Hmm ... Zuerst vielleicht ins Bode-Museum ..."
„Auf der Museumsinsel[1]. Sehr gut, da komme ich mit."

„Dann in die Neue Nationalgalerie, in die Dalí-Ausstellung und in die Gemäldegalerie."
„Bist du verrückt?", fragt Max. „Das dauert doch den ganzen Tag."
„Ach was, in einer Stunde bin ich fertig."
„Wie soll das denn funktionieren?"
„Ist alles da drin", sagt Bernd und zeigt wieder auf sein Notebook.
Dann ruft er den Kellner: „Noch einen Caffè Latte ..."
„Oh nein, wir machen etwas gemeinsam!", sagt Ina. „Das ist unser gemeinsamer Urlaub. Wir gehen jetzt alle ins Bode-Museum."
„Also ich, ich gehe ...", fängt Mara an.
„Du kommst auch mit! Heute sage ich, was wir machen. Morgen einer von euch. Jeden Tag ein anderer."
„Das ist eine gute Idee", sagt Ralf.
„Ja, das ist fair", meint auch Max.
„Fair ... mir tun die Füße weh!"
„Los, auf ins Museum ... Nein danke, der junge Mann mit dem Computer trinkt keinen Milchkaffee mehr.
Zahlen, bitte!"

1: Insel in der Spree im Zentrum von Berlin. Dort gibt es verschiedene Museen, u.a. das Bode-Museum.

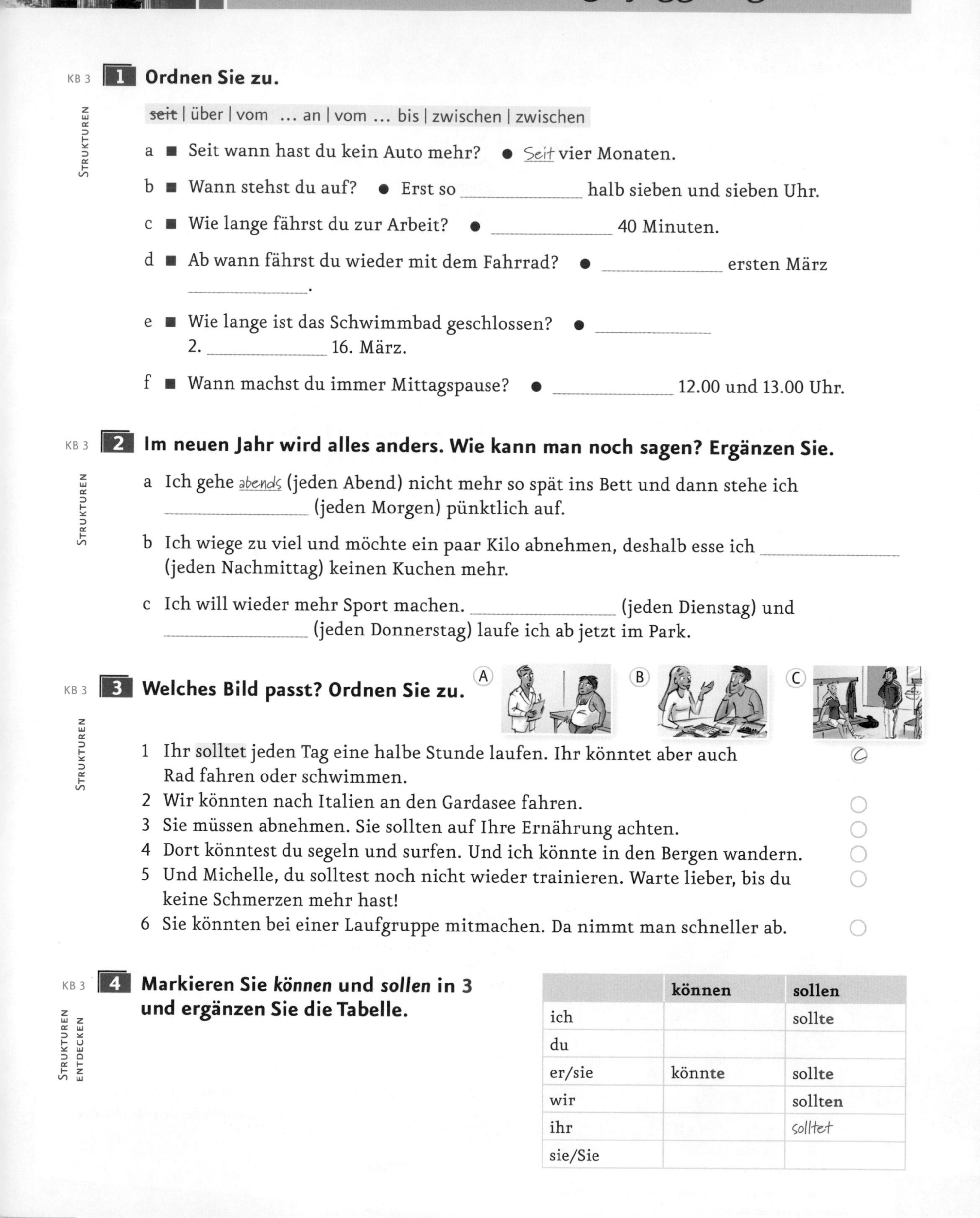

Wir könnten montags joggen gehen.

KB 3 **1** **Ordnen Sie zu.**

Strukturen

~~seit~~ | über | vom … an | vom … bis | zwischen | zwischen

a ■ Seit wann hast du kein Auto mehr? ● Seit vier Monaten.

b ■ Wann stehst du auf? ● Erst so ________ halb sieben und sieben Uhr.

c ■ Wie lange fährst du zur Arbeit? ● ________ 40 Minuten.

d ■ Ab wann fährst du wieder mit dem Fahrrad? ● ________ ersten März ________.

e ■ Wie lange ist das Schwimmbad geschlossen? ● ________ 2. ________ 16. März.

f ■ Wann machst du immer Mittagspause? ● ________ 12.00 und 13.00 Uhr.

KB 3 **2** **Im neuen Jahr wird alles anders. Wie kann man noch sagen? Ergänzen Sie.**

Strukturen

a Ich gehe abends (jeden Abend) nicht mehr so spät ins Bett und dann stehe ich ________ (jeden Morgen) pünktlich auf.

b Ich wiege zu viel und möchte ein paar Kilo abnehmen, deshalb esse ich ________ (jeden Nachmittag) keinen Kuchen mehr.

c Ich will wieder mehr Sport machen. ________ (jeden Dienstag) und ________ (jeden Donnerstag) laufe ich ab jetzt im Park.

KB 3 **3** **Welches Bild passt? Ordnen Sie zu.**

Strukturen

A B C

1 Ihr solltet jeden Tag eine halbe Stunde laufen. Ihr könntet aber auch Rad fahren oder schwimmen. (C)

2 Wir könnten nach Italien an den Gardasee fahren. ◯

3 Sie müssen abnehmen. Sie sollten auf Ihre Ernährung achten. ◯

4 Dort könntest du segeln und surfen. Und ich könnte in den Bergen wandern. ◯

5 Und Michelle, du solltest noch nicht wieder trainieren. Warte lieber, bis du keine Schmerzen mehr hast! ◯

6 Sie könnten bei einer Laufgruppe mitmachen. Da nimmt man schneller ab. ◯

KB 3 **4** **Markieren Sie *können* und *sollen* in 3 und ergänzen Sie die Tabelle.**

Strukturen entdecken

	können	sollen
ich		sollte
du		
er/sie	könnte	sollte
wir		sollten
ihr		solltet
sie/Sie		

BASISTRAINING

KB 3 **5 Sortieren Sie die Sätze.**

STRUKTUREN

a Am Abend vor den Spielen solltet ihr euch ausruhen.
(ausruhen – euch – ihr – solltet)

b Schau mal, ______________________.
(wir – auch einen Tauchkurs – könnten – machen)

c Abends ______________________.
(essen – sollten – keine Nudeln mehr – Sie)

d Ab nächsten Monat ______________________.
(kommen – könntet – ihr – freitags auch zum Lauftraining)

e Sie ______________________.
(regelmäßig Sport – machen – sollten)

KB 5 **6 Welche Sportarten passen? Bilden Sie Wörter und ordnen Sie zu.**

WÖRTER

~~asbelltbak~~ | danhalbl | egichwt beehn | olvellbyla | iftessntrninaig | uodj | adbinmnot | agoy
olgf | ygiknasmt | tichsteisnn | iesocheky | walkne | uqaa-sitsnfe | nuderr

a Für diese Sportarten braucht man eine Mannschaft: Basketball, ______________________

____

b Für diese Sportarten braucht man unbedingt einen Partner: ______________________

____

c Diese Sportarten kann man auch alleine machen: ______________________

____

KB 6 **7 Ordnen Sie zu.**

KOMMUNIKATION

Sie sollten | ~~Du könntest~~ | Du könntest | An deiner Stelle würde | Wie wäre es mit

a ■ Was soll ich denn heute Abend kochen? ● Du könntest mal wieder eine Gemüsesuppe machen.

b ■ Ich habe oft starke Halsschmerzen. Hast du einen Tipp für mich?
● ______________________ ich Salbeitabletten nehmen.

c ■ Ich muss unbedingt wieder mehr für meine Gesundheit tun. Wollen wir zusammen Sport machen? ● Gute Idee! ______________________ Aqua-Fitness?

d ■ Mein Mann schläft nachts immer so schlecht. Was würden Sie ihm empfehlen?
● ______________________ ihm diesen Tee geben.

e ■ Ich würde gern etwas an der frischen Luft machen. Kannst du mir eine Sportart empfehlen? ● ______________________ joggen gehen.

KB 8 **8** **Alster Turn- und Sportverein**

LESEN

a Welches Angebot aus dem Programm passt? Lesen und notieren Sie.

Alster Turn- und Sportverein				
		Trainingszeiten	Ort	TrainerIn
Fitnesstraining	mit Musik	Mo 18:00 – 19:00	Sporthalle Rabenstraße	Marina Kordes
Yoga		Do 18:00 – 20:00	Sporthalle am Ring	Inken de Veer
Aqua-Fitness	Bauch, Beine, Rücken, Po	Mi 18:00 – 19:00	Alsterschwimmhalle	Lena Harms
Fußball	für Männer	Di 18:30 – 20:00 Punktspiele am Wochenende	Sportplatz am Ring	Sven Hansen
Handball	für Frauen	Mo 19:00 – 20:00 Mi 19:00 – 20:00 Punktspiele am Wochenende	Sporthalle am Ring	Sofie Stoll
Tanzen	Swing Standard	Di 18:30 – 20:00 Fr 18:30 – 20:00	Sporthalle Rabenstraße	Silke Maas & Kai Kolbe
Laufen		Mo 19:30 – 20:30 Mi 19:30 – 20:30	Rund um die Alster Treffpunkt: Rabenstraße	Meike Wilkens
Rudern	Anfänger Fortgeschrittene	Di 18:00 – 20:00 Do 18:00 – 20:00 Wettkämpfe am Wochenende	ATSV-Steg Rabenstraße	Jonas Kling, Pia Jakobi

1 Pedro ist ziemlich fit und möchte mit anderen zusammen Sport machen. Er hat auch am Wochenende Zeit und kann an Wettkämpfen teilnehmen. Von Ballspielen hält er nichts. *Rudern*

2 Samira ist nicht besonders fit. Früher hat sie gern Gymnastik gemacht. Aber jetzt hat sie schon lange keinen Sport gemacht und möchte etwas für ihre Gesundheit tun. Sie möchte nicht draußen trainieren. Sie hat selten Zeit. Am besten passt ihr der Donnerstag. ______________________

3 Urs ist unzufrieden mit seinem Gewicht. Er möchte mindestens fünf Kilo abnehmen, aber auf keinen Fall eine Diät machen. Er würde gern joggen, alleine macht ihm das aber keinen Spaß. ______________________

4 Chiara möchte einen Mannschaftssport machen. Zeitlich ist sie flexibel. Fußball und Rudern findet sie uninteressant. ______________________

KOMMUNIKATION

b Was würden Sie den vier Personen sagen? Notieren Sie passende Ratschläge.

1 Pedro, du könntest am Dienstagabend rudern gehen. 2 Samira, du ...

KB 8 **9** **Schreiben Sie drei Aufgaben wie im Beispiel. Ihre Partnerin / Ihr Partner empfiehlt eine passende Sportart aus dem Programm in 8a.**

Maria möchte mit ihrem Freund zusammen Sport machen. Die beiden haben nur am Freitag Zeit.

Sie könnten/sollten ...

TRAINING: SPRECHEN

1 Ratschläge geben. Schreiben Sie Probleme auf Kärtchen.

Ich bin nicht fit. Aber ich habe keine Zeit für Sport.

Ich bin nervös und kann nicht gut schlafen.

2 Schreiben Sie vier Ratschläge zu den Problemen in 1.

Fahr doch mit dem Fahrrad zur Arbeit.
Du könntest ...
Du solltest ...
An deiner Stelle würde ich ...
...

TIPP
Ratschläge beginnen oft mit *Du solltest ...* / *Du könntest ...* / *An deiner Stelle würde ich ...* oder z. B. mit *Mach ...* / *Nimm ...* Schreiben Sie verschiedene Ratschläge mit diesen Satzanfängen auf. So können Sie vor dem Sprechen üben.

3 Arbeiten Sie zu dritt. Fragen Sie Ihre Partnerinnen / Ihre Partner. Sie geben Ihnen Tipps.

A: Ich bin immer so nervös und kann nicht gut schlafen. Was würdet ihr mir empfehlen?

B: An deiner Stelle würde ich weniger Kaffee trinken.

C: Mach doch Yoga.

TRAINING: AUSSPRACHE „ch“

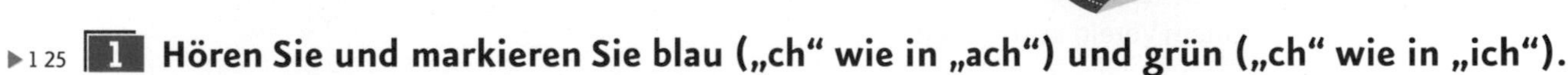

▶1 25 1 Hören Sie und markieren Sie blau („ch“ wie in „ach“) und grün („ch“ wie in „ich“).

a <u>ach</u> – <u>ich</u>
b auch – euch
c mach – mich
d doch – dich
e macht – möchte
f nachts – nichts

▶1 26 Hören Sie noch einmal und sprechen Sie nach.

2 Ergänzen Sie die Regel.

REGEL
ich | ach
Nach a, o, u und au klingt „ch“ wie in ______.
Nach e, i, ä, ö, ü, ei und eu/äu klingt „ch“ wie in ______.

▶1 27 3 Hören Sie das Gespräch und sprechen Sie dann.

■ Ich achte auf mich.
Ich hebe Gewichte:
mittwochs und am Wochenende,
nachmittags und nachts.

▲ Ach ja? Ich mache nachts nichts.

● Das macht doch nichts. Ich auch nicht.
Nachts möchte ich schlafen.

TEST

1 Fit und gesund. Ordnen Sie zu.

Wörter

wiege | teilnehmen | öffnen | ~~trainiere~~ | hebe | abnehmen | empfehlen

- ● Ich trainiere (a) jede Woche. Ich ______ (b) Gewichte.
- ■ Ich muss unbedingt ______ (c), ich ______ (d) jetzt schon über 75 Kilo.
- ● Da kann ich dir die Judostunden in meinem Fitnessclub ______ (e). Du kannst auch vor der Arbeit trainieren. Sie ______ (f) schon um 6.30 Uhr.
- ■ Judo? Super! Das hat mir früher schon total Spaß gemacht. Ich würde auch gern wieder an Wettkämpfen ______ (g).

_ / 6 Punkte

2 Ergänzen Sie *seit, über, von ... an, von ... bis, zwischen*.

Strukturen

a Sie waren über zwei Stunden an der frischen Luft.
b ______ Mai ______ findet das Training draußen statt.
c ______ Ende Mai ______ Mitte Juni haben wir geschlossen.
d Er holt die Kinder ______ Viertel vor vier und vier vom Schwimmtraining ab.
e Sie trainiert ______ fünf Monaten für den Wettkampf.

_ / 4 Punkte

3 Ratschläge von Frau Dr. Berg. Ergänzen Sie die Endungen.

Strukturen

Leser B:	Hilfe, ich bin so dick! Sollte (a) ich eine Diät machen?
Frau Dr. Berg:	Eine Diät ist nicht so gut, aber Sie soll____ (b) auf Ihre Ernährung achten.
Leserin E:	Mein Mann soll____ (c) fünf Kilo abnehmen. Er macht aber nicht gern Sport.
Frau Dr. Berg:	Er könn____ (d) mit Freunden trainieren. In der Gruppe macht Sport mehr Spaß.
Leser Z:	Ich bin 11 und will Eishockey spielen. Ist die Sportart gefährlich?
Frau Dr. Berg:	Du soll____ (e) mit deinen Eltern sprechen, ihr könn____ (f) einen Termin in einem Verein ausmachen.

_ / 5 Punkte

4 Ergänzen Sie das Gespräch.

Kommunikation

wie wäre | Sie könnten | möchte gern | könnte er | würden Sie uns

- ■ Unser Sohn ______ (a) Eishockey lernen. Gibt es auch Kurse für Kinder? Was ______ (b) empfehlen?
- ● Das ist eine tolle Sportart für Kinder. Am besten kommen Sie einmal zu einem Training, ______ (c) es mit nächstem Mittwoch, 17 Uhr? Da ______ (d) gleich mitmachen. Ganz wichtig ist ein Helm. Aber ______ (e) die Ausrüstung auch leihen.

_ / 5 Punkte

Wörter		Strukturen		Kommunikation	
●	0–3 Punkte	●	0–4 Punkte	●	0–2 Punkte
●	4 Punkte	●	5–7 Punkte	●	3 Punkte
●	5–6 Punkte	●	8–9 Punkte	●	4–5 Punkte

www.hueber.de/menschen

LERNWORTSCHATZ

1 Wie heißen die Wörter in Ihrer Sprache? Übersetzen Sie.

Gesundheit und Fitness

Art die, -en ______
Sportart ______
Diät die, -en ______
Gesundheit die ______
Gewicht das, -e ______
Training das, -s ______

ab·nehmen, du nimmst ab, er nimmt ab, hat abgenommen ______
aus·ruhen (sich), hat sich ausgeruht ______
trainieren, hat trainiert ______
wiegen, hat gewogen ______

fit ______
frisch ______
frische Luft ______
regelmäßig ______
selten ______
mindestens ______

Weitere wichtige Wörter

Golf das ______
Nudel die, -n ______
Post die ______
Stelle die, -n ______
an deiner/Ihrer Stelle ______
Verein der, -e ______

empfehlen, du empfiehlst, er empfiehlt, hat empfohlen ______
leihen, hat geliehen ______
öffnen, hat geöffnet ______
teil·nehmen, du nimmst teil, er nimmt teil, hat teilgenommen ______

circa ______
früh ______
morgens ______
vormittags ______
mittags ______
nachmittags ______
abends ______
nachts ______

montags ______
dienstags ______
mittwochs ______
donnerstags ______
freitags ______
samstags ______
sonntags ______

andere ______
zwischen ______
zwischen sieben und Viertel nach sieben ______

TIPP

Schreiben Sie einen Lückentext mit neuen Wörtern. Ergänzen Sie die Lücken.

F_t mit Hund!
Mein Hund heißt Willi. Wir sind r e _ _ _m _ _i g an der f_i_ en L_ _t, mo r_ e_ s, m i_ _a g_ und a b e_ d s. Das ist das perfekte T_ _ _ n _ _ g. Ich bin nie krank.

2 Welche Wörter möchten Sie noch lernen? Notieren Sie.

______

Hoffentlich ist es nicht das Herz!

KB 3 **1** **Ergänzen Sie das Rätsel.**

WÖRTER

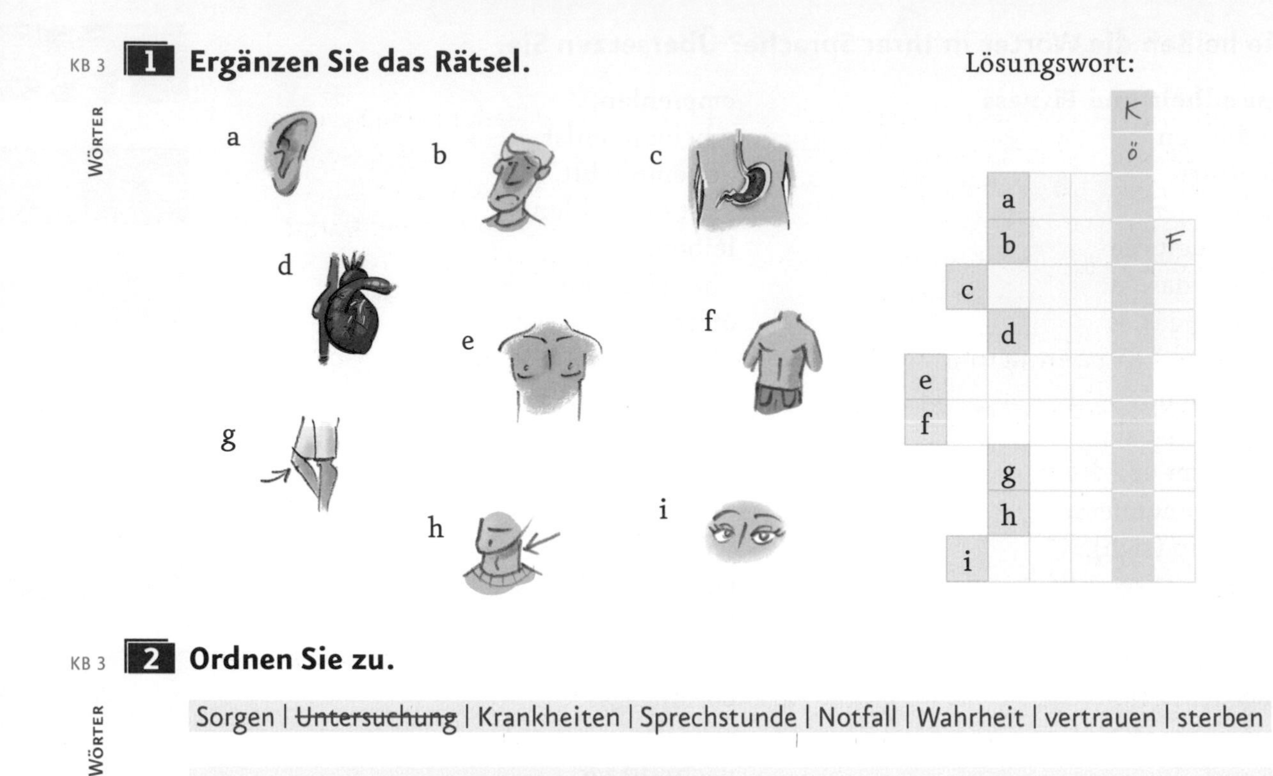

KB 3 **2** **Ordnen Sie zu.**

WÖRTER

Sorgen | ~~Untersuchung~~ | Krankheiten | Sprechstunde | Notfall | Wahrheit | vertrauen | sterben

Test: Wie gut ist Ihr Arzt?

JA NEIN Er nimmt sich Zeit für eine genaue Untersuchung (a) und Beratung.

JA NEIN Er informiert Sie über Ihre ______________________ (b) und die Symptome.

JA NEIN Sie können mit ihm über Ihre Probleme und ______________________ (c) sprechen. Denn Sie ______________________ (d) ihm.

JA NEIN Sie müssen in der Praxis selten länger als 30 Minuten warten.

JA NEIN Im ______________________ (e) können Sie auch ohne Termin in die ______________________ (f) kommen.

ERGEBNIS ▶

Noch mehr zum Thema Gesundheit: In vielen Ländern werden Frauen älter als Männer. Warum ______________________ (g) Männer früher? MEHR ▶

Das könnte Sie auch interessieren: Kann man wirklich in einer Woche 4 Kilo abnehmen? Die ______________________ (h) über Super-Diäten MEHR ▶

KB 4 **3** **Ergänzen Sie die Sätze.**

STRUKTUREN

a Klaus öffnet das Fenster, weil es im Zimmer zu heiß ist.
(Es ist im Zimmer zu heiß.)

b Ich vertraue meinem Freund, weil ______________________.
(Er sagt mir immer die Wahrheit.)

c Meine Nachbarn sind traurig, weil ______________________.
(Ihr Hund ist gestorben.)

d Carla macht eine Diät, weil ______________________.
(Sie möchte abnehmen.)

KB 4 **4 Warum? Verbinden Sie die Sätze.**

STRUKTUREN

a Die Eltern machen sich Sorgen, weil — ihre Tochter krank ist.
b Sandra kann nicht zum Arzt gehen, weil
c Frau Winter ist krank. Deshalb
d Frau Preuß liegt im Krankenhaus, denn
e Herr Moll hat zu viel Kaffee getrunken. Deshalb

er heute keine Sprechstunde hat.
tut sein Magen weh.
kann sie nicht arbeiten.
sie hatte einen Herzinfarkt.
ihre Tochter krank ist.

KB 4 **5 Markieren Sie den Grund. Verbinden Sie dann die Sätze mit *denn*, *weil* und *deshalb*.**

STRUKTUREN ENTDECKEN

a Jan muss zum Zahnarzt gehen. Er hat Angst.

1 Jan hat Angst, denn er muss zum Zahnarzt gehen.

2 ______________________, weil ______________________

3 ______________________. Deshalb ______________________

b Carla vertraut ihrem Arzt. Er sagt ihr immer die Wahrheit.

1 ______________________, denn ______________________

2 ______________________, weil ______________________

3 Carlas Arzt ______________________. Deshalb ______________________

KB 5 **6 Schreiben Sie zwei Sätze wie in 5. Markieren Sie den Grund. Ihre Partnerin / Ihr Partner verbindet die Sätze mit *denn*, *weil* und *deshalb*.**

Ich bin müde. Ich bin gestern zu spät ins Bett gegangen.

KB 5 **7 *Deshalb* oder *weil*? Ergänzen Sie die Sätze.**

STRUKTUREN

a Ich kann heute nicht am Fußballtraining teilnehmen, weil ich erkältet bin.
(ich – sein – erkältet)

b Julian hat seit Tagen Bauchschmerzen, ______________________.
(der Arzt – ihn – genau untersuchen wollen)

c Frau Krause geht es schlecht, ______________________.
(eine schwere Grippe – sie – haben)

d Ich bin erkältet, ______________________.
(müssen husten – ich – so oft)

e Elke ist eine Stunde gejoggt, ______________________.
(sie – jetzt müde sein)

KB 6 **8 Ordnen Sie zu.**

hoffe ich auch | habe total Angst | ich aber traurig | ~~ist denn los~~ | hast du nichts Schlimmes
tut mir leid | ist los | wieder alles in Ordnung

a ■ Du siehst so traurig aus. Was *ist denn los* (1)?
● Ach, meine Katze ist seit zwei Tagen krank. Heute geht es ihr total schlecht.
■ Oh, das finde __________ (2).

b ■ Was __________ (3) mit dir? Geht es dir nicht gut?
● Ach, ich habe seit Tagen Bauchschmerzen. Jetzt muss ich ins Krankenhaus.
■ Oh, das __________ (4). Hoffentlich __________ __________ (5)!
● Das __________ (6). Ich __________ (7) vor dem Krankenhaus und noch mehr vor einer Operation.

c ■ Du hattest doch Grippe. Ist __________ (8)?
● Ja, es geht mir schon wieder viel besser.

KB 7 **9 Ein Unfall! Oh! Was ist denn hier passiert?**

SCHREIBEN

a Sehen Sie die Bilder an und ordnen Sie dann die Bilder den Sätzen zu.

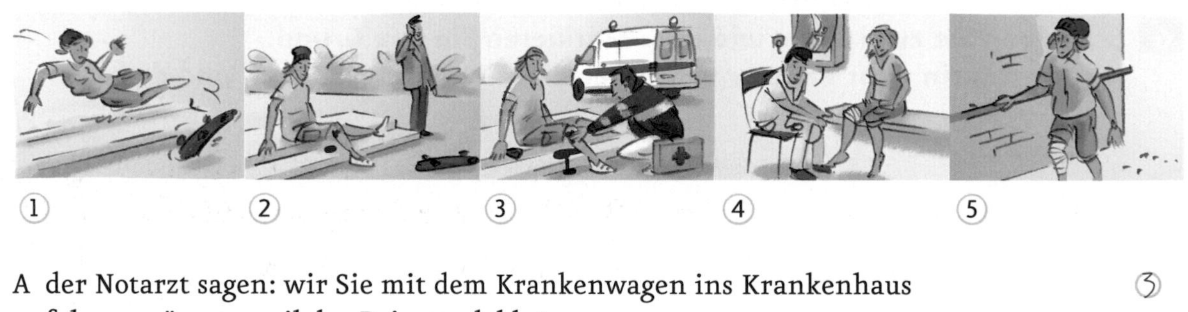

① ② ③ ④ ⑤

A der Notarzt sagen: wir Sie mit dem Krankenwagen ins Krankenhaus fahren müssen, weil das Bein stark bluten ③

B in der Notaufnahme die Ärzte mich untersuchen und das Knie verbinden ○

C zuerst ich denken: die Verletzung nicht so schlimm sein / aber ein Mann den Notarzt rufen ○

D gestern Abend ich einen Unfall haben / ich mit dem Skateboard hinfallen ①

E jetzt ich einen dicken Verband um das Knie haben und kaum laufen können ○

b Schreiben Sie die Geschichte mit den Sätzen aus a.

Gestern Abend hatte ich einen Unfall. …

TRAINING: HÖREN

1 Telefongespräch über einen Unfall. Sammeln Sie Wörter.

TIPP
Sammeln Sie vor dem Hören Wörter und Assoziationen zum Thema. Dann verstehen Sie den Hörtext besser.

▶1 28 **2 Was ist richtig? Hören Sie und kreuzen Sie an.**

a Petra macht sich Sorgen, weil Julia am Nachmittag nicht beim Volleyballtraining war. ○

b Julia ist beim Volleyballtraining hingefallen. ○

c Julias Knie hat nur ein bisschen geblutet. Aber der Fuß hat sehr wehgetan. ○

d Julia ist mit ihrem Auto in die Notaufnahme gefahren. ○

e Die Ärzte haben Julia sofort operiert. ○

f Julia hat Angst vor der Operation. ○

g Julia darf bis Donnerstag nicht mehr Volleyball spielen. ○

h Petra möchte Julia besuchen. ○

TRAINING: AUSSPRACHE *Satzakzent: Gefühle ausdrücken*

▶1 29 **1 Hören Sie und markieren Sie den Satzakzent.**

a Was ist los? ↘
b Ist alles in Ordnung? ↗
c Ich habe so Schmerzen. ↘
d Oh →, das tut mir echt leid. ↘
e Hoffentlich hast du nichts Schlimmes. ↘
f Ich habe total Angst. ↘
g Geh doch zum Arzt. ↘
h Vorsicht! ↘ Es kann auch das Herz sein. ↘

▶1 30 **Hören Sie noch einmal und sprechen Sie nach.**

TEST

1 Bilden Sie Wörter und ordnen Sie zu.

WÖRTER

ken | Not | Ver | nah | let | de | me | zung | Not | Kran | gen | stun | band | fall | wa | Sprech | Ver | ~~Not~~ | auf | ~~arzt~~

a Mein Nachbar hatte einen Herzinfarkt. Seine Frau hat gleich den Notarzt gerufen. Kurze Zeit später kam der ______________ und hat meinen Nachbarn in die ____________ gebracht. Das war ein echter ______________________________.

b Anna ist vom Fahrrad gefallen. Ihr Bein blutet und sie braucht einen ________________. Wir fahren jetzt gleich zu Herrn Doktor Langer, er hat zum Glück auch am Samstag Vormittag ______________ .

c Meine Freundin hat eine ______________ an der Hand. Jetzt kann sie nicht mehr richtig schreiben.

_ / 6 PUNKTE

2 Ordnen Sie zu und schreiben Sie Sätze mit *weil*.

STRUKTUREN

er ist zu schnell gefahren | sie hat keine Zahnschmerzen mehr | ~~er ist krank~~ | ich habe Kopfschmerzen

a Simon geht heute nicht in die Schule, weil er krank ist.

b Herr Bosch hatte einen Unfall, weil ______________________________.

c Ich kaufe Tabletten in der Apotheke, weil ______________________________.

d Lina ist glücklich, weil ______________________________.

_ / 3 PUNKTE

3 Schreiben Sie die Sätze aus 2 mit *deshalb*.

STRUKTUREN

a Simon ist krank. Deshalb geht er heute nicht in die Schule.
b Herr Bosch ...

_ / 3 PUNKTE

4 Ergänzen Sie das Gespräch.

KOMMUNIKATION

■ Hallo Anna, du siehst nicht gut aus. Was ist denn ______________ (a)?
● Ach, ich muss morgen ins Krankenhaus.
■ ______________ (b) hast du nichts Schlimmes!
● Es ist mein Knie. Ich kann nicht mehr richtig laufen. Am Donnerstag ist die Operation.
■ Oh, das tut mir wirklich ______________ (c).
● Ich habe ______________ (d) vor den Untersuchungen.
■ Das glaube ich. Wie lange bleibst du denn im Krankenhaus?
● Nur zwei Tage.
■ Ich hoffe, danach ist alles wieder in ______________ (e).

_ / 5 PUNKTE

Wörter		Strukturen		Kommunikation	
●	0–3 Punkte	●	0–3 Punkte	●	0–2 Punkte
●	4 Punkte	●	4 Punkte	●	3 Punkte
●	5–6 Punkte	●	5–6 Punkte	●	4–5 Punkte

www.hueber.de/menschen

LERNWORTSCHATZ

1 Wie heißen die Wörter in Ihrer Sprache? Übersetzen Sie.

Unfall/Notfall

Krankenwagen der, - ______
A: Rettung die, -en
CH: die Ambulanz die, -en
Notarzt der, ¨-e ______
Notaufnahme die, -n ______
Notfall der, ¨-e ______
Unfall der, ¨-e ______
Verletzung die, -en ______

verletzen (sich), hat sich verletzt ______

Gesundheit/Krankheit

Blut das ______
Grippe die ______
Herz das, -en ______
Krankheit die, -en ______
Magen der, ¨ ______
Operation die, -en ______
Sprechstunde die, -n ______
Untersuchung die, -en ______
Verband der, ¨-e ______

bluten, hat geblutet ______
operieren, hat operiert ______
sterben, du stirbst, er stirbt, ist gestorben ______
untersuchen, hat untersucht ______
verbinden, hat verbunden ______

erkältet sein ______
A: verkühlen (sich), hat sich verkühlt

Weitere wichtige Wörter

Satz der, ¨-e ______
Sorge die, -n ______
sich Sorgen machen ______
Wahrheit die, -en ______

hin·fallen, du fällst hin, er fällt hin, ist hingefallen ______
los sein ______
vertrauen, hat vertraut ______

weil ______
deshalb ______

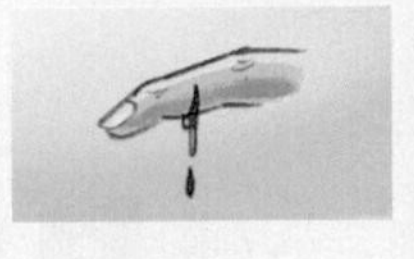

TIPP Lernen Sie Nomen und Verb zusammen.

die Operation – operieren
die Untersuchung – untersuchen

2 Welche Wörter möchten Sie noch lernen? Notieren Sie.

______

Bei guten Autos sind wir ganz vorn.

KB 3 **1** **Eine Führung durch eine Autofabrik. Ordnen Sie zu.**

WÖRTER

Lager | Hallen | Werke | Arbeiter | Maschinen | ~~Wagen~~ | Lkws | Produktion

Herzlich willkommen in unserer Autofabrik!
Pro Tag produzieren wir hier circa 800 Wagen (a). Viele verkaufen wir ins Ausland. Wir bringen die Wagen mit ______________ (b) in andere Länder.
Neben dem Bürohaus sehen Sie ein großes ______________ (c) für das Material und zwölf große ______________ (d). Dort ist die ______________ (e) der Autos. Unsere Firma hat vier weitere ______________ (f) in Deutschland.
Früher haben 800 ______________ (g) für die Produktion am Fließband gearbeitet. Jetzt sind es viel weniger. In einer modernen Autofabrik machen die ______________ (h) sehr viel und die Arbeit ist leichter geworden.

KB 4 **2** **Ergänzen und vergleichen Sie.**

WÖRTER

Deutsch	Englisch	Meine Sprache oder andere Sprachen
die Produktion	production	
	machine	
	export	
	import	
	international	

KB 4 **3** **Aus der Zeitung. Ergänzen Sie.**

WÖRTER

a **Beim Einkaufen im Internet bis zu 70 P r o z e n t s _ a _ e n!**
Wir e _ k l _ _ e _ Ihnen wie. Lesen Sie unsere Tipps auf Seite 12.

b Produktion wird immer billiger, deshalb s_ n _ _ n Preise für Computer und Notebooks weiter.

c Die Firmen produzieren und verkaufen wieder mehr. Der Export s _ ei _ t . Warum die W _ r _ s _ h _ f _ in Deutschland wieder wächst, lesen Sie in einem B _ r i _ht der „Financial Times Deutschland"

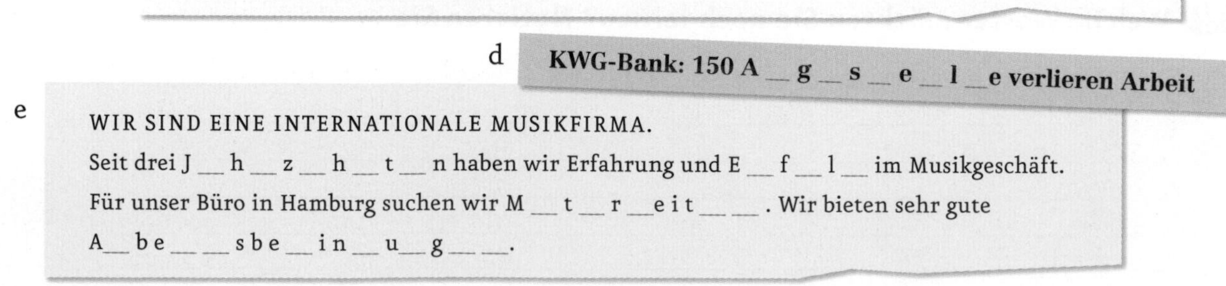
d **KWG-Bank: 150 A _ g _ s _ e _ l _e verlieren Arbeit**

e WIR SIND EINE INTERNATIONALE MUSIKFIRMA.
Seit drei J _ h _ z _ h _ t _ n haben wir Erfahrung und E _ f _ l _ im Musikgeschäft.
Für unser Büro in Hamburg suchen wir M _ t _ r _e i t _ _ . Wir bieten sehr gute A_ b e _ _ s b e _ i n _ u _ g _ _.

KB 5 **4 Lösen Sie das Rätsel.**

WÖRTER

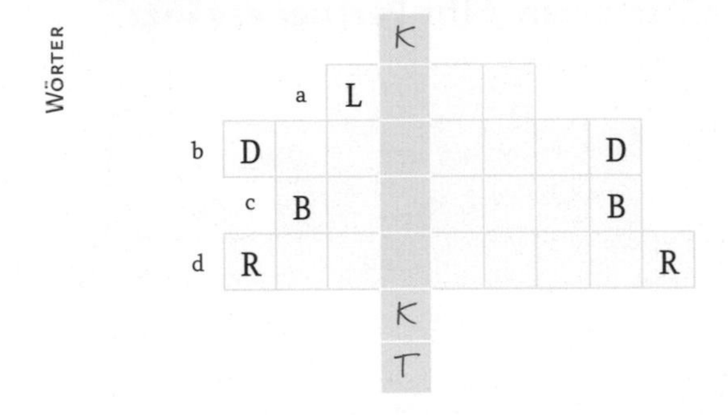

a Geld für die Arbeit: ...
b etwas ist wichtig, man muss es sofort machen
c Firma = ...
d Nomen zu „reparieren“: die ...

↓ Lösung:
Ich habe Peter schon ein paar Jahre nicht mehr gesehen. Wir haben keinen ... mehr.

KB 5 **5 Markieren Sie die Endungen der Adjektive und ergänzen Sie den definiten Artikel.**

STRUKTUREN ENTDECKEN

Nominativ		Akkusativ		Dativ	
der	● Kunststoff	ohne den ____	● Lkw	mit dem ____	● Erfolg
schwarzer		ohne großen		mit großem	
	● Training	ohne ____	● Lager	aus ____	● Metall
hartes		ohne großes		aus rotem	
	● Berufserfahrung	ohne ____	● Hilfe	seit ____	● Woche
erste		ohne fremde		seit letzter	
	● Bedingungen	ohne ____	● Berichte	mit ____	● Firmen
schlechte		ohne genaue		mit internationalen	

KB 5 **6 Mein Traumjob. Ergänzen Sie die Endungen der Adjektive.**

STRUKTUREN

Ich wünsche mir eine Arbeitsstelle / eine Arbeit / einen Job ...

ohne ...	mit ...
a unsympathische Kunden	j nett____ Kollegen
b groß____ Stress	k gut____ Lohn
c langweilig____ Sitzungen	l gut____ Arbeitsbedingungen
d lang____ Berichte	m flexibl____ Arbeitszeit
e schwer____ Arbeit	n nett____ Chefin
f dringend____ Termine	o lang____ Urlaub
g lang____ Reisen	p kostenlos____ Firmenwagen
h teur____ Ausbildung	q schick____ Büro
i schlecht____ Kaffee	r interessant____ Aufgaben

KB 5 **7 Lesen Sie die Anzeigen und ergänzen Sie die Endungen der Adjektive.**

STRUKTUREN

a Suche günstigen Kleinwagen
b Ziehen Sie um? Klein____ Lkw (7,5 t) schon ab 38 Euro pro Tag.
c Zweirad-Fischer: groß____ Angebot – klein____ Preise und schnell____ Service bei Reparaturen
d Autohaus hat interessant____ Job für freundlich____ Studenten mit flexibl____ Arbeitszeit und gut____ Arbeitsbedingungen
e Oldtimer – groß____ Ausstellung mit alt____ Autos und Motorrädern

KB 5 **8** **Sie möchten Möbel und andere Gegenstände für das Büro kaufen/verkaufen. Schreiben Sie drei Anzeigen mit Adjektiven. Ihre Partnerin / Ihr Partner ergänzt die Endungen der Adjektive.**

Suche günstig_____ Büroschrank aus hell_____ Holz.
Verkaufe schnell_____ Computer mit neu_____ Bildschirm.

Suche/Verkaufe ... mit/aus ...

KB 6 **9** **Ordnen Sie zu.**

KOMMUNIKATION

ich möchte gern | ich gern selbstständig | ist mir sehr wichtig | ~~möchte nicht gern~~ | im Team | nicht gern nur drinnen | das ist mir nicht so wichtig

Was ist Ihnen im Job wichtig?

a Ich möchte nicht gern angestellt sein. Denn ich habe schlechte Erfahrungen mit Chefs gemacht. Ich habe keine festen Arbeitszeiten, aber
_______________.
Deshalb bin _______________.

b Ich arbeite gern mit netten Kollegen
_______________.
Das _______________.
Und _______________
im Ausland arbeiten.

c Ich arbeite als Landschaftsarchitekt. Das macht mir Spaß. Außerdem kann man in meinem Beruf auch mal draußen arbeiten. Ich sitze _______________.

KB 7 **10** **Lesen Sie die Anzeige und beantworten Sie die Fragen.**

LESEN

a Wie lange dauert das Praktikum? September bis Dezember
b Wie lange gibt es das Werk schon? _______________
c Was produziert die Firma in diesem Werk? _______________
d Was macht man beim Praktikum? _______________
e Was muss man können? / Was muss man sein? _______________
f Mit wem kann man Kontakt aufnehmen? _______________

Praktikum in der Autoindustrie September – Dezember (Vollzeit)

Vor drei Jahrzehnten hat die Erfolgsgeschichte von unserem Werk in Köln begonnen.
Von unseren Fließbändern laufen moderne Kleinwagen.
Bei diesem Praktikum lernen Sie unsere Produktionsstätte in Köln kennen.

Aufgaben
- Mitarbeit bei der Wagenproduktion
- Zusammenarbeit mit Betriebsingenieuren

Qualifikation
- Student/Studentin (gern Wirtschaftsingenieurwesen)
- im Team arbeiten
- flexibles und selbstständiges Arbeiten

Ansprechpartner:
Frau Willner
Tel. 072 22/131278-09

TRAINING: SCHREIBEN

1 Mein Traumjob

Suchen Sie im Text nach diesen Informationen:

a Information über die Firma: ____________
b Aufgabe(n): ____________
c Arbeitszeiten: ____________
d Lohn: verdient gut
e Arbeitsbedingungen: ____________

Job-Forum > Gefällt Euch Eure Arbeit?

Beitrag von Lupo: Hallo Leute,
ich möchte heute mal fragen: Gefällt Euch eigentlich Eure Arbeit?
Also ich glaube, ich habe meinen Traumjob:
Ich bin Angestellter in einer internationalen Computerfirma mit 2000 Mitarbeitern. Ich verkaufe Computer an Firmen auf der ganzen Welt, deshalb muss ich viel reisen. Das macht mir großen Spaß.
Ich habe keine festen Arbeitszeiten. Das gefällt mir besonders gut. Auch die Arbeitsbedingungen bei uns sind wirklich nicht schlecht:
Ich kann selbstständig arbeiten. Das ist mir sehr wichtig. Aber ich arbeite auch gern im Team mit netten Kollegen. Zum Glück habe ich die. Außerdem verdiene ich gut und habe einen kleinen Firmenwagen.

2 Antworten Sie Lupo in einem Beitrag. Was gefällt Ihnen (nicht) an Ihrer Arbeit? Schreiben Sie zu allen fünf Punkten in 1.

Variante: Überlegen Sie sich einen Traumjob. Schreiben Sie zu allen fünf Punkten in 1.

Hallo Lupo,
dein Job ist ja wirklich super. So einen hätte ich auch gern. /
Aber meinen finde ich auch ziemlich gut. Ich arbeite ...

TIPP
Sie machen beim Schreiben viele Fehler? Lesen Sie den Text am Ende noch einmal. Konzentrieren Sie sich auf eine Sache, z. B. hier auf die Endungen der Adjektive.

TRAINING: AUSSPRACHE *„ei" und „ie"*

AUSSPRACHE ei|ie

1 Hören Sie und sprechen Sie nach.

▶1 31

Bauteile produzieren – gleich geblieben – am Fließband arbeiten – viel reisen – Industrie und Technologie

2 Was ist richtig? Kreuzen Sie an.

REGEL
Man spricht „ei" als
○ „e + i". ○ „a + i".
Man spricht „ie" als
○ langes ○ kurzes „i".

3 Ergänzen Sie „ei" oder „ie" und lesen Sie die Sätze laut.

a D____ Pr____se st____gen. Aber nicht b____ uns!
b Mitarb____ter gesucht – Top-Arb____ts-bedingungen.
c Erfolgr____cher Industr____betr____b b____tet flexible Arb____tsz____ten.
d Kl____ne Büros fr____.
Jetzt m____ten zu günstigen Pr____sen.

▶1 32 **Hören Sie und vergleichen Sie.**

TEST

1 Ordnen Sie zu.

WÖRTER

Arbeitszeit | Export | Lohn | Betrieb | Angestellter | Prozent | Erfolg | ~~Arbeiter~~ | Lager

a Michael ist *Arbeiter* bei Audi. Er arbeitet am Fließband.

b Die Firma G. Braun & Co., Import und ________________, hat in der Luisenstraße ihr ________________ .

c Hannes ist ________________ in einer Bank. Seine ________________ ist flexibel, er kann zwischen halb acht und acht anfangen.

d Die Mitarbeiter möchten mehr Geld, sie fordern mehr ________________.

e Mehr als 50 ________________ aller Produkte der Baufirma Nasan gehen in den Export.

f Der ________________ stellt Lkws her. Mit seinen Produkten hat er internationalen ________________ auf dem Weltmarkt.

_ / 8 PUNKTE

2 Ergänzen Sie in den Anzeigen die Endungen.

STRUKTUREN

a Freundlich*er* (1) Mitarbeiter mit lang______ (2) Berufserfahrung sucht international______ (3) Betrieb.

b Groß______ (4) Restaurant mit freundlich______ (5) Service bietet interessant______ (6) Jobs.

c Suche hell______ (7) Wohnung mit schön______ (8) Garten.

d Bin selbstständig. Suche Arbeitsplatz in klein______ (9) Büro mit nett______ (10) Kollegen und schön______ (11) Möbeln.

e Alt______ (12) Autos gesucht. Baujahr 1980 und älter. Nehme auch kaputt______ (13) Autos.

f NEU! „Fit und Gesund!" – Toll______ (14) Geschäft mit gut______ (15) Beratung.

_ / 7 PUNKTE

3 Ordnen Sie zu.

KOMMUNIKATION

das machen wir | wäre das wichtiger | möchte so gern | ist eine gute Idee | ist dir das wichtig

- ■ Ich ________________________ (a) in einer Apotheke arbeiten.
- ● Warum ________________________ (b)?
- ■ Ich kann Menschen beraten und ihnen helfen. Das gefällt mir.
- ● Studier doch Medizin. Als Ärztin kannst du auch helfen und viel Geld verdienen. Mir ________________________ (c). Aber mach doch ein Praktikum in einer Apotheke.
- ■ Das ________________________ (d).
- ● Ich habe eine Freundin in der Kilian-Apotheke. Sollen wir sie gleich mal anrufen?
- ■ Ja, okay, ________________________ (e). Danke!

_ / 5 PUNKTE

Wörter		Strukturen		Kommunikation	
●	0–4 Punkte	●	0–3 Punkte	●	0–2 Punkte
●	5–6 Punkte	●	4–5 Punkte	●	3 Punkte
●	7–8 Punkte	●	6–7 Punkte	●	4–5 Punkte

www.hueber.de/menschen

LERNWORTSCHATZ

1 Wie heißen die Wörter in Ihrer Sprache? Übersetzen Sie.

Arbeitsleben

Angestellte der/die, -n ______
Arbeiter der, - ______
Bedingung die, -en ______
die Arbeitsbedingungen ______
Betrieb der, -e ______
Erfolg der, -e ______
Export der, -e ______
Halle die, -n ______
Import der, -e ______
Lager das, - ______
Lkw der, -s ______
CH: der Lastwagen
Lohn der, ¨-e ______
Maschine die, -n ______
Mitarbeiter der, - ______
Produktion die, -en ______
Prozent das, -e ______
Team das, -s ______
Werk das, -e ______
Wirtschaft die ______
sinken, ist gesunken ______
sparen, hat gespart ______
steigen, ist gestiegen ______
selbstständig ______

Weitere wichtige Wörter

Bericht der, -e ______
Jahrzehnt das, -e ______
Kontakt der, -e ______
Reparatur die, -en ______
Wagen der, - ______
erklären, hat erklärt ______
international ______
dringend ______

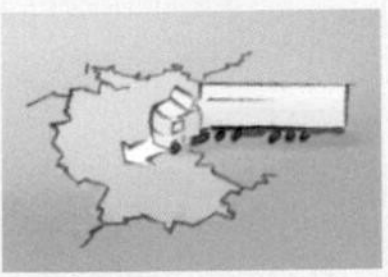

TIPP

Schreiben Sie ein paar Sätze, zum Beispiel über Ihre Arbeit.

Ich bin angestellt bei ...
Ich arbeite seit ... in diesem Betrieb.
...

2 Welche Wörter möchten Sie noch lernen? Notieren Sie.

______

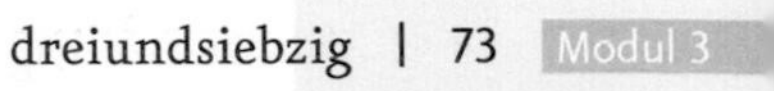

WIEDERHOLUNGSSTATION: WORTSCHATZ

1 Ergänzen Sie das Gespräch.

■ Hallo Frau Rudnik, hier spricht Marietta. Ich kann leider die nächsten Wochen nicht in den Deutschkurs kommen, ich hatte einen U nfal l (a) .

● Oje! Was ist passiert? Sind Sie im K __________ (b)?

■ Ja. Ich bin mit dem Fahrrad hingefallen. Mein Bein hat geblutet. Dann ist der K __ n ___ w ____ (c) gekommen und hat mich in die N __ a ________ (d) gebracht. Dort hat man mich operiert. Jetzt habe ich einen großen V ______ (e) und muss noch liegen. ...

2 Rätsel

a Lesen Sie die Sätze und ergänzen Sie die Tabelle. Drei Felder bleiben leer.

1 Herr Olfert arbeitet zusammen mit zwei Mitarbeitern in einem Team. Er ist wie seine Kollegen selbstständig.
2 Herr Simonis arbeitet täglich von 7 – 19 Uhr.
3 Die Firma von Herrn Nesan produziert Nudeln.
4 Herr Koch geht mindestens einmal pro Woche ins Fitnesstraining. Manchmal arbeitet er vormittags, manchmal nachmittags.
5 Herr Nesan hat nur sehr selten Zeit für Sport, liebt aber Fußball.
6 Ein Mann macht nie Sport. Er ist der Chef einer Firma.
7 Ein Mann ist Arbeiter und steht am Fließband. Seine Firma produziert Lkws.
8 Ein Mann arbeitet von montags bis donnerstags. Es ist nicht Herr Olfert.
9 Ein Mann geht regelmäßig zweimal pro Woche in einen Verein und spielt Badminton. Seine Firma produziert Handys.

Name	Herr Simonis	Herr Olfert	Herr Nesan	Herr Koch
Wie arbeitet er?		ist selbstständig arbeitet im Team		
Wann arbeitet er?				
Was produziert seine Firma?				
Wie oft macht er in seiner Freizeit Sport?				

b Beantworten Sie die Fragen.

Wer arbeitet nur vormittags? Wer produziert Lampen? Wer arbeitet als Angestellter?

WIEDERHOLUNGSSTATION: GRAMMATIK

1 Was kann man in unserer Firma besser machen?

a Lesen Sie die Probleme und ordnen Sie zu.

1 Arbeitsbedingungen nicht gut
2 zu wenig Geld für Arbeiter in der Produktion
3 Produktion: zu oft Reparaturen
4 zu wenig Kontakt zu Kollegen
5 nicht alle Kollegen können gut Englisch

mehr Lohn bekommen sollen ○ an Englischkursen teilnehmen können ○ die Arbeitsbedingungen besser machen sollen ① regelmäßig Teamsitzungen machen können ○ neue Maschinen kaufen sollen ○

b Schreiben Sie Vorschläge im Konjunktiv.

1 Wir sollten die Arbeitsbedingungen besser machen.
2 Die Arbeiter ________________.
3 Die Firma ________________.
4 Wir ________________.
5 Die Mitarbeiter ________________.

2 Ergänzen Sie *denn*, *deshalb* oder *weil*.

Kennen Sie das auch?
Ab nächster Woche treibe ich regelmäßig Sport, denn (a) ich will endlich mehr für meine Gesundheit tun. Am Montag muss ich bis spät abends arbeiten, __________ (b) habe ich keine Zeit für das Fitnessstudio. Aber das ist nicht so schlimm, __________ (c) dienstags gibt es ja schon um 8 Uhr einen Yogakurs. Ach was, ich kann ja auch am Mittwoch zum Schwimmen gehen. – Oh je, die Badehose passt nicht mehr, __________ (d) ich in den letzten Monaten ein bisschen dicker geworden bin. Ich könnte ja später Gymnastik machen, aber das ist eigentlich langweilig. Joggen kann ich heute leider auch nicht, __________ (e) es den ganzen Tag regnet. Dann fange ich halt nächste Woche an.

3 Ergänzen Sie die Endungen der Adjektive.

Frage von Princess: Wie kann ich am schnellsten abnehmen? Funktioniert eine Nulldiät?
Antwort von Elli12 vor 4 Stunden:
Mach auf keinen Fall eine Nulldiät. Das ist nicht gut. Bei einer gesunden (a) Diät darf man auch etwas essen. An deiner Stelle würde ich den Tag mit einem leicht_____ (b) Frühstück beginnen: Iss ein klein_____ (c) Brötchen mit mager_____ (d) Käse. Am besten trinkst du frisch gepresst_____ (e) Saft dazu. Schwarz_____ (f) Tee oder Kaffee mit fettarm_____ (g) Milch ist auch ok. Mittags gibt es Nudeln, Fleisch oder auch mal gesund_____ (h) Fisch. Iss roh_____ (i) Gemüse mit mager_____ (j) Quark oder grün_____ (k) Salat mit Tomaten und Gurken. Du musst unbedingt viel trinken. An deiner Stelle würde ich auch Sport machen. Jogge doch, dann hast du auch gleich frisch_____ (l) Luft.
So habe ich 10 Kilo abgenommen. Das kannst du doch auch!

SELBSTEINSCHÄTZUNG Das kann ich!

Ich kann jetzt ...

... um Rat bitten: L07
Welche Sportart w____________ du mir e________________?
Ich möchte gern Sport machen. Hast du ________ T________ für mich?

... Ratschläge geben: L07
An ________ __________ würde ich ________________________________.
Du k________________ aber auch ________________________________.

... Sorge ausdrücken: L08
Was ist _____?
Ist alles in ______________________?
Ich habe ______________ vor Herzkrankheiten.

... Hoffnung ausdrücken: L08
__________________ hast du nichts Schlimmes!
Ich __________, es ist alles in Ordnung.

... Mitleid ausdrücken: L08
Das finde ich aber __________________.
Oh, das ______ mir wirklich sehr ________.

... Wichtigkeit ausdrücken: L09
▲ Ich möchte gern im Ausland arbeiten.
■ Ist ______ das ____________?
▲ Ja, sehr. Und dir?
■ _________ ist das nicht so _______________.

Ich kenne ...

... 10 Sportarten: L07
Die interessieren mich: ____
Die interessieren mich nicht: ______________________________________

... 8 Wörter zum Thema „Krankheit und Unfall“: L08
____
____

... 8 Wörter zu Beruf und Arbeitsleben: L09
____
____

Ich kann auch ...

... Zeitangaben machen (temporale Adverbien: *morgens*; temporale Präposition: *zwischen*): L07
Wann sollte Herr Peters keine Kohlenhydrate mehr essen? ______________ (am Abend).
Wann treffen wir uns zum Schwimmen? _________________ 7.00 und 7.15 Uhr.

SELBSTEINSCHÄTZUNG Das kann ich!

... **Vorschläge machen und Ratschläge geben (Konjunktiv II von *können, sollen*):** L07 ○ ○ ○
Dann ______________ wir mal über Ihren Fitnessplan sprechen. (sollen)
Wir ______________ montags und mittwochs joggen gehen. (können)

... **Gründe angeben (Satzverbindung: *weil, deshalb*):** L08 ○ ○ ○
Du hast Probleme, __________ du zu viel auf deinen Körper hörst.
Du hörst zu viel auf deinen Körper. __________ hast du Probleme.

... **Nomen näher beschreiben (Adjektive ohne Artikel):** L09 ○ ○ ○
Suche ordentlich____ Haushaltshilfe für 10 Stunden pro Woche bei flexibl____ Arbeitszeit.
Gut____ Kfz-Mechatroniker mit viel Berufserfahrung sucht Festanstellung.

Üben / Wiederholen möchte ich noch:

____

RÜCKBLICK

Wählen Sie eine Aufgabe zu Lektion 7

1 Fitness- und Ernährungsplan

a Lesen Sie noch einmal den Fitness- und Ernährungsplan im Kursbuch auf Seite 44 (Aufgabe 3b). Schreiben Sie vier Fragen zu dem Plan.

Wie oft sollte Herr Peters schwimmen/...?
Wann sollte Herr Peters Suppe/... essen?
Was/Wann sollte er ...?
Wie oft/Was sollte er essen?

b Tauschen Sie die Fragen mit Ihrer Partnerin / Ihrem Partner. Sie/Er antwortet.

2 Schreiben Sie Ihren eigenen Fitness- und Ernährungsplan.

	Mo	Di	Mi	Do	Fr	Sa	So
vormittags							
mittags							
abends							

Wählen Sie eine Aufgabe zu Lektion 8

1 Lesen Sie noch einmal die Forumstexte im Kursbuch auf Seite 48 (Aufgabe 3). Welche Sätze passen zu carlotta123 und welche Sätze passen zu seelenpein?

	carlotta123	seelenpein
a Ärzten kann man nie glauben.	⊗	⊗
b Ich habe Angst vor Herzkrankheiten, weil sie gefährlich sind.	○	○
c Mein Hausarzt hat mich nicht lange untersucht.	○	○
d Ich gehe nicht mehr zu Ärzten.	○	○
e Ich hoffe, du hast keine schlimme Krankheit.	○	○

2 Der perfekte Arzt

a Wie sind Ihre Erfahrungen mit Ärzten? Machen Sie Notizen zu folgenden Fragen.

- Wie oft gehen Sie zum Arzt? Warum? ______
- Was finden Sie gut/schlecht an Ihrem Arzt? untersucht genau, hat viel Zeit
- Würden Sie Ihren Arzt empfehlen? ______
- Vertrauen Sie Ärzten? ______

b Haben Sie den perfekten Arzt gefunden?
Schreiben Sie einen Forumsbeitrag über Ihre Erfahrungen mit Ärzten.
Die Fragen in a helfen.

RE: Habt ihr den perfekten Arzt gefunden?
Ich gehe …
Ich finde meinen Arzt (nicht so) gut. Denn …
Ich würde meinen Arzt (nicht) empfehlen, weil …
Aber er … Deshalb …

Wählen Sie eine Aufgabe zu Lektion 9

1 Lesen Sie noch einmal die Anzeigen im Kursbuch auf Seite 53 (Aufgabe 5a). Welche Anzeige passt? Manchmal passt keine Anzeige. Machen Sie dann X.

a Sie sind Verkäuferin und möchten 10 Stunden pro Woche im Verkauf arbeiten. (X)
b Sie haben eine Lagerhalle und brauchen sie in der nächsten Zeit nicht. ○
c Ihr Fahrrad ist kaputt. ○
d Sie sind Mechatroniker und im Moment arbeitslos. ○
e Sie interessieren sich für Computer und suchen einen neuen Arbeitsplatz. ○
f Sie haben einen Auto-Reparaturbetrieb und suchen neue Mitarbeiter. ○
g Sie sind selbstständig und brauchen ein Büro. ○
h Sie suchen einen Job in einem Haushalt. ○
i Sie haben keine Zeit für Ihren Haushalt. ○

2 Ihre Anzeige für ein Jobangebot. Machen Sie zuerst Notizen. Schreiben Sie dann eine Anzeige.

Wer sucht wen? Export-Firma – Student/Studentin
Qualifikation? ______
Aufgaben? ______
Arbeitszeit? ______
Lohn? ______
Kontakt? ______

Export-Firma sucht dringend Student/Studentin für das Büro. Sie arbeiten gern am Computer. Ihre Aufgaben sind: E-Mails schreiben und telefonieren. Haben Sie montags und freitags von 9 – 12 Uhr Zeit? Dann rufen Sie uns an. 12 Euro pro Stunde. Kontakt: Frau Weiner Tel. 453465

NUR WIR FÜNF

Teil 3: Viel zu schnell …

Heute ist „Maras“ Tag: Sie kann sagen, was die Freunde gemeinsam machen.
Shopping natürlich … Im KaDeWe[1] und am Ku'damm.
So viele tolle Kleider, so viele schöne Blusen, so viele Schuhe …
Ina kauft nichts ein, sie schreibt die ganze Zeit SMS.
„An wen schreibst du?“, fragt Ralf.
Sie sagt nichts.
Aber er weiß es natürlich: an Diogo.
Sie haben ihn im Bode-Museum kennengelernt. Er ist ein Künstler aus Brasilien und macht gerade Urlaub in Berlin. Später sind sie noch gemeinsam Bier trinken gegangen. Ina und Diogo haben den ganzen Abend geredet. Und am nächsten Tag haben sie sich gleich wieder getroffen …
„Mir ist langweilig“, sagt Max. „Ich gehe mal ins Sportgeschäft.“

So viele tolle Fitnessgeräte, so viele schöne Fahrräder, so viele …
„Kann ich Ihnen helfen?“, fragt der Verkäufer.
„Danke, ich schaue nur ein bisschen.“
„Diese Inlineskates haben wir gerade neu bekommen.“
„Ich bin noch nie mit Inlineskates gefahren.“
„Sie sind sehr sportlich, das sieht man gleich. Sie können das sicher. Probieren Sie mal!“
Max zieht die Inlineskates an … und fährt los.
„Super! Das ist leicht.“
„Ich habe es Ihnen ja gesagt.“
„Oh, das geht aber schnell.“
„Ja, das sind gute Schuhe.“

„Sehr schnell …“
„Bleiben Sie besser wieder stehen.“
„Ich kann nicht … ich bin zu schnell … Vorsicht! Aus dem Weg …“
„He, Sie! Passen Sie doch auf!“, ruft ein Mann.
„Entschuldigung … Achtung … oh, schöne Fahrräder … tolle Fitnessgeräte … Sportkleidung …“
Max fährt durch das ganze Geschäft und wird immer schneller.
„Sind Sie verrückt?“, ruft eine Frau.
„Nein, ich … oje, Sonnenbrillen vor mir … viele Sonnenbrillen … Hilfe! … ohhh … gut, geschafft …“
„Max, was machst du denn da?“
„Ina, Ralf … ihr seid ja auch alle hier …“
„Max, pass auf!“
„Aus dem Weg …!“
Max fährt in Ina, Ralf, Mara und Bernd hinein. Alle fünf fallen um.
„Was tut ihr denn hier? Wollt ihr auch Sport machen?“, fragt Max.
„Nein. Ich bin fertig mit Shoppen. Wir können gehen“, sagt Mara.
„Jetzt muss ich aber noch einkaufen.“
„Was willst du denn kaufen?“
„Diese Inlineskates.“ Max lacht. „Die sind wirklich super!“

1: KaDeWe: Kaufhaus des Westens: sehr großes Kaufhaus in Berlin

Gut, dass du reserviert hast.

KB 3 **1 Was passt? Ordnen Sie zu.**

WÖRTER

a Ich möchte meine Freunde zum Essen — einladen.
b Wir müssen für morgen Abend einen Tisch
c Ich will endlich mal in das neue Lokal am Marktplatz
d Du könntest wenigstens ein Glas Wasser
e Ich will nicht schon wieder Pommes frites

essen.
trinken.
gehen.
einladen.
reservieren.

KB 3 **2 Was passt? Kreuzen Sie an.**

STRUKTUREN

a ■ Hier in diesem Lokal ist es doch ganz schön, oder?
▲ Ja, aber ☒ ich finde, ○ ich weiß, dass es zu laut ist.

b ■ Ich kann leider nicht zu deiner Geburtstagsfeier kommen.
▲ ○ Schade, ○ Gut, dass du keine Zeit hast.

c ■ Soll ich den Thunfisch bestellen?
▲ Nimm lieber Fleisch. ○ Ich denke, ○ Ich hoffe, dass dir der Fisch nicht schmeckt.

d ○ Kann es sein, ○ Findest du, dass es hier keine Pommes frites gibt?

e ○ Gut, ○ Ich glaube, dass du gekommen bist. Kannst du mir helfen?

KB 3 **3 Schreiben Sie die *dass*-Sätze aus 2 in die Tabelle.**

STRUKTUREN ENTDECKEN

	Konjunktion		Verb
a Ja, aber ich finde,	dass	es zu laut	ist.
b			
c			
d			
e			

KB 3 **4 Wie finden Sie das neue italienische Restaurant? Ergänzen Sie.**

STRUKTUREN

a Gut, dass die Preise nicht so hoch sind. (sein – die Preise – nicht so hoch)

b Ich hoffe, dass ______________________.
(immer so gut – das Essen – schmecken)

c Ich weiß, dass ______________________. Deshalb schmeckt das Essen so gut.
(der Koch – kommen – aus Italien)

d Schön, dass ______________________.
(können – essen – man – so tolle Nudelgerichte)

e Ich glaube, dass ______________________.
(sein – besser – das Essen im „Rialto“)

f Ich denke, dass ______________________.
(geben – es – eigentlich schon genug italienische Lokale)

KB 3 **5** **Schreiben Sie Sätze wie in 4 zum Thema „Essen“. Sie können die Satzanfänge aus 3 und 4 benutzen. Ihre Partnerin / Ihr Partner ergänzt die Sätze.**

Ich weiß, dass ______
(Pommes frites – sein – nicht gesund)

Schön, dass ______
(du – haben gekocht – für mich)

KB 3 **6** **Ordnen Sie zu und schreiben Sie Sätze mit *dass*.**

STRUKTUREN

Kann es sein | Ich weiß | ~~Ich hoffe~~ | Schade | Ich finde | Schön

a Hoffentlich bringt der Kellner das Essen bald.
b In diesem Lokal gibt es leider keine rote Grütze.
c Darf man hier nicht rauchen?
d Du hast mich eingeladen.
e Der Wein sollte ein bisschen wärmer sein.
f Nach dem Essen trinkt Elke nie einen Kaffee.

a Ich hoffe, dass der Kellner das Essen bald bringt.
b ...

KB 5 **7** **Ergänzen Sie.**

WÖRTER

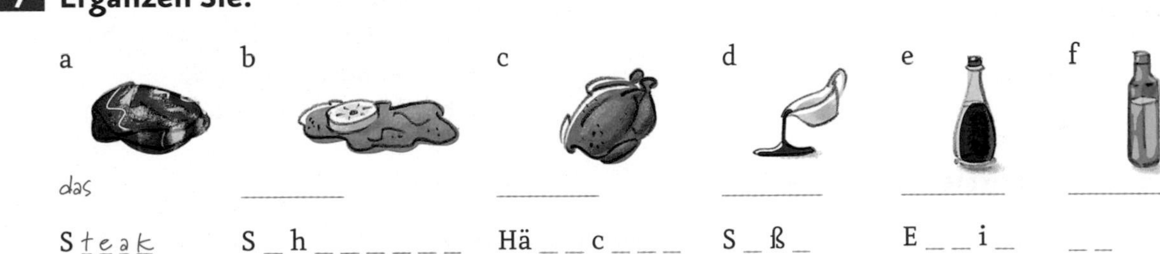

a das S t e a k
b ______ S _ h _ _ _ _ _ _
c ______ Hä _ _ c _ _ _
d ______ S _ ß _
e ______ E _ _ i _
f ______ _ _

KB 6 **8** **Ordnen Sie zu und schreiben Sie die Nomen mit Artikel.**

WÖRTER

~~Essig~~ | Tasse | Löffel | Salz | Zucker | Kanne | Messer | Pfeffer | Gabel | Öl | Teller

das Besteck	das Geschirr	Was steht noch auf dem Tisch?
		der Essig

KB 7 **9** **Im Restaurant bestellen. Ordnen Sie zu.**

KOMMUNIKATION

bringen Sie mir lieber | sondern | kann ich Ihnen bringen | Moment, bitte | hätte gern | nicht mit | ~~würde gern bestellen~~

- ■ Entschuldigung. Ich würde gern bestellen (a).
- ● Einen ______ (b). Ich komme gleich. Was ______ (c)?
- ■ Ich ______ (d) ein Wiener Schnitzel. Aber ______ (e) Kartoffelsalat, ______ (f) mit Pommes frites.
- ● Gern. Und was möchten Sie trinken?
- ■ Ein Mineralwasser, bitte. Ach nein, ______ (g) ein kleines Bier.

KB 8 **10** **Reklamieren: Wie reagiert der Kellner? Ordnen Sie zu.**

KOMMUNIKATION

a Die Kartoffeln waren versalzen. — 5
b Verzeihen Sie, aber die Suppe ist kalt.
c Das Mineralwasser ist zu warm.
d Die Gabel ist nicht sauber.
e Wir haben nur Öl für unseren Salat.

1 Oh! Das tut mir leid. Sie bekommen sofort ein anderes.
2 Einen Augenblick, bitte. Ich bringe Ihnen gleich Essig.
3 Oh! Das tut mir leid. Ich bringe eine neue Suppe.
4 Oh! Entschuldigung. Hier haben Sie ein anderes Besteck.
5 Ich gebe es an die Küche weiter.

KB 8 **11** **Bezahlen: Sortieren Sie das Gespräch.**

KOMMUNIKATION

○ Vielen Dank.
○ Das macht 17, 90 Euro.
○ Hier bitte, stimmt so.
○ Zusammen oder getrennt?
① Die Rechnung, bitte.
○ Getrennt bitte.

KB 9 ▶1 33 **12** **Im Restaurant. Hören Sie das Gespräch und ergänzen Sie die Rechnung.**

HÖREN

RESTAURANT *Seeblick*

Rechnung – Kellner: 2 – Tisch: 4

Fischsuppe	______
______ mit ______	______
______ groß	3, 70
Portion ______ klein	4, 00
Kännchen ______	4, 50
Euro:	______

TRAINING: LESEN

1 Lesen Sie die Kommentare im Gästebuch vom Restaurant „Seeblick". Was finden die Gäste positiv, was negativ? Markieren Sie die Meinungen der Gäste mit zwei Farben (grün= positiv; rot = negativ).

RESTAURANT *Seeblick* GÄSTEBUCH

Franz am 12. März: Wir hatten eine Reservierung. Aber wir haben trotzdem lange auf unseren Tisch und das Essen gewartet. Außerdem waren die Kellner nicht besonders freundlich. Wenigstens kann man sich nicht über das Essen beschweren. Es ist gut und die Portionen sind groß.

Lola am 20. Mai: Das Lokal ist total nett und sehr beliebt, aber auch ein bisschen laut. Leider muss man einen Tisch reservieren.

Ela am 14. Juni: Ich finde das Restaurant nicht so gut.
Mein Salat war leider nicht mehr ganz frisch und die Soße zum Fleisch versalzen. Es kann doch nicht sein, dass man für so ein Essen auch noch über 20 Euro bezahlen muss?

2 Wer schreibt was? Ergänzen Sie die Namen.

a Lola findet es schade, dass man reservieren muss.
b ________ findet, dass der Service besser sein könnte.
c ________ ärgert sich, dass das Lokal teuer ist.
d ________ findet, dass es in dem Lokal zu laut ist.
e ________ beschwert sich über das Essen.
f ________ findet gut, dass man viel Essen bekommt.

TIPP: Sie verstehen einen Text nicht genau? Beim ersten Lesen müssen Sie noch nicht jedes Wort verstehen, sondern nur die Idee, z. B. ist in einem Kommentar etwas positiv oder negativ?

TRAINING: AUSSPRACHE *b-d-g und p-t-k*

▶1 34 **1 Hören Sie und sprechen Sie nach.**

a	Besteck – bunt – bitte	Pizza – Pommes – Paprika
b	doch – danke – Dose	Tasse – Teller – Thunfisch
c	Geschirr – Glas – Gabel	Kanne – Kaffee – Kellner

▶1 35 **2 Was fehlt? Ergänzen Sie und lesen Sie die Sätze laut. Hören Sie dann und vergleichen Sie.**

a ___itte ___esteck! ___anke!
b ___och ___eine ___ommes, lieber ___izza.
c Eine ___ose ___hunfisch, bitte.
d Eine ___asse ___ee oder lieber eine ___anne ___affee?
e ___unte ___läser, ___roße ___eller – mein ___eschirr!
f ___itte ___eine ___artoffeln, lieber ___üree.

TEST

1 Im Restaurant. Ergänzen Sie.

WÖRTER

a ■ Entschuldigung, ich habe kein Besteck.
● Hier ist der __________ für Ihre Suppe.

b ■ Ich möchte gerne einen Tee.
● Eine Tasse oder eine __________?

c ■ Der Salat schmeckt langweilig. Bringen Sie mir bitte Essig und __________.
● Gerne. Hier sind auch Salz und __________.

d ■ Bitte, hier ist Ihr Kaffee.
● Danke. Kann ich bitte Milch und __________ haben?

e ■ Können Sie uns bitte die __________ bringen?
● Zahlen Sie zusammen oder __________?

_ /7 PUNKTE

2 Schreiben Sie Sätze mit *dass*.

STRUKTUREN

a Die Pommes sind versalzen. — Ich finde, dass die Pommes versalzen sind.
b Die Suppe ist kalt. — Kann es sein, dass __________?
c Es gibt einen Obstsalat. — Gut, dass __________.
d Hoffentlich haben sie Apfelkuchen. — Ich hoffe, dass __________.

_ /3 PUNKTE

3 Ordnen Sie zu und schreiben Sie Sätze mit *dass*.

STRUKTUREN

Schön | Schade | Ich glaube | ~~Kann es sein~~ | Ich hoffe

a Der Kellner hat den Salat vergessen.
b Hoffentlich bekommen die Kinder bald ihr Essen.
c Das Lokal hat wahrscheinlich am Montag geschlossen.
d Leider darf ich keine Milchprodukte essen.
e Unser Chef hat die Rechnung bezahlt.

a Kann es sein, dass der Kellner den Salat vergessen hat?

_ /4 PUNKTE

4 Ordnen Sie zu.

KOMMUNIKATION

Ich möchte bitte | Verzeihen Sie | Das tut mir | Was kann ich Ihnen | Ich hätte | Ich gebe es

a ■ __________ (1) bestellen.
● __________ (2) bringen?
■ __________ (3) gern einen Apfelsaft.

b ▲ __________ (4), aber der Löffel ist nicht sauber.
◆ Oh! __________ (5) leid. Ich bringe Ihnen einen anderen.
▲ Und die Suppe ist kalt und versalzen.
◆ __________ (6) an die Küche weiter.

_ /6 PUNKTE

Wörter		Strukturen		Kommunikation	
●	0–3 Punkte	●	0–3 Punkte	●	0–3 Punkte
●	4–5 Punkte	●	4–5 Punkte	●	4 Punkte
●	6–7 Punkte	●	6–7 Punkte	●	5–6 Punkte

www.hueber.de/menschen

LERNWORTSCHATZ

1 Wie heißen die Wörter in Ihrer Sprache? Übersetzen Sie.

Im Restaurant
Besteck das, -e
Gabel die, -n
Glas das, ⸚er
Kanne die, -n
CH: Krug der, ⸚e
Löffel der, -
Lokal das, -e
A: Gasthaus das, ⸚er / Beisel das,-
Messer das, -
Rechnung die, -en
Die Rechnung, bitte!
Tasse die, -n
Teller der, -

reservieren, hat reserviert
stimmen
stimmt so
zusammen ↔ getrennt zahlen
Augenblick
einen Augenblick, bitte
Moment
einen Moment, bitte
Verzeihen Sie

Lebensmittel und Speisen
Essig der
Hähnchen das, -
A: Hendl das, -
CH: Poulet das, -s
Öl das, -e
Pommes frites die (Pl.)
Salz das
Soße die, -n
Schnitzel das, -
Steak das, -s
Zucker der

Weitere wichtige Wörter
reagieren, hat reagiert
wenigstens
dass
sondern

TIPP
Was passt zusammen?
Lernen Sie Wortpaare.

Essig – Öl

2 Welche Wörter möchten Sie noch lernen? Notieren Sie.

Ich freue mich so.

KB 3 **1 Schreiben Sie die Wörter richtig.**

Wörter

a
Papeterie Müller & Söhne
Bei uns finden Sie alles aus Papier: Postkarten (karPostten), Briefpapier, ______ (umBriefgeschlä), ______ (teHef), ______ (blöNocketiz), Kalender und noch viel mehr!

b
INDIVIDUELLE MÖBEL
In unserer ______ (Westattrk) ______ (enstell) wir Möbel nach den Wünschen von unseren ______ (enKudn) ______ (reh). Und wir ______ (denverwen) kein Holz aus dem Regenwald. Modelle finden Sie auf unserer Homepage.

c
Günstiger Reiseveranstalter: Wir ______ (orsierganien) Reisen für Jugendliche und ______ (gejun) ______ (eneErwachs).

d
Warum steigen in der letzten Zeit die Preise so ______ (rksta)?
Was sind die ______ (deGrün)?
Lesen Sie den ______ (keltiAr) auf Seite 12.

KB 4 **2 Ordnen Sie zu.**

Kommunikation

würde ich auch gern arbeiten | ~~denke~~ | Meiner Meinung nach | gefällt mir besonders gut | besten gefällt uns | finde es schrecklich | würde nicht gern | bin froh

SECOND-HAND-MÖBELHAUS GÄSTEBUCH

Erstellt von	Kommentar
Name: Lina am 3. März	Ich denke (a), dass so ein Möbelhaus eine gute Idee ist. Aber ich selbst ______ (b) Second-Hand-Möbel kaufen. Denn ich möchte keine Möbel von anderen Leuten. Ich ______ (c), dass ich genug Geld für neue Möbel habe.
Name: Alexander am 12. April	Ich ______ (d), dass man Möbel so oft wegwirft und dann neue kauft. Deshalb ______ (e), dass Sie wirklich tolle Second-Hand-Möbel verkaufen.
Name: Familie Leuner am 12. April	Wir kaufen gern bei Ihnen ein. Am ______ (f), dass der Service so gut ist. In Ihrer Firma ______ (g), weil das Betriebsklima so gut ist.
Name: Maria am 12. April	______ (h) sollten Sie auch Kleidung und andere Second-Hand-Waren verkaufen, nicht nur Möbel.

KB 5 **3 Ordnen Sie zu.**

WÖRTER

Glas | ~~Holz~~ | Briefumschläge | Stoff | Schmuck

a Mein neuer Schrank ist aus dunklem Holz.

b Dein Kleid ist aus einem sehr schönen ______ .

c In dem ______geschäft in der Müllerstraße gibt es tolle Ringe.

d Für die Einladungskarten habe ich ______ aus farbigem Papier gekauft.

e Ich finde Plastikflaschen nicht gut. Deshalb kaufe ich nur noch Flaschen aus ______ .

KB 6 **4 Was passt zusammen?**

STRUKTUREN ENTDECKEN

a Ordnen Sie zu.

1 Streitet
2 Verstehen Sie
3 Wir fühlen
4 Ich möchte
5 Ruh
6 Manchmal beschweren
7 Tina kann

dich doch ein bisschen aus.
sich die Kunden.
sich noch an ihren ersten Arbeitstag erinnern.
mich mit dir unterhalten.
uns heute sehr gut.
sich mit Ihrer Kollegin?
euch doch nicht immer!

b Ergänzen Sie die Pronomen aus a in der Tabelle.

ich	unterhalte		
du	ruhst	dich	aus
er/es/sie/man	erinnert		
wir	fühlen		
ihr	streitet		
sie/Sie	beschweren		

KB 6 **5 Schreiben Sie Aussagesätze und Fragen.**

a Versteht ihr euch gut?

STRUKTUREN

a gut verstehen? (ihr)
b ein bisschen ausruhen können (du)
c nie mit den Kollegen verabreden? (Klaus)
d nicht oft ärgern (wir)
e beschweren (die Gäste)
f mit Paula unterhalten (ich)

KB 6 **6 Schreiben Sie fünf Sätze mit Reflexivpronomen wie in Übung 4a auf Papierstreifen.**

Schneiden Sie die Sätze vor dem Reflexivpronomen auseinander. Ihre Partnerin / Ihr Partner kombiniert die passenden Sätze.

Wir ruhen | uns aus.

KB 7

7 Ergänzen Sie die Sätze. Achten Sie auf die Reflexivpronomen.

STRUKTUREN

Hallo Jan,
wie geht´s Dir? Ich habe im Moment leider ein bisschen Stress im Job.
Außerdem habe ich mich über einen Kollegen geärgert (a) (ich – über einen Kollegen – geärgert haben).
Er ______ (b) (die ganze Zeit – mit einer anderen Kollegin – unterhalten haben). Da ______ (c) (eine Kundin – beschwert haben) und der Kollege hat nicht gut reagiert. Das habe ich ihm gesagt und dann ______ (d) (wir – gestritten haben).
______ (e) (du – verstehen) eigentlich gut mit Deinen Kollegen? Zum Glück kommt bald das Wochenende. Ich ______ (f) (freuen – schon). Am Sonntag ______ (g) (wir – treffen können).
Hast Du Zeit? Bis dann, Heike

KB 8

8 Was sagen die Personen? Ergänzen Sie.

KOMMUNIKATION

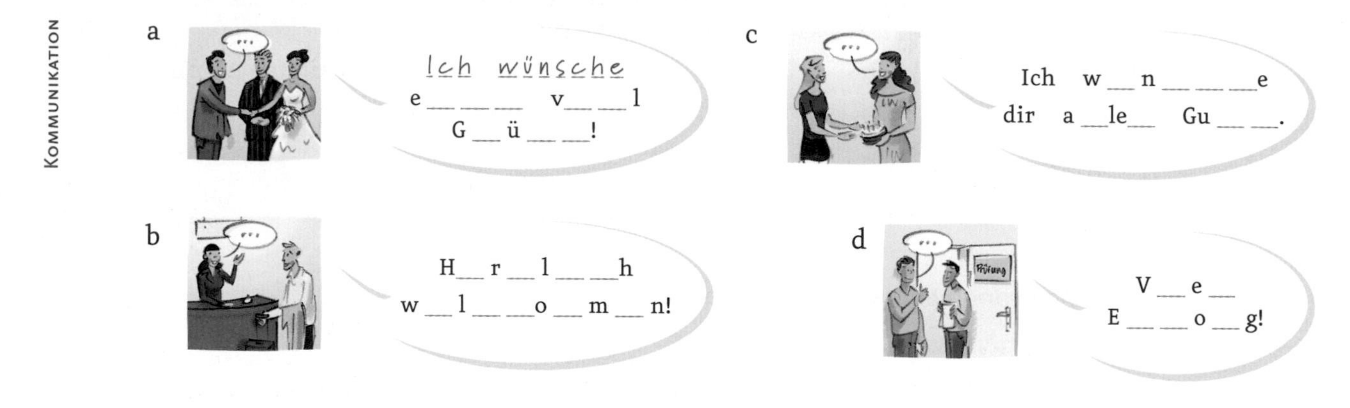

KB 8

9 Eine Glückwunschkarte

SCHREIBEN

a Ordnen Sie zu.

~~Wir freuen uns auf die nächsten … Jahre~~ | Herzlichen Glückwunsch zu … | Wir bedanken uns für … | Alles Gute zu … | Vielen Dank für … | Wir gratulieren Ihnen zu … | Wir danken Ihnen für … | Wir wünschen Ihnen für die nächsten … Jahre viel Erfolg / alles Gute.

gratulieren	sich bedanken	Wünsche für die Zukunft
		Wir freuen uns auf die nächsten … Jahre.

b Schreiben Sie eine Glückwunschkarte. Benutzen Sie Sätze aus a.
Ihre Kollegin / Ihr Kollege arbeitet seit zehn Jahren zusammen mit Ihnen in einer Firma.

- Überlegen Sie sich zuerst: Möchten Sie Du oder Sie sagen?
- Schreiben Sie zu folgenden Punkten:
  – Gratulieren Sie.
  – Bedanken Sie sich für die Zusammenarbeit.
  – Schreiben Sie auch Wünsche für die Zukunft.
- Vergessen Sie die Anrede und den Schluss nicht.

TRAINING: SPRECHEN

1 Eine Geschäftsidee bewerten

a Lesen Sie den Text und notieren Sie.

- Was soll man mit alten Sachen machen? *Man kann sie ins Second-Hand-Kaufhaus bringen.*
- Wem hilft das Kaufhaus?
- Wie sind die Preise?

> Ihr Schrank passt nicht mehr in die neue Wohnung? Ihre Tochter braucht ihre Kinderbücher nicht mehr? Sie müssen nicht gleich alles wegwerfen. Bringen Sie die Sachen ins Second-Hand-Kaufhaus. Das Kaufhaus verkauft Möbel, Haushaltsgeräte, Bücher, Geschirr, Kleidung, Schmuck und vieles mehr. Außerdem hilft das Second-Hand-Kaufhaus Menschen ohne Arbeit: Viele Mitarbeiter waren lange arbeitslos. Hier haben sie wieder eine Chance bekommen. Und die Kunden freuen sich über dic günstigen Preise.

b Ordnen Sie zu.

~~Ich glaube (nicht), dass …~~ | Ich finde es schön, dass … | Am besten / Besonders gut gefällt mir, dass … | Ich finde es schrecklich/traurig/schlimm, dass … | Ich bin froh, dass … | Ich denke (nicht), dass …

positiv	neutral	negativ
	Ich glaube (nicht), dass …	

c Sagen Sie Ihre Meinung zu folgenden Sätzen. Die Sätze in b helfen.

- Wir werfen viel zu viel weg.
- Es gibt viele arbeitslose Menschen.
- Das Second-Hand-Kaufhaus ist eine gute Idee.
- Arbeitslose haben eine Chance bekommen.

> **TIPP** Sie machen beim Sprechen viele Fehler? Konzentrieren Sie sich nur auf eine Sache, z. B.: In dass-Sätzen steht das Verb immer am Ende.

TRAINING: AUSSPRACHE *Satzmelodie vor Nebensätzen*

AUSSPRACHE – AUSSPRACHE →↘

▶ 1 36 **1 Hören Sie. Achten Sie auf die Satzmelodie: → ↘.**

a Es ist Wahnsinn →, dass wir so viele Dinge wegwerfen. ↘
b Ich denke →, dass die Geschäftsidee gut ist. ↘
c Ich kaufe immer Briefumschläge aus Altpapier →, weil ich die besonders schön finde. ↘

▶ 1 37 **Hören Sie noch einmal und sprechen Sie nach.**

▶ 1 38 **2 Hören Sie und ergänzen Sie die Satzmelodie: → oder ↘.**

a Ich bin glücklich ____, dass unsere Produkte den Kunden gefallen. ____
b Meine Mitarbeiter arbeiten gern hier ____, weil die Arbeit so interessant ist. ____
c Ich finde es schlimm ____, dass wir so viel wegwerfen. ____

▶ 1 39 **Hören Sie noch einmal und sprechen Sie nach.**

TEST

1 Ordnen Sie zu.

WÖRTER

Rucksäcke | Artikel | ~~Werkstatt~~ | Meinung | Mitarbeiterinnen | Schmuck | Briefpapier

■ Wie geht es Tabea? Ich habe sie so lange nicht gesehen.
● Gut. Sie hat seit fünf Jahren eine eigene Werkstatt (a). Sie und ihre drei ____________ (b) stellen aus alten Plastikflaschen Taschen her. Aktentaschen, Handtaschen und ____________ (c). Aber sie machen auch ____________ (d). Ich habe schon ein paar Ringe und Ketten von ihr gekauft.
■ Wo verkauft sie ihre Produkte? In ihrer Werkstatt?
● Nein. Kennst du das „Kunstkontor" in der Alten Gasse 10? Dort verkaufen viele Künstler. Die Sachen aus Papier wie die Notizblöcke oder das ____________ (e) sind meiner ____________ (f) nach besonders schön. Erst letzte Woche war ein ____________ (g) über den Laden in der Zeitung.

_ / 6 PUNKTE

2 Schreiben Sie Sätze.

STRUKTUREN

a Ich verstehe mich gut mit meinen Kollegen. (ich – sich verstehen – gut mit meinen Kollegen)
b ____________? (du – sich erinnern – an den letzten Urlaub)
c ____________. (meine Kinder – sich streiten – schon wieder)
d ____________. (Tobias – sich ärgern – sehr)
e Hallo, Frau Huber. ____________? (Sie – sich fühlen – wie)

_ / 4 PUNKTE

3 Alles Gute zum Jubiläum. Ordnen Sie zu.

KOMMUNIKATION

viel Erfolg | für die gute Zusammenarbeit | herzlichen Glückwunsch | finde es schön
wünschen für die Zukunft | freue ich mich auch

Liebe Frau Fröhlich,

____________ (a) zum fünfjährigen Jubiläum!
Ich ____________ (b),
dass so viele Leute Ihre Produkte kaufen.
Natürlich ____________ (c),
dass Sie Ihre schönen Taschen bei uns im „Kunstkontor" anbieten.
Wir danken Ihnen ____________ (d)
und ____________ (e) weiterhin
____________ (f).

_ / 6 PUNKTE

Wörter		Strukturen		Kommunikation	
●	0–3 Punkte	●	0–2 Punkte	●	0–3 Punkte
●	4 Punkte	●	3 Punkte	●	4 Punkte
●	5–6 Punkte	●	4 Punkte	●	5–6 Punkte

www.hueber.de/menschen

LERNWORTSCHATZ

1 Wie heißen die Wörter in Ihrer Sprache? Übersetzen Sie.

In der Firma

Kunde der, -n
Notiz die, -en
  Notizblock der, ¨-e
Werkstatt die, ¨-en

her·stellen,
  hat hergestellt
organisieren,
  hat organisiert
verwenden,
  hat verwendet

Produkte

Briefumschlag
  der, ¨-e
  A: Kuvert das, -s
  CH: Couvert das, -s
Handtasche die, -n

weg·werfen,
  hat weggeworfen

Glückwünsche

viel Erfolg
viel Glück

bedanken (sich),
  hat sich bedankt
wünschen,
  hat gewünscht

Weitere wichtige Wörter

Artikel der, -
Erwachsene
  der/die, -n
Grund der, ¨-e
Meinung die,
  -en
  meiner Meinung
  nach
Schmuck der
Stoff der, -e

erinnern (sich),
  hat sich erinnert
fühlen (sich),
  hat sich gefühlt
streiten (sich),
  hat sich
  gestritten
unterhalten (sich),
  hat sich
  unterhalten
verlieren,
  hat verloren

froh
jung
schrecklich
stark

willkommen

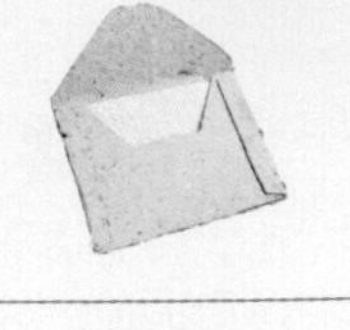

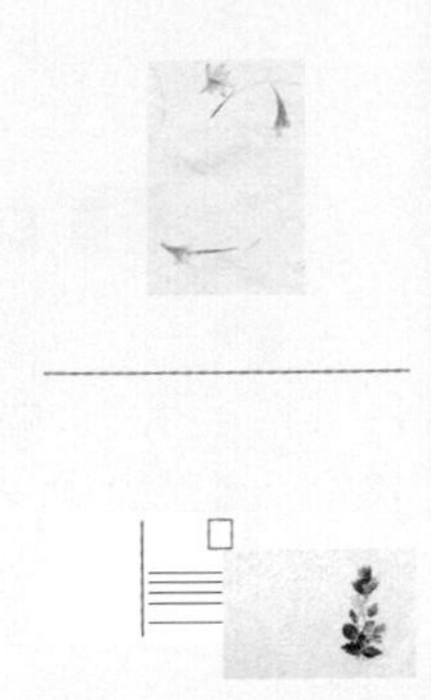

TIPP

Lernen Sie Wörter mit Bewegung. Spielen Sie die Bedeutung von Wörtern.

2 Welche Wörter möchten Sie noch lernen? Notieren Sie.

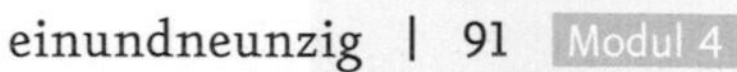

Wenn es warm ist, essen wir meist Salat.

KB 3 **1 Was passt nicht? Streichen Sie das falsche Wort durch.**

WIEDERHOLUNG WÖRTER

a Banane – Birne – Zitrone – ~~Zwiebel~~

b Fleisch – Quark – Braten – Wurst

c Obst – Mehl – Zucker – Salz

d Cola – Bohne – Saft – Kaffee

KB 3 **2 Ergänzen und vergleichen Sie.**

WÖRTER

	Deutsch	Englisch	Meine Sprache oder andere Sprachen
	Getreide	cereals/grain	
		fish	
		lemonade	
		mineral water	
		bread	
		tea	

KB 3 **3 Freizeitaktivitäten: Lesen Sie die Statistik und ordnen Sie zu.**

WÖRTER

Das machen die Deutschen in ihrer Freizeit.

die Hälfte | häufiger | doppelt | Prozent | ~~Rund~~

a Rund die Hälfte der Deutschen geht einmal pro Woche ins Internet.

b Circa __________ so viele sehen mindestens einmal in der Woche fern.

c Genau __________ der Deutschen macht mindestens einmal pro Woche gar nichts.

d Noch wichtiger ist den Deutschen das Ausschlafen. Das machen 65 __________ der Deutschen mindestens einmal pro Woche.

e Zeitschriften und Zeitungen lesen rund 80 Prozent der Deutschen, aber noch __________ telefonieren die Deutschen.

0 20 40 60 80 100

Fernsehen: 97 %

Telefonieren: 91 %

Zeitschriften/Zeitungen lesen: 79 %

Familienaktivitäten: 72 %

Ausschlafen 65 %

Nichts tun: 50 %

Internet: 48 %

BASISTRAINING

KB 4 — WÖRTER

4 Was hat Sie in Deutschland am meisten überrascht? Ergänzen Sie die Wörter.

a Es hat mich gewundert (uwrtngede), dass das Wetter im letzten Sommer so schön war und es ______ (ukam) geregnet hat. Ich habe ______ (gcheatd), dass es in Deutschland viel mehr regnet.

b Es hat mich ______ (rüasbercht), dass die Deutschen im Sommer so viel in Straßencafés sitzen. Das ist ______ (negsauo) wie in meiner Heimat.

c In Deutschland kommt man meistens pünktlich zu einer Einladung zum Essen. Das war mir nicht ______ (alkr). Das ist bei uns ganz ______ (danser).

d Ich finde es wirklich ______ (sikmoch), dass so viele Deutsche nur Marmelade und Honig zum Frühstück essen.

KB 4

5 Und was hat Sie in Deutschland am meisten überrascht? Schreiben Sie vier Sätze wie in 4. Ihre Partnerin / Ihr Partner ergänzt die Wörter.

KB 5 — STRUKTUREN ENTDECKEN

6 Wenn es regnet, dann ...

a Ordnen Sie zu.

Wir machen am liebsten eine Radtour, | Wenn meine Eltern kommen, | ~~Wenn es regnet,~~ | Wir holen uns eine Pizza,

dann brate ich leckere Steaks. | ~~dann bleibe ich am liebsten zu Hause und sehe mir einen Film an.~~ | wenn der Kühlschrank leer ist. | wenn die Sonne scheint.

1 Wenn es regnet, dann bleibe ich am liebsten zu Hause und sehe mir einen Film an.

2 ______

3 ______

4 ______

b Lesen Sie die Sätze in a noch einmal, markieren Sie die Verben in den *wenn*-Sätzen. Kreuzen Sie dann an.

Wo kann der *wenn*-Satz stehen? ○ Vor dem Hauptsatz. ○ Nach dem Hauptsatz.

Wo steht das Verb in *wenn*-Sätzen? ○ Am Ende. ○ An Position 2.

KB 5 **7** **Sortieren Sie die *wenn*-Sätze.**

STRUKTUREN

a schön – sein – das Wetter
Wenn das Wetter schön ist, (dann) grillen wir mit Freunden im Garten.

b unsere Mitbewohnerin – haben – Geburtstag
Wenn ______________________________,
(dann) darf sie sich ein Essen aussuchen.

c gehen – wir – einkaufen
Wir kaufen immer Lebensmittel für die ganze Woche,
wenn ______________________________.

KB 6 **8** **Schreiben Sie Sätze mit *wenn*.**

STRUKTUREN

a Der Urlaub soll preiswert sein. Wir besuchen meine Eltern am Meer.
Wenn der Urlaub preiswert sein soll, (dann) besuchen wir meine Eltern am Meer.

b Mein Mann macht eine Diät. Er hat schlechte Laune.
Wenn ______________________________.

c Er möchte scharf und vegetarisch essen. Maximilian isst indisch.
Maximilian isst indisch, ______________________________.

d Kolja möchte sparen. Er isst kaum Fleisch und er kocht häufiger Nudeln.
Wenn ______________________________.

KB 7 **9** **Hörer-Umfrage: Was ist Ihre Meinung?**

HÖREN

▶ 1 40 **a** **Was ist das Thema des Fernsehtipps? Hören Sie und kreuzen Sie an.**

○ 1 **Kochen mit Tom!**
Die neue Kochsendung mit dem Starkoch Tom Bälzer.

○ 2 **Restaurants im Test!**
Der neue Restaurantführer von Tom Bälzer.

▶ 1 41 **b** **Wer sagt was? Hören Sie weiter und kreuzen Sie an.**

	Frau Bah	Frau Meißner	Herr Bielenberg
1 Ich interessiere mich nicht für Kochen.	○	○	○
2 Mir gefallen Kochsendungen im Fernsehen sehr gut.	○	○	○
3 Ich finde, dass es schon genug Kochsendungen im Fernsehen gibt.	○	○	○
4 Die neue Koch-Show ist wahrscheinlich sehr interessant für mich.	○	○	○
5 Ich koche die Gerichte oft nach.	○	○	○
6 Ich bin Vegetarier und esse überhaupt kein Fleisch.	○	○	○

TRAINING: SCHREIBEN

1 Lesen Sie den Forumsbeitrag.

Welche Sätze oder Satzanfänge drücken die Meinung / die Überraschung des Autors aus? Markieren Sie.

	THEMA: Essgewohnheiten der Deutschen
VON: Leon AM: 12.März 34 Beiträge	Hallo Leute, ich habe heute eine Umfrage über die Essgewohnheiten der Deutschen gelesen. Das war total interessant. Viele haben Stress und keine Zeit für ein langes Mittag- oder Abendessen. 43 Prozent essen, wenn sie Zeit haben, und dann muss es meistens schnell gehen. Deshalb wundert es mich nicht, dass 40 Prozent gesagt haben, sie essen zu viel Fast Food. Das ist bei mir leider auch oft so. Nur 39 Prozent der Deutschen achten beim Essen besonders auf den Preis. Das überrascht mich. Ich habe immer gedacht, die meisten Deutschen kaufen vor allem preiswerte Lebensmittel. Was sagt ihr zu diesen Ergebnissen? Seid ihr überrascht? Wie ist es eigentlich in anderen Ländern? Das würde mich total interessieren.

TIPP: Sie möchten z. B. in einem Forum etwas kommentieren. Sammeln Sie vorher typische Sätze.

2 Schreiben Sie eine Antwort auf Leons Beitrag.

Schreiben Sie zu folgenden Punkten:
- Was hat Sie bei den Umfrageergebnissen überrascht? Was war Ihnen klar?
- Was ist in Ihrem Heimatland wie in Deutschland und was ist anders (Zeit für das Essen, Fast Food, Preise von Lebensmitteln)?

TRAINING: AUSSPRACHE *unbetontes „e" im Präfix Ge-, ge-*

▶1 42 ### 1 Hören Sie und markieren Sie den Wortakzent.

Ge<u>richt</u> – Getreide – Gemüse – Geschmack – genug – gesund – gekocht

▶1 43 ### 2 Hören Sie und sprechen Sie nach.

Gemüse gekauft.
Getreide auch!
Gemüsegericht gekocht.
Gemüse und Getreide gegessen.
Gemüse und Getreide sind gesund.
Doch jetzt ist es genug!

TEST

1 Was essen die Deutschen? Ordnen Sie zu.

Wörter

Prozent | genug | Hälfte | ~~rund~~ | durchschnittlich

Obst und Gemüse sind gesund. Aber rund (a) 70 Prozent der Deutschen essen nicht ______________ (b) Obst und Gemüse. Auch Fisch ist nicht sehr beliebt, ______________ (c) essen Männer und Frauen nur 26 Gramm pro Tag. Männer essen viel mehr Fleisch als Frauen. Pro Tag verbrauchen Männer 103 Gramm. Frauen essen mit 53 Gramm nur die ______________ (d). Nur 1,6 ______________ (e) sind Vegetarier.

_ / 4 Punkte

2 Ergänzen Sie die Sätze.

Strukturen

a Ich backe gern, wenn ich Zeit habe. (Zeit haben – ich)

b Wenn mir das Essen im Restaurant nicht schmeckt, ______________.
(sich beschweren – ich).

c Meine Tochter wünscht sich immer eine Pizza, wenn ______________.
(Geburtstag haben – sie)

d Ich finde es schlimm, wenn ______________.
(zu viel Alkohol trinken – Jugendliche)

e Wenn mein Mann keinen Sport macht, ______________.
(schlechte Laune haben – er)

f Ich mag Schweinefleisch nur, wenn ______________.
(mager sein – es)

_ / 5 Punkte

3 Ordnen Sie zu.

Kommunikation

bei uns | mir nicht klar | seiner Heimat | ich komisch | ich nicht gedacht | wirklich

- ■ Wie war deine Zeit in Deutschland? Wie war das Essen?
- ● Sehr gut. Dass die Kuchen dort so lecker schmecken, habe ______________ (a).
- ■ Oh, ______________ (b)?
- ● Es war ______________ (c), dass die Deutschen zum Frühstück oft Brot mit Honig oder Marmelade essen.
- ■ Echt? Sie essen keine Spiegeleier mit Bohnen und Schinken wie ______________ (d)? Das finde ______________ (e)!
- ● Ja, das hat mich auch überrascht. Mein Onkel aus Argentinien hat erzählt, dass die Leute in ______________ (f) zum Frühstück nur einen Kaffee trinken.
- ■ Ach komm!

_ / 6 Punkte

Wörter		Strukturen		Kommunikation	
●	0–2 Punkte	●	0–2 Punkte	●	0–3 Punkte
●	3 Punkte	●	3 Punkte	●	4 Punkte
●	4 Punkte	●	4–5 Punkte	●	5–6 Punkte

www.hueber.de/menschen

LERNWORTSCHATZ

1 Wie heißen die Wörter in Ihrer Sprache? Übersetzen Sie.

Essen und Getränke

Alkohol der
Gericht das, -e
A: Speise die, -n
Getreide das
Huhn das, ¨-er,
CH: Poulet das, -s
Hühnerfleisch das
CH: Pouletfleisch das
Lebensmittel das, -
Limonade die, -n
CH: Süssgetränk das, -e
Mineralwasser das
Rind das, -er
Rindfleisch
Schwein das, -e
Schweinefleisch

braten, hat gebraten

scharf
vegetarisch

Mengen

Hälfte die, -n

doppelt
doppelt so viele
durchschnittlich
genug
häufig
kaum
rund

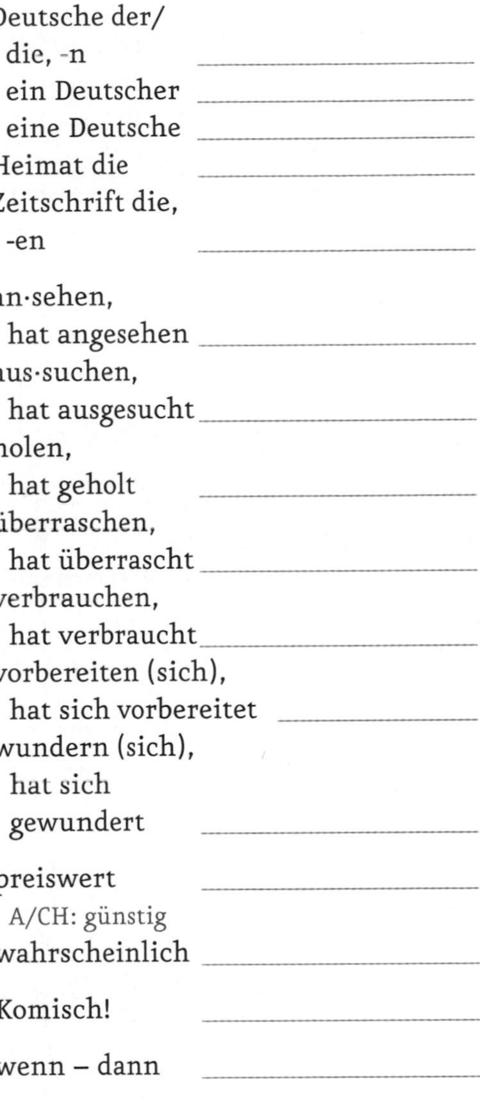

Weitere wichtige Wörter

Deutsche der/die, -n
ein Deutscher
eine Deutsche
Heimat die
Zeitschrift die, -en

an·sehen, hat angesehen
aus·suchen, hat ausgesucht
holen, hat geholt
überraschen, hat überrascht
verbrauchen, hat verbraucht
vorbereiten (sich), hat sich vorbereitet
wundern (sich), hat sich gewundert

preiswert
A/CH: günstig
wahrscheinlich

Komisch!

wenn – dann

TIPP Erklären Sie Wörter.

LIMONADE — Das ist ein Getränk ohne Alkohol. Es hat viel Zucker.

2 Welche Wörter möchten Sie noch lernen? Notieren Sie.

WIEDERHOLUNGSSTATION: WORTSCHATZ

1 Ordnen Sie zu.

~~Getreide~~ | Obst | Nudeln | Fisch | Tee | Limonade | Wein | Tasse | Fleisch | Kanne | Teller

Getränke	Lebensmittel	Geschirr
	Getreide,	

2 Ordnen Sie zu.

Prozent | häufiger | doppelt | Hälfte | rund | ~~durchschnittlich~~

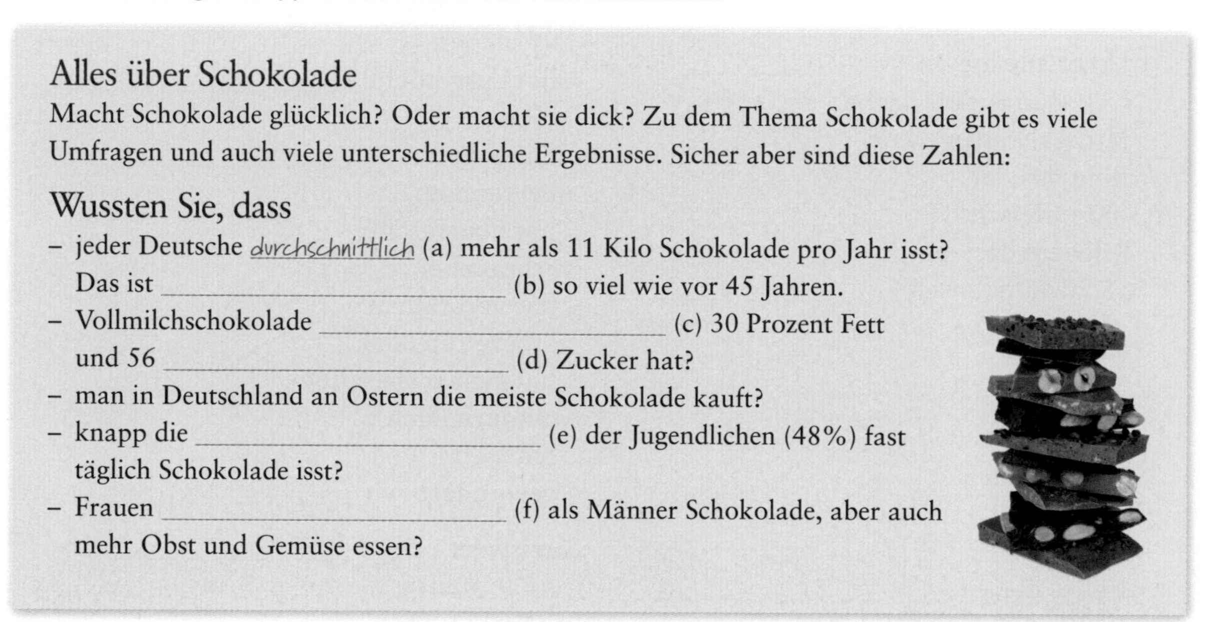

Alles über Schokolade

Macht Schokolade glücklich? Oder macht sie dick? Zu dem Thema Schokolade gibt es viele Umfragen und auch viele unterschiedliche Ergebnisse. Sicher aber sind diese Zahlen:

Wussten Sie, dass

- jeder Deutsche durchschnittlich (a) mehr als 11 Kilo Schokolade pro Jahr isst? Das ist ______________ (b) so viel wie vor 45 Jahren.
- Vollmilchschokolade ______________ (c) 30 Prozent Fett und 56 ______________ (d) Zucker hat?
- man in Deutschland an Ostern die meiste Schokolade kauft?
- knapp die ______________ (e) der Jugendlichen (48%) fast täglich Schokolade isst?
- Frauen ______________ (f) als Männer Schokolade, aber auch mehr Obst und Gemüse essen?

3 Ordnen Sie zu.

bedanken | Arbeit | gratulieren | Mitarbeiter | Erfolg | Jubiläum | wünschen | ~~Betrieb~~

Liebe Frau Neumayer,

am 1. Juli sind Sie genau 20 Jahre in unserem Betrieb (a) tätig, länger als alle anderen ______________ (b). Wir ______________ (c) Ihnen ganz herzlich zu diesem ______________ (d) und ______________ (e) uns für Ihre gute ______________ (f).

Wir hoffen, dass Sie auch in den nächsten Jahren bei uns bleiben und ______________ (g) Ihnen weiterhin viel ______________ (h), Gesundheit und Glück.

Ihr J. Ahlers

WIEDERHOLUNGSSTATION: GRAMMATIK

1 Essen Sie vegetarisch oder lieber Fleisch? Schreiben Sie *dass*-Sätze.

a Fleisch ist gesund und schmeckt gut.
Ich finde, dass Fleisch gesund ist und gut schmeckt.

b Für unser Essen müssen Tiere sterben.
Ich finde es schrecklich, dass ______.

c So viele Leute essen kein Fleisch mehr.
Es wundert mich, dass ______.

d Vegetarische Lebensmittel sind gesünder.
Ich glaube, dass ______.

2 Ergänzen Sie, wo nötig, das Reflexivpronomen *sich*.

Beruf | Kommunikation | Tipps

Tipps für die Kommunikation im Beruf
- Bereiten Sie sich (a) auf wichtige Gespräche gut vor.
- Ein guter Chef sollte ______ (b) auch mal bei seinen Mitarbeitern bedanken.
- Sie können ______ (c) Ihre Kollegen besser kennenlernen, wenn Sie ______ (d) in der Kaffeepause mit ihnen unterhalten.
- Reden Sie ______ (e) nie schlecht über einen Kollegen.
- Wenn ______ (f) Kunden beschweren, sollten Sie ______ (g) nicht ärgern, sondern ______ (h) höflich reagieren.

3 Der erste Arbeitstag. Ordnen Sie zu und schreiben Sie Sätze mit *wenn*.

Alina arbeitet den ersten Tag als Kellnerin. Ihre Chefin erklärt ihr alles.
Was soll Alina machen?

a Gäste bestellen viel.
b Das Besteck ist nicht ganz sauber.
c Ein Gast möchte vegetarisch essen.
d Gäste reservieren einen Tisch.
e Sie bekommen Trinkgeld.

Empfehlen Sie das Gemüsegericht.
Schreiben Sie das bitte immer auf.
Sie sollten sich natürlich immer bedanken.
Sie dürfen es den Gästen auf keinen Fall geben.
Schreiben Sie es auf Ihren Notizblock.

a Wenn die Gäste viel bestellen, schreiben Sie es auf Ihren Notizblock.

4 Ergänzen Sie *wenn*, *dass*, *weil*, *denn* oder *deshalb*.

Hallo Lola,
weißt Du eigentlich schon, dass (a) ich als Kellnerin in dem kleinen vegetarischen Lokal arbeite? Die Kollegen und die Chefin sind total nett, ______ (b) arbeite ich dort wirklich gern. Außerdem verdiene ich ganz gut, ______ (c) die Gäste meistens viel Trinkgeld geben. ______ (d) Du magst, kannst Du ja auch mal zum Essen kommen. Am besten kommst Du in der Mittagspause, ______ (e) da gibt es immer preiswerte Gerichte. Bis dann, Jule

SELBSTEINSCHÄTZUNG Das kann ich!

Ich kann jetzt ...

... im Restaurant bestellen: L10
- ● Was kann ich Ihnen ____________________?
- ▼ Ich ____________ gern ____________ ____________, aber nicht ________________________________, sondern ________________________.

... im Restaurant reklamieren: L10
- ▲ Verzeihen ____________, der Salat ist nicht ________________________.
- ■ Oh! Das ________________________ leid.
- ▲ Das Messer ist nicht ____________________.
  Könnte ____?

... im Restaurant bezahlen: L10
- ■ ____________________, bitte.
- ▲ Das ____________________ 27,60. ■ 30 Euro. ______________________ so.

... etwas bewerten: L11

Wir werfen so viel weg. Das ist schrecklich.
= Ich ____.
Dort bekommen viele Jugendliche einen guten Job. Das gefällt mir besonders gut.
= Besonders ____.

... gratulieren: L11

H____________G____________________ / A____________G____________________ zum Jubiläum!

... mich bedanken: L11

Vielen Dank für die gute Zusammenarbeit!
= Wir ____________________________________. (danken, du)
= Ich ____________________________________. (sich bedanken)

... Überraschung ausdrücken: L12
- ■ Es ü______________ ____________, __________ die Deutschen so wenig Fisch essen.
- ▲ Ja. K______________! Das w______________ __________ auch.

... Vergleiche mit dem Heimatland ausdrücken: L12
- ■ Am häufigsten essen die Deutschen Brot und Getreideprodukte.
- ▲ In meiner Heimat essen ____.
- ● Bei uns essen ____.

Ich kenne ...

... 10 Dinge auf dem Tisch im Restaurant: L10

____

... 8 Gebrauchsgegenstände: L11

____

... 10 Lebensmittel: L12

____

SELBSTEINSCHÄTZUNG Das kann ich!

Ich kann auch ...

... Bewertungen und Gedanken ausdrücken (Satzverbindung: *dass*): L10/L11 ○ ○ ○
Sie haben Pommes. Das ist schön.:
Schön, dass ______________________________.
Es gibt keine Pizza. Das ist schade.:
Schade, ______________________________.

... Verben verwenden, die auf das Subjekt verweisen (reflexive Verben): L11 ○ ○ ○
Es geht mir gut. = ____________________. (sich fühlen)
Er ist froh. = ____________________. (sich freuen)

... Zusammenhänge ausdrücken (Satzverbindung: wenn): L12 ○ ○ ○
Es muss schnell gehen. Es gibt auch mal eine Pizza.
Es gibt ______________________________.

Üben / Wiederholen möchte ich noch:

____

RÜCKBLICK

Wählen Sie eine Aufgabe zu Lektion 10

1 Eine Einladung zum Essen

Sie haben zwei Freundinnen/Freunde zum Essen eingeladen. Was gibt es zu essen/trinken? Was stellen Sie auf den Tisch? Sehen Sie noch einmal im Kursbuch auf den Seiten 60 und 61 nach.

	Was?	Was stellen Sie auf den Tisch?
Vorspeise		Teller, Salz, ...
Hauptspeise		
Dessert		
Getränke		

2 Schreiben Sie eine Einladung.

Eine Freundin / Ein Freund möchte typische Gerichte aus Ihrem Land kennenlernen. Laden Sie sie/ihn zum Essen ein.

Schreiben Sie etwas zu folgenden Punkten:
– Wann?
– Was kochen Sie (Vorspeise, Hauptspeise, Dessert)?
– Beschreiben Sie die Gerichte kurz.

Liebe Susanne,
ich möchte dich zum Essen einladen. Hast du am ... Zeit? Du hast mir gesagt, dass du gern typische polnische Gerichte kennenlernen möchtest. Deshalb koche ich polnisch. Als Vorspeise gibt es Barszcz. Das ist eine Suppe aus ...

RÜCKBLICK

Wählen Sie eine Aufgabe zu Lektion 11 ______________________

1 Lesen Sie noch einmal den Zeitungsartikel im Kursbuch auf Seite 64. Notieren Sie die Informationen.

a Wie heißt die Firma? Restlos glücklich
b Seit wann gibt es die Firma? ______________________
c Wer hat die Firma gegründet? Wie alt war die Person da? ______________________
d Was ist die Geschäftsidee? ______________________
e Wie viele Mitarbeiter hatte die Firma am Anfang? ______________________
f Wie viele Mitarbeiter hat die Firma heute? ______________________
g Was findet der Bürgermeister Ludger Rennert an der Firma gut? ______________________

2 Kennen Sie eine interessante Firma?

a Suchen Sie Informationen über die Firma. Beantworten Sie Fragen wie in 1.

b Schreiben Sie einen Text.

Die Firma „Freitag" gibt es seit 1993.

Wählen Sie eine Aufgabe zu Lektion 12 ______________________

1 Was sind die Essgewohnheiten von Familie Melander? Was meinen Sie? Sehen Sie das Bild im Kursbuch auf Seite 67 an und lesen Sie noch einmal die Statements im Kursbuch auf Seite 69 (Aufgabe 5a).

a Was isst die Familie zum Frühstück?
b Was kocht Astrid Melander?
c Was isst Hannes gern?
d Was isst Nina gern?

2 Ihre Kindheit: Was waren die Essgewohnheiten in Ihrer Familie? Machen Sie Notizen und schreiben Sie dann einen Text.

a Was hat Ihre Familie zum Frühstück gegessen?
b Was hat Ihre Mutter / Ihr Vater gekocht?
c Gab es zu Ihrem Geburtstag oder zu Festen ein besonderes Essen?
d Was haben Sie als Kind am liebsten gegessen?
e Was haben Sie als Kind überhaupt nicht gern gegessen?

In der Woche haben wir zum Frühstück meistens Hafergrütze mit Obst gegessen. Am Wochenende ...

NUR WIR FÜNF

Teil 4: Nur wir fünf

Der Abend ist warm.
Die Freunde sitzen im Garten von einem kleinen Restaurant in Prenzlauer Berg.
Sie haben gut gegessen und dann noch einmal Getränke bestellt.
Inas Handy piept. Eine SMS.
Ina lächelt.
„Diogo möchte auch noch kommen. Ist das okay?", fragt sie.
„Das ist unser letzer gemeinsamer Abend, Ina", sagt Ralf. „Ich finde es schade, wenn wir da nicht alleine sind."
„Aber mit Diogo ist es auch der letzte Abend."
„Aha! Ina gefällt Diogo", singt Bernd.
„Ach was, Diogo ist nett, das ist alles."
„Ina gefällt Diogo ..."
„Okay, er gefällt mir. Diogo ist ziemlich toll."
„Warum bleibst du nicht noch ein paar Tage länger?", fragt Ralf. „Dann kannst du Diogo besser kennenlernen. Er ist noch eine Woche in Berlin."
„Gute Idee!" sagt Max. „Und nächstes Jahr fahren wir alle nach Brasilien ..."
„... zur Hochzeit von Ina und Diogo", sagt Bernd.
„Ihr seid so dumm!"
Alle lachen.

Es war ein schöner Urlaub.
Natürlich, es ist nicht mehr alles so wie vor zehn Jahren. Sie sind jetzt sehr verschieden.
Aber sie haben viel Spaß zusammen gehabt: Sie waren gemeinsam am Fernsehturm und haben die Stadt von oben angesehen, sie haben im Park von Schloss Charlottenburg gelegen, sie sind mit dem Boot auf der Spree gefahren ...
„Ich finde, es ist Zeit für unseren Abschied", sagt Ralf und steht auf. „So wie wir ihn immer machen."
Auch die anderen stehen auf und nehmen ihre Gläser.
„Nur wir fünf", sagt Ralf.
„Nur wir fünf!"
Sie trinken.
„Immer Freunde", sagt Ina.
„Immer Freunde!"
Sie trinken.
Erst in einem Jahr werden sie sich wiedersehen ...
„Eigentlich ist es noch zu früh", sagt Mara. „Viel zu früh zum Schlafen gehen. Wisst ihr, was wir noch nicht gemacht haben?"
„Oje, ich kann es mir schon denken ...", sagt Bernd.
„Wir waren noch gar nicht tanzen. Los, kommt!"
„Oh Mann, ich hab's gewusst ..."

Meine erste „Deutschlehrerin“

KB 3 **1** **Brittas Leben. Ordnen Sie zu und schreiben Sie Sätze.**

STRUKTUREN

ein Kind bekommen | ein Studium angefangen | ~~in den Kindergarten gekommen~~ | im Ausland gelebt | in die Schule gekommen

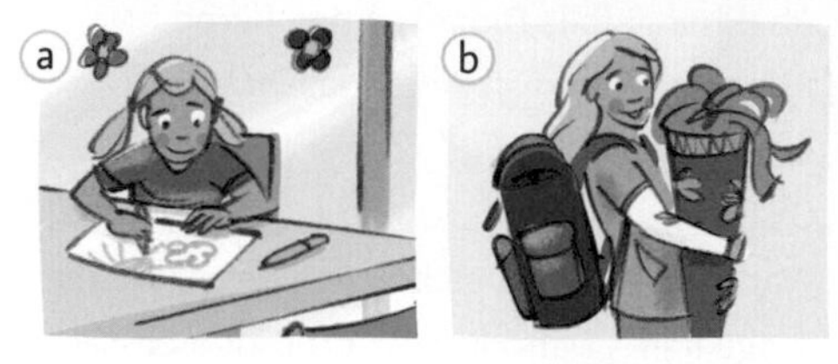

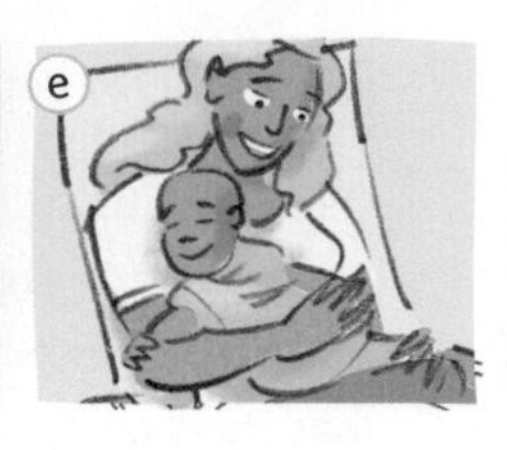

a Britta ist in den Kindergarten gekommen, als sie drei Jahre alt war.
b ______, als sie sechs Jahre alt war.
c Als Britta mit der Schule fertig war, hat sie ______.
d ______, als sie wieder zu Hause war.
e Als Britta 32 Jahre alt war, ______.

KB 3 **2** **Schreiben Sie Sätze mit *als*.**

STRUKTUREN

a Wir waren klein. Wir waren oft bei meinen Großeltern.
Als wir klein waren, waren wir oft bei meinen Großeltern.
b Dalva ist in die Schule gekommen. Sie hat Schwimmen gelernt.
Als ______.
c Sie hat ihr Examen bestanden. Stella hat eine große Party gefeiert.
______, als ______.
d Paco war das erste Mal in Deutschland. Er hat kein Wort verstanden.
Als ______.
e Er hat seinen ersten Job bekommen. Mein Bruder hat sich ein Auto gekauft.
______, als ______.

KB 3 **3** **Paul und Marie**

STRUKTUREN ENTDECKEN

a Markieren Sie *wenn* und *als* und kreuzen Sie an: Ist das einmal oder häufig passiert?

	einmal	häufig
1 Paul hat mit Touristen Englisch gesprochen, wenn er sie am Strand getroffen hat.	○	⊗
2 Paul hat Marie am Strand kennengelernt, als sie eine Weltreise gemacht hat.	○	○
3 Paul hat seinen ersten deutschen Satz gelernt, als er Marie kennengelernt hat.	○	○
4 Paul hat sich in Deutschland verliebt, als er Marie in Berlin besucht hat.	○	○
5 Jedes Mal, wenn Paul eine E-Mail von Marie bekommen hat, hat er auf Deutsch geantwortet.	○	○
6 Immer, wenn Paul Muttersprachler getroffen hat, hat er mit ihnen Deutsch gesprochen.	○	○

BASISTRAINING

b Ergänzen Sie die Regel mit *als* und *wenn*.

Es ist früher **einmal** passiert (Vergangenheit): → Nebensatz mit ______.
Es ist früher **häufig** passiert (Vergangenheit): → Nebensatz mit ______.

KB 3 | 4 | STRUKTUREN

4 Lesen Sie die Sätze in 3 noch einmal und ergänzen Sie. Vergleichen Sie dann.

	Deutsch	Englisch	Meine Sprache oder andere Sprachen
a Das ist früher **einmal** passiert:	Paul hat sich in Deutschland verliebt, ______ er Marie in Berlin besucht hat.	Paul fell in love with Germany, when he visited Marie in Berlin.	
b Das ist früher **häufig** passiert:	______ Paul eine E-Mail von Marie bekommen hat, hat er auf Deutsch geantwortet.	When Paul got an e-mail from Marie, he replied in German.	

KB 3 | 5 | STRUKTUREN

5 Kindheitserinnerungen. Was ist richtig? Kreuzen Sie an.

a ○ Wenn ⊗ Als ich klein war, habe ich mit meiner Familie auf dem Land gewohnt.
b ○ Wenn ○ Als ich drei Jahre alt war, ist Fritz ins Nachbarhaus gezogen.
c Immer ○ wenn ○ als Fritz und ich Zeit hatten, haben wir zusammen gespielt.
d Wir waren meistens im Wald, ○ wenn ○ als es nicht geregnet hat.
e Ich war sehr traurig, ○ wenn ○ als meine Eltern wieder in die Stadt gezogen sind.
f Danach ist Fritz fast jedes Jahr mit uns verreist, ○ wenn ○ als wir Herbstferien hatten.
g ○ Wenn ○ Als wir uns heute treffen, schauen wir uns gern alte Kinderfotos an.

KB 4 | 6 | STRUKTUREN

6 Ein Sprachgenie. Schreiben Sie Sätze.

Ruben ist Niederländer und spricht fünf Fremdsprachen.

a Englisch – gelernt – hat – Ruben / er – im Kindergarten – war – als
b er – in der 7. Klasse – war – als / Französisch – hat – gelernt – er
c Spanisch – hat – gelernt – er / er – hat – zwei Semester – als – in Madrid – studiert
d er – besucht – einen Sprachkurs – als – am Goethe-Institut – hat / er – hat – gelernt – Deutsch
e hat – gelernt – an einer Sprachenschule – Finnisch – er / als – geplant – seine Finnlandreise – er – hat

a Ruben hat Englisch gelernt, als er im Kindergarten war.

KB 4 **7** **Lesen Sie den Bericht von Jo und kreuzen Sie an.**

LESEN

ERFAHRUNGSBERICHT – BRASILIEN

VON: Jo, 19

Ich habe im letzten Jahr mein freiwilliges soziales Jahr in Brasilien gemacht. Dort habe ich in einem Kindergarten gearbeitet. Zuerst habe ich morgens immer die Räume geputzt und dann in der Küche geholfen oder mit den Kindern gespielt. Später habe ich auch die Familien besucht und Berichte geschrieben. Am Anfang war die Stadt sehr fremd und laut, aber ich habe mich schnell eingelebt. Ich war froh, dass ich schon ein bisschen Portugiesisch verstanden habe. Ich habe in der zwölften Klasse schon Portugiesisch an der Volkshochschule gelernt und deshalb habe ich mich schon bald zu Hause gefühlt. Für mich war es ein wundervolles Jahr. Ich erinnere mich noch immer gern an die vielen freundlichen Kinderaugen. Und würde sofort wieder dort arbeiten.

	richtig	falsch
a Jo hat sich vom ersten Tag an in Brasilien gut gefühlt.	○	○
b Jo hat am Anfang kein Wort verstanden.	○	○
c Die Arbeit mit den Kindern hat ihm gut gefallen.	○	○
d Jo würde die Arbeit empfehlen.	○	○

KB 5 **8** **So lerne ich gut. Ergänzen Sie.**

WÖRTER

a Ich h ö r e am liebsten N_ _ _ r _ _ _ _ _ _ _ im Internet.
b Ich kann neue _ _ r _ _ _ am besten lernen, wenn ich sie ü _ _ _ s _ _ z _.
c Ich kann mir Vokabeln besser merken, wenn ich S ä _ _ _ mit den Vokabeln aufs _ _ r _ _ _ _. Außerdem hilft es mir, wenn ich mich beim Sprachlernen b _ w _ _ _.
d Ich finde es wichtig, dass die Kursleiterin Fehler in Texten markiert. Dann kann ich den Text noch einmal schreiben und die F _ h _ _ _ _ _ r r _ _ i e _ _ _.
e Ich übe jeden Abend zehn Minuten und _ _ _ d _ _ _ o _ _ neue Wörter und l _ _ _ Grammatika _ f _ _ _ _ _ _ im Internet.
f Zu neuen Wörtern z _ _ c _ n _ ich oft B _ _ _ _ _ _.

KB 5 **9** **Lerntipps. Schreiben Sie Aufgaben wie in 8 und tauschen Sie mit Ihrer Partnerin / Ihrem Partner. Sie / Er ergänzt die Wörter.**

Ich finde es wichtig, dass man … | Ich muss immer … | Es hilft mir, wenn ich … | Am liebsten … | …

KB 5 **10** **Ordnen Sie zu.**

KOMMUNIKATION

gibt es nur einen Weg | ~~Am (aller)wichtigsten~~ | helfen mir gar nicht | Ich finde es wichtig | Ich muss

a ■ Am (aller)wichtigsten sind Tests. Ohne Tests lerne ich keine Grammatik und keine Wörter.
▲ Wirklich? Tests ________________. Nach einem Test vergesse ich oft vieles wieder. ________________, dass man die Sprache so viel wie möglich übt. Ich schreibe mir oft Einkaufszettel auf Deutsch.

b ● ________________ neue Wörter oft wiederholen, sonst kann ich sie mir nicht merken. Ich lerne zum Beispiel Vokabeln beim Zähneputzen.
▲ Für mich ________________: Grammatik, Grammatik und noch einmal Grammatik.

TRAINING: SPRECHEN

1 Sich vorstellen

a Wählen Sie Stichwörter und schreiben Sie einen Text über sich selbst. Korrigieren Sie den Text mit Ihrer Kursleiterin / Ihrem Kursleiter.

Name? | Alter? | Land? | Wohnort? | Sprachen? | Schule? | Beruf? | Hobby?

Mein Name ist Piotr Gorczyzka und ich bin 22 Jahre alt. Ich komme aus Polen und bin in Krakau geboren. ...
Aber zurzeit lebe ich in Danzig. Ich studiere hier und wohne in einer WG. ...

b Üben Sie nun zu zweit. Erzählen Sie über sich. Ihre Partnerin / Ihr Partner stellt Fragen zu den Stichwörtern aus a.

■ Mein Name ist ... Aber zurzeit lebe ich in Danzig. Ich studiere hier und wohne in einer WG. ...
▲ Wie lange wohnst du schon in Danzig?
■ Seit drei Jahren.
▲ Und was studierst du?
■ Ich studiere Wirtschaft.
...

TIPP: Sie möchten sich auf die mündliche Prüfung vorbereiten? Schreiben Sie einen Text über sich selbst. Üben Sie dann zu zweit. Ihre Partnerin / Ihr Partner stellt Fragen.

TRAINING: AUSSPRACHE *Adjektive mit „-ig" und „-lich"*

1 -ig oder -lich?

a Ergänzen Sie -ig oder -lich.

mög_____	freund_____
fert_____	wicht_____
höf_____	richt_____

▶ 2 02 **b Hören Sie und vergleichen Sie. Kreuzen Sie dann an.**

REGEL: Am Wortende schreibt man -ig und spricht ◯ -ig. ◯ -ich.

▶ 2 03 2 Hören Sie und sprechen Sie dann.

Sprechen
so viel wie möglich
Nachrichten hören
das ist wichtig
auch Fehler korrigieren
ja, richtig!

▶ 2 04 3 Hören Sie und markieren Sie: Wo hören Sie „g"?

Wörter lernen – aber bitte die richtigen!
Denn das sind die wichtigen.
Aber welche sind wichtig?
Wichtige Wörter kommen häufig vor.
Üben Sie richtig wichtige Wörter – fertig!

REGEL: Zwischen Vokalen spricht man „g".

▶ 2 05 **Hören Sie noch einmal und sprechen Sie nach.**

1 Wie lernen Sie Deutsch? Ergänzen Sie die Verben in der richtigen Form.

Wörter

mitsingen | merken | übersetzen | lösen | zeichnen | anschauen | aufschreiben | ~~hören~~

a Ich höre jeden Tag die Nachrichten der „Deutschen Welle". Neue Wörter __________ ich gleich in meinem Vokabelheft __________.
b Ich markiere neue Wörter und __________ sie in meine Muttersprache.
c Ich gehe jede Woche ins Kino und __________ deutsche Filme __________.
d Mit Musik ist es leichter. Ich __________ bei jedem deutschen Lied __________ .
e Manche Wörter kann ich mir nur schwer __________. Dann __________ ich Bilder.
f Ich liebe Grammatik. Ich __________ immer alle Aufgaben in meinem Arbeitsbuch.

_ / 7 Punkte

2 Schreiben Sie Sätze mit *als*.

a Meine Oma war 75 Jahre alt. Sie ist zum ersten Mal mit dem Flugzeug verreist.
Meine Oma war 75 Jahre alt, als sie zum ersten Mal mit dem Flugzeug verreist ist.
b Mein Bruder hat viel Geld gewonnen. Er hat eine Weltreise gemacht.
Als ______________________________.
c Ich habe ein Stipendium bekommen. Ich war sehr glücklich.
______________________________, als ______________________________.
d Meine Eltern haben sich auf einer Party kennengelernt. Sie haben sich sofort verliebt.
Als ______________________________.

_ / 3 Punkte

3 Ergänzen Sie *als* oder *wenn*.

Strukturen

Als (a) ich 19 war, bin ich als Au-pair nach Freiburg gegangen. Am Anfang war mein Deutsch schlecht. Immer _____ (b) meine Gastfamilie etwas gesagt hat, habe ich es nicht verstanden. Aber dann habe ich neue Freunde gefunden. Sie haben mir immer geholfen, _____ (c) ich eine Frage hatte. _____ (d) ich zurück nach England gefahren bin, war mein Deutsch richtig gut.

_ / 3 Punkte

4 Ordnen Sie zu.

Kommunikation

nur einen Weg | wichtig | überhaupt nicht | am allerwichtigsten | musst die Sprache

● Wie hat dir der Sprachkurs gefallen?
▲ Nicht so gut. Am Anfang haben wir viele neue Wörter gelernt. Das finde ich auch sehr __________________ (a). Aber wir haben wenig gesprochen und unser Lehrer hat uns nie korrigiert. Das hat mir __________________ (b) geholfen. Für mich gibt es __________________ (c): Ich möchte mehr Kontakt zu Deutschen haben. Aber wie?
● Du __________________ (d) so oft wie möglich sprechen, das finde ich __________________ (e). Du könntest in einen Sportverein gehen.

_ / 5 Punkte

Wörter		Strukturen		Kommunikation	
●	0–3 Punkte	●	0–3 Punkte	●	0–2 Punkte
●	4–5 Punkte	●	4 Punkte	●	3 Punkte
●	6–7 Punkte	●	5–6 Punkte	●	4–5 Punkte

www.hueber.de/menschen

LERNWORTSCHATZ

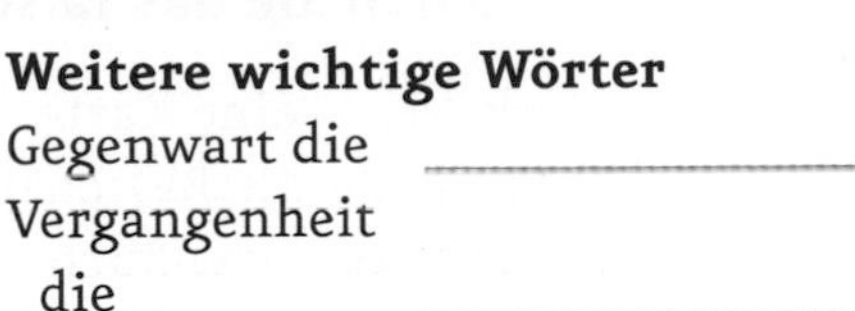

1 Wie heißen die Wörter in Ihrer Sprache? Übersetzen Sie.

Sprachen lernen

Aufgabe die, -n ______
Goethe-Institut das, -e ______
Klasse die, -n ______
Nachrichten die (Pl.) ______
Semester das, - ______
Sprachenschule die, -n ______
A/CH: Sprachschule die, -n
Test der, -s ______
Typ der, -en ______
der Lernertyp ______
Volkshochschule die, -n ______

an·schauen, hat angeschaut ______
auf·schreiben, hat aufgeschrieben ______
bewegen (sich), hat sich bewegt ______
korrigieren, hat korrigiert ______
lösen, hat gelöst ______
merken (sich), hat sich gemerkt ______
übersetzen, hat übersetzt ______
wiederholen, hat wiederholt ______

Weitere wichtige Wörter

Gegenwart die ______
Vergangenheit die ______

planen, hat geplant ______
verlieben (sich), hat sich verliebt ______
verreisen, ist verreist ______

möglich
so viel wie möglich ______

aller-
am allerwichtigsten ______

als ______

TIPP: Zerschneiden Sie Wörter und legen Sie die Buchstaben wieder zusammen.

k o r r i

i e r e n g

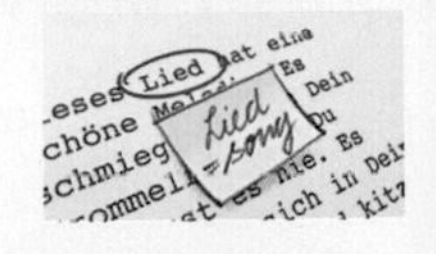

2 Welche Wörter möchten Sie noch lernen? Notieren Sie.

______
______
______
______
______
______

Es werden fleißig Päckchen gepackt.

KB 3 **1 Was passt nicht? Streichen Sie das falsche Wort durch.**

WÖRTER

a einen Brief – ~~ein Päckchen~~ – eine Karte – eine Rechnung unterschreiben
b ein Geschenk – ein Projekt – die Brötchen – den Kuchen einpacken
c einen Koffer – ein Päckchen – das Buch – die Schultasche packen
d ein Projekt – eine Idee – einen Ausflug – eine Reise planen
e leid – arm – fleißig – glücklich sein
f einen Brief – eine Postleitzahl – die Post – eine Karte zum Briefkasten bringen

KB 4 **2 Welches Bild passt? Ordnen Sie zu und schreiben Sie dann die Wörter richtig.**

WÖRTER

a Nummer 2 ist eine Postkarte. Sie ist ungefähr 10 x 14 Zentimeter (metertiZen) groß. Unter der Briefmarke steht die Adresse vom ____________ (erfängEmp).
b Nummer ___ ist ein Lottoschein. Hier muss man ____________ (eneschiedver) Zahlen ____________ (zenkreuan).
c Nummer ___ ist eine ____________ (anGesweisbrauchung). Hier kann man ____________ (rittSch) für Schritt sehen, wie man einen Dosenöffner verwendet. Wenn man alles richtig gemacht hat, ist die Dose ____________ (schlichließ) offen.
d Nummer ___ ist ein Brief mit ____________ (schriterftUn)

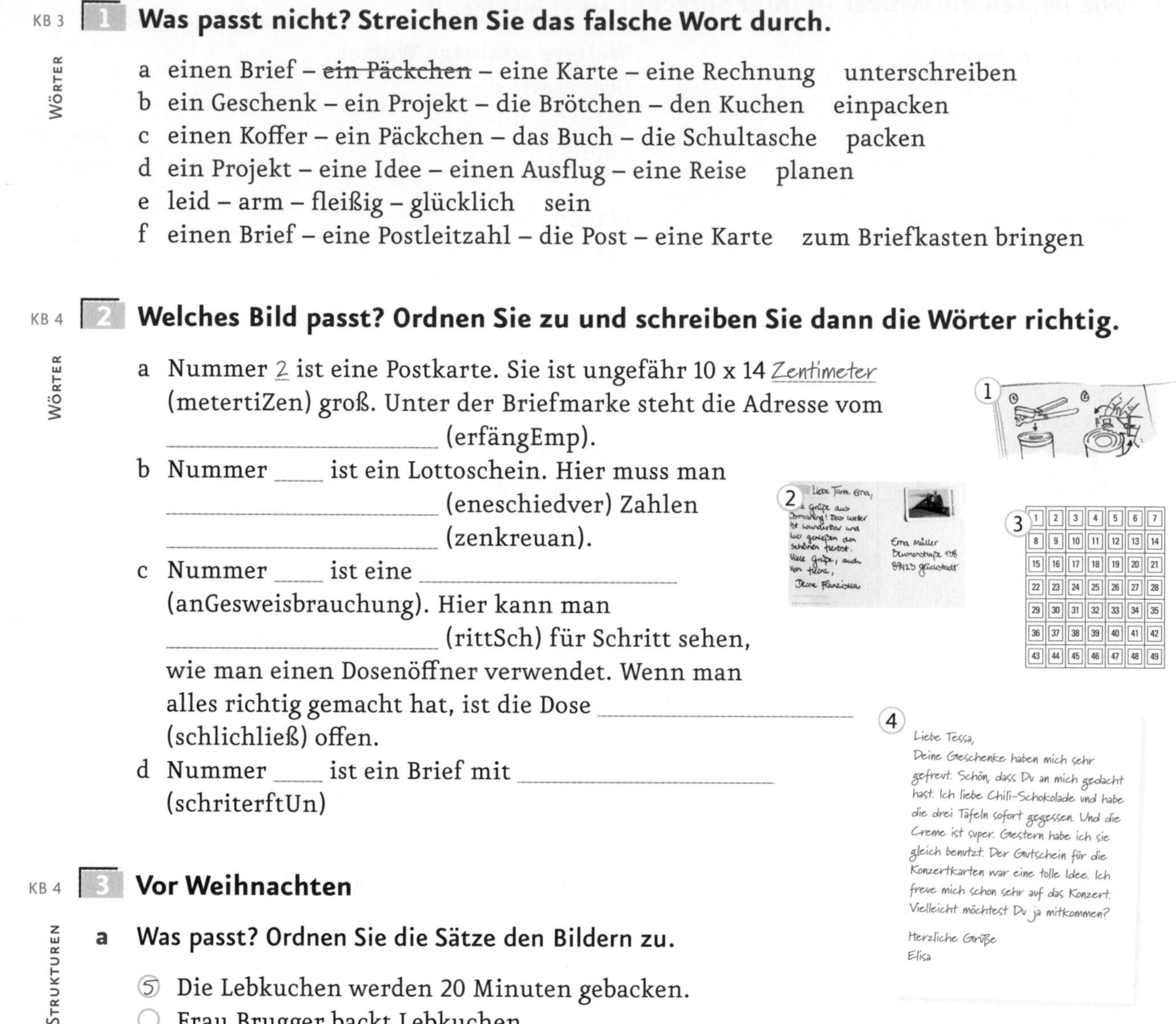

Liebe Tessa,
Deine Geschenke haben mich sehr gefreut. Schön, dass Du an mich gedacht hast. Ich liebe Chili-Schokolade und habe die drei Tafeln sofort gegessen. Und die Creme ist super. Gestern habe ich sie gleich benutzt. Der Gutschein für die Konzertkarten war eine tolle Idee. Ich freue mich schon sehr auf das Konzert. Vielleicht möchtest Du ja mitkommen?
Herzliche Grüße
Elisa

KB 4 **3 Vor Weihnachten**

STRUKTUREN

a Was passt? Ordnen Sie die Sätze den Bildern zu.

⑤ Die Lebkuchen werden 20 Minuten gebacken.
○ Frau Brugger backt Lebkuchen.
○ Paula verschickt ein Paket.
○ Pro Tag werden ungefähr 7, 2 Millionen Pakete verschickt.
○ Jedes Jahr werden in Deutschland 24 Millionen Weihnachtsbäume gekauft.
○ Herr Klein kauft einen Weihnachtsbaum.

STRUKTUREN ENTDECKEN

b Ergänzen Sie die fehlenden Sätze aus a.

1 Jedes Jahr	werden	24 Millionen Weihnachtsbäume	gekauft.
2 Herr Klein	kauft	einen Weihnachtsbaum.	
3			
4 Paula	verschickt	ein Paket.	
5			
6 Frau Brugger	backt	Lebkuchen.	

KB 5 **4 Ergänzen Sie die Wörter.**

WÖRTER

Post

Unser Service für Päckchen (a) und P__k__te (b)

Paketbox
Das ist ein Briefkasten für Pakete: Hier können Sie auch dann Pakete abschicken, wenn der S_h_l_er (c) geschlossen ist.

Rückschein
Sie wollen sicher sein, dass Ihr Paket ankommt: Mit dem Rückschein wird der A_s_n_e_ (d) informiert, wenn der Empfänger das Paket bekommen hat.

Große Pakete
Wir t_a_s_o_t_e_e_(e) Ihre Pakete bis zu 200 x 360 Zentimeter.

KB 5 **5 Finden Sie neun weitere Verben und ergänzen Sie die Tabelle.**

WIEDERHOLUNG STRUKTUREN

einpackenenerankreuzengeversteheneinunterschreibenempföffnenelnklebenberbringen verausfüllenvewiegengekorrigieren

Infinitiv	Partizip	Infinitiv	Partizip
einpacken	eingepackt		

KB 5 **6 Ergänzen Sie *werden* in der richtigen Form und das Partizip.**

STRUKTUREN

wiegen | schreiben | kleben | ~~bringen~~ | lesen | bringen | öffnen

a Zuerst wird der Brief __________.
b Dann __________ er zur Post gebracht.
c Der Brief ________ am Schalter __________.
d Dann ________ die Briefmarke auf den Brief __________.
e Später ________ der Brief zum Empfänger __________.
f Schließlich ________ der Brief __________ und __________.

KB 5 STRUKTUREN

7 Schreiben Sie Sätze im Passiv.

a Ein Test – korrigieren
b Auf dem Lottoschein – Zahlen – ankreuzen
c Bei der Aufgabe – Wörter – ergänzen
d Ein Brief – unterschreiben
e Gebrauchsanweisungen – oft nicht – verstehen
f Komplizierte Formulare – ausfüllen

a Ein Test wird korrigiert.

KB 5

8 Wo bin ich?

Schreiben Sie Sätze über einen Ort. Verwenden Sie möglichst viel Passiv. Tauschen Sie mit Ihrer Partnerin / Ihrem Partner. Sie / Er rät den Ort.

- ■ Wo bin ich?
- ▲ Im Einkaufszentrum
- ■ Nein.
- ▲ Auf dem Weihnachtsmarkt.
- ■ Ja, richtig.

Da wird gearbeitet.
Da wird viel gekauft.
Da werden Bratwürste gegessen.
Da werden warme Getränke getrunken.

KB 7 KOMMUNIKATION

9 Ergänzen Sie die E-Mails.

mag ich besonders gern | gut gebrauchen | ist eine super Idee | freue mich schon auf | benutze ich | ~~gedacht hast~~ | mich sehr gefreut | für Eure tollen Geschenke

LIEBER ULLI,
schön, dass Du an meinen Geburtstag gedacht hast (a).
Die Blumen haben ________ (b).
Frühlingsblumen ________ (c).

LIEBE THERESA, LIEBER JONATHAN,
Vielen Dank ________ (d). Der Büchergutschein ________ (e). Ich ________ (f) meinen Urlaub. Da liege ich dann nur am Strand und lese. Und die Gesichtscreme kann ich wirklich ________ (g). ☺ Die ________ (h) jetzt jeden Tag. Ich glaube, ich sehe schon viel jünger aus.

KB 7 ▶ 2 06 HÖREN

10 Hören Sie und korrigieren Sie die Sätze.

a An Weihnachten sollten wir vielleicht auch an ~~unsere Familie und Freunde~~ denken. Menschen in anderen Ländern
b 50 Schülerinnen haben beim Projekt „Kinder helfen Kindern" mitgemacht.
c Die Kinder haben Päckchen für Schüler aus der Schubert-Grundschule gepackt.
d In den nächsten Wochen werden die Pakete mit einem Lkw transportiert.
e Ein Mädchen bekommt ein Notebook und Sachen für die Schule.
f Ein Junge übersetzt die Karten von den Kindern.
g Ein Mädchen bekommt Schokolade, Bonbons und einen Fußball.

TRAINING: SCHREIBEN

1 Sie haben ein Geburtstagspäckchen von Ihrer Freundin Anna aus Deutschland bekommen und möchten sich bedanken. Schreiben Sie eine Postkarte zu folgenden Punkten:

- Dank
- Geschenk
- Geburtstag
- Wiedersehen

Liebe Anna,

____

____

____

____

Bis hoffentlich bald!
Herzliche Grüße

____

2 Fehler in eigenen Texten finden
Was machen Sie beim Schreiben oft falsch? Kreuzen Sie an und ergänzen Sie die Liste. Lesen Sie nun Ihre Postkarte aus 1 mehrmals und achten Sie immer nur auf einen Fehler.

	Das mache ich oft falsch:
Sind die Nomen großgeschrieben?	○
Sind die Verben konjugiert?	○
Steht das Verb in Hauptsätzen an Position 2?	○
Steht das Verb in Nebensätzen am Ende?	○
Stehen die Nomen mit Artikel?	○

____

____

____

TIPP
Sie machen beim Schreiben Fehler? Welche Fehler machen Sie häufig? Lesen Sie Ihren Text für jeden Fehlertyp einmal und achten Sie nur auf diesen Fehler.

TRAINING: AUSSPRACHE *Satzakzent in Sätzen mit Passiv*

1 Hören Sie und sprechen Sie nach.

▶ 2 07 **a Weihnachten sehr kurz**

Päckchen werden gepackt.
Weihnachtskarten werden geschrieben.
E-Mails werden verschickt.
Geschenke werden verteilt.

▶ 2 08 **b Weihnachten ein bisschen länger**

Schon im November werden fleißig Päckchen gepackt.
Es werden viele Weihnachtskarten geschrieben.
E-Mails werden in alle Welt verschickt.
Von wem werden die Geschenke verteilt?

2 Was ist richtig? Kreuzen Sie an.

REGEL
Der Satzakzent
○ ist immer auf dem Partizip II.
○ kann wandern. Er ist auf der wichtigen oder neuen Information.

WÖRTER

1 Ordnen Sie zu.

Briefumschlag | Schalter | Empfänger | Unterschrift | ~~Absender~~ | Paket | Briefkasten

a ■ Von wem ist das ________________?
▲ Das weiß ich nicht. Hier steht leider kein Absender.
b ■ Ist der Brief an Oma fertig?
▲ Ja, aber ich brauche noch einen ________________.
c ■ Ich muss noch zur Post gehen. Wie lange hat der ________________ geöffnet?
▲ Ich glaube, nur bis 14 Uhr.
d ■ Hier ist das Formular. ▲ Danke, aber da fehlt noch Ihre ________________.
e ■ Gibt es hier in der Nähe eine Post?
▲ Nein, leider nicht. Aber in der Mozartallee steht ein ________________.
f ■ Wohin soll ich den Namen und die Adresse schreiben?
▲ Hier ist ein Etikett. Darauf schreibst du den ________________.

_ / 6 PUNKTE

STRUKTUREN

2 Im Büro. Was wird alles gemacht? Schreiben Sie Sätze im Passiv.

a Die Briefe – zur Post bringen – um fünf Uhr
b Die Texte – übersetzen – in drei Sprachen
c der Kaffee – kochen – In der Küche
d Die Formulare – unterschreiben
e Ein Termin – vereinbaren
f Die Rechnungen – sofort – bezahlen
g das Büro – putzen – Am Abend

a Die Briefe werden um fünf Uhr zur Post gebracht.

_ / 6 PUNKTE

KOMMUNIKATION

3 Ergänzen Sie.

Lieber Tim,

gestern habe ich Dein Päckchen bekommen. S__ h __ __, d __ __ __ Du an meinen Geburtstag g__ __ __ __ __ __ h__ __ __ (a) und v__ __ __ __ __ __ D__ __ __ für Deine t__ l __ __ __ G__ s __ __ __ __ k __ (b).
Das Buch h__ __ m__ __ __ s__ __ __ g __ f __ __ __ __ (c). Ich kenne die Autorin und ich ma __ sie b__ __ __ n __ __ __ __ __ g __ __ __ (d). Sie schreibt so spannende Geschichten, ich habe die halbe Nacht gelesen. Auch die CD von den *Wise Guys* war eine s__ __ __ r I__ __ __ (e). Sie spielen nächsten Monat hier in Köln. Soll ich Karten kaufen? Dann können wir zusammen hingehen.
I__ __ fr__ __ __ m__ __ __ auf (f) Deine schnelle Antwort. Bis bald,

Fabienne

_ / 6 PUNKTE

Wörter		Strukturen		Kommunikation	
●	0–3 Punkte	●	0–3 Punkte	●	0–3 Punkte
●	4 Punkte	●	4 Punkte	●	4 Punkte
●	5–6 Punkte	●	5–6 Punkte	●	5–6 Punkte

www.hueber.de/menschen

LERNWORTSCHATZ

1 Wie heißen die Wörter in Ihrer Sprache? Übersetzen Sie.

Post
Absender der, - ______
Briefkasten der, ¨ ______
Empfänger der, - ______
Päckchen das, - ______
A: auch: Packerl das, -
CH: auch: Päckli das, -
Paket das, -e ______
Schalter der, - ______
Unterschrift die, -en ______

ein·packen, hat eingepackt ______
packen, hat gepackt ______
transportieren, hat transportiert ______
unterschreiben, hat unterschrieben ______

Weitere wichtige Wörter
Creme die, -s ______
Gebrauchsanweisung die, -en ______

Gesicht das, -er ______
Junge der, -n ______
A/CH: Bub der, -en
Mädchen das, - ______
Projekt das, -e ______
Schritt der, -e ______
Tafel die, -n ______
Zentimeter der, - ______

an·kreuzen, hat angekreuzt ______
benutzen, hat benutzt ______
denken an, hat an ... gedacht ______
ergänzen, hat ergänzt ______
gebrauchen, hat gebraucht ______
CH: auch: brauchen, hat gebraucht

arm ______
verschieden ______

schließlich ______

TIPP
Beschreiben Sie Wörter, zum Beispiel *Paket*.
Wie sieht es aus? *Es ist groß, braun, eckig ...*
Was macht man damit? *Man bringt es zur Post ...*
Aus welchem Material ist es? ...

2 Welche Wörter möchten Sie noch lernen? Notieren Sie.

______
______
______
______
______
______
______
______
______
______
______
______

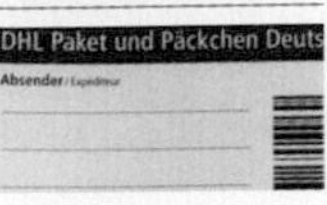

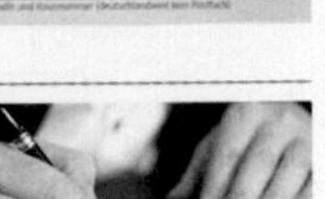

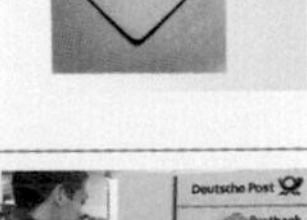

Gleich geht's los!

KB 2 **1** **Unterhaltung. Ordnen Sie zu.**

WÖRTER

Sender | Serie | Spielfilm | Folge | ~~Krimi~~ | Sendung | DVD | Programm | Rundfunk

a ▲ Morgen kommt ein spannender *Krimi* mit Kommissar Wallander.
b ■ Muss man in Deutschland für Fernsehen und Radio bezahlen?
▲ Ja, zusammen kosten Fernsehen und ____________ ungefähr 18 Euro im Monat.
c ■ Ich möchte „Titanic" nicht sehen. Da werde ich immer so traurig.
▲ Aber das ist doch nur ein ____________.
d ■ Gestern Abend habe ich eine interessante ____________ über die Lebensmittelproduktion gesehen.
e ■ Das ____________ von arte finde ich total interessant. Es gibt immer spannende Filme.
▲ Das stimmt, den ____________ mag ich auch am liebsten.
f ■ Kennst du die ____________ „Dr. House"?
▲ Ja, aber ich habe leider nur eine ____________ gesehen.
■ Ich habe sie auf ____________. Wenn du möchtest, kann ich sie dir leihen.

KB 3 **2** **Ergänzen Sie die Wörter.**

WÖRTER

FERNSEHEN FRÜHER UND HEUTE

Früher hat es in Deutschland kein P *r* i *v* a *t* fernsehen (a), sondern nur drei ö ___ ___ e ___ t ___ i ___ h-rechtliche (b) Fernsehsender gegeben. 1984 haben die ersten beiden Privatsender SAT.1 und RTL ihre ersten Sendungen p ___ ___ d ___ z ___ ___ r t (c). I ___ z ___ i ___ c ___ en (d) haben die Z ___ sch ___ ___ ___ ___ (e) die Wahl zwischen ungefähr 145 Sendern insgesamt.
Kinder und Jugendliche sehen oft zu viel fern. Mit 14 Jahren hat schon k ___ a p ___ (f) die Hälfte der Jugendlichen einen e ___ g ___ n ___ n (g) Fernseher (44 %). Das b ___ d ___ u ___ et (h), dass die Eltern nicht kontrollieren können, was die Kinder gucken.

KB 4 **3** **Possessivartikel**

STRUKTUREN

a **Ordnen Sie zu.**

seiner | ihren | ~~meiner~~ | euren | seinem | deinem | ihrer | ~~unseren~~

1 Ich bringe *meiner* Schwester zum Geburtstag Blumen.
2 Meine Freundin kauft ________________ Kindern viele DVDs.
3 Warum gibst du ________________ Bruder nie die Fernbedienung?
4 Heike schickt ________________ Oma aus dem Urlaub eine Postkarte.
5 Hans leiht ________________ Schwester keine Bücher mehr.
6 Wir empfehlen *unseren* Kunden günstige Produkte.
7 Ihr schenkt ________________ Kindern zu viele Spielsachen.
8 Das Kind bringt ________________ Hund Wasser.

b Ergänzen Sie aus a (Sätze 2–5).

Strukturen entdecken

	NOMINATIV Wer?	DATIV Wem?	AKKUSATIV Was?
bringen	ich	meiner Schwester	Blumen
kaufen			

KB 4

4 Ergänzen Sie die Sätze. Achten Sie auf Dativ und Akkusativ.

Strukturen

a Ich kaufe den Kindern eine Tafel Schokolade.
(eine Tafel Schokolade – kaufe – die Kinder)

b Bestellst ___________?
(ein Tee – du – das Kind)

c Ich ___________.
(zeigen – möchte – die Gegend – mein Gast)

d Am Abend ___________.
(eine Gute-Nacht-Geschichte – erzähle – ich – meine Tochter)

e Hol ___________.
(dein Freund – ein Glas Saft)

KB 4

5 Wem schenken Sie was?

Schreiben Sie fünf grüne Kärtchen mit Personen und fünf rote Kärtchen mit Geschenken. Mischen Sie die Karten und legen Sie sie verdeckt auf den Tisch. Ihre Partnerin / Ihr Partner nimmt zwei Kärtchen und sagt einen Satz.

Ich schenke meinem Lehrer einen Computer.

mein Lehrer

ein Computer

KB 4

6 Markieren Sie den Dativ und den Akkusativ und ergänzen Sie die Personalpronomen.

Strukturen entdecken

a Oma hat den Kindern die Geschichte von Robin Hood erzählt.
Oma hat sie den Kindern erzählt.

b Hol mir doch bitte mal die Fernsehzeitung.
Hol ___________ mir doch bitte mal.

c Kannst du den neuen Kollegen den Besprechungsraum zeigen?
Kannst du ___________ den neuen Kollegen zeigen?

d Ich empfehle dir die Filme von Doris Dörrie.
Ich empfehle ___________ dir.

e Hol mir doch bitte das große Glas.
Hol ___________ mir doch bitte.

f Peter hat Johanna eine Postkarte geschrieben.
Peter hat ___________ Johanna geschrieben.

KB 4 **7** **Markieren Sie jeweils im ersten Satz den Dativ und den Akkusativ. Ergänzen Sie dann die Personalpronomen.**

STRUKTUREN

a ■ Hast du mir den neuen Film von Madonna empfohlen?
▲ Nein, ich habe *ihn dir* nicht empfohlen. Das war Kathrin.

b ■ Hast du deiner Frau den letzten Krimi von Donna Leon geschenkt?
▲ Nein, ich habe *ihn ihr* noch nicht gekauft.

c ■ Soll ich dir deinen Mantel bringen?
▲ Das ist nett, aber ich kann ________________ doch selbst holen.

d ■ Kaufst du den Kindern die Harry Potter-DVD?
▲ Ja, ich möchte ________________ kaufen.

e ■ Hast du Robert das Geschenk für seinen Sohn mitgegeben?
▲ Oh je, das habe ich vergessen. Aber ich kann ________________ morgen schicken.

f ■ Kannst du uns mal die Fotos von unserem Ausflug schicken?
▲ Ja, aber ihr kommt doch morgen zu uns. Da kann ich ________________ doch zeigen.

KB 5 **8** **Meine Lieblingssendung … Ordnen Sie zu.**

KOMMUNIKATION

a Meine Lieblingssendung ist	feste Gewohnheit.
b Ich sehe die Sendung jeden Abend. Das ist eine	aber oft auch zusammen mit Freundinnen.
c Manchmal schaue ich allein zu Hause,	ein Glas Wein und Erdnüsse.
d Wir treffen uns meistens bei mir	gucke ich sie immer später in der Mediathek.
e Dazu gibt es immer	„Verbotene Liebe".
f Wenn ich die Sendung verpasst habe,	und sehen die Serie gemeinsam.

KB 6 **9** **Lesen Sie die Umfrage. Zu wem passen die Sätze? Ergänzen Sie die Namen.**

LESEN

a *Peter*: So kann ich leichter mit Freunden in Kontakt bleiben.
b ________________: Ich denke, dass Informationen im Internet nicht privat bleiben.
c ________________: Meine Informationen dürfen nur meine Freunde sehen.
d ________________: Ich sehe schon morgens auf mein Profil. Es ist eine feste Gewohnheit.

NUTZEN SIE SOZIALE NETZWERKE?

David, 28 Jahre

Ja, wenn ich Zeit habe, gucke ich schon mal auf mein Profil. Aber ich passe auf, dass keiner außer meinen Freunden meine Informationen sehen kann.

Peter, 25 Jahre

Ja, ich schreibe ganz oft, was ich gerade mache, chatte und verabrede mich mit meinen Freunden. Ohne soziales Netzwerk wäre das nicht so einfach.

Alina, 16 Jahre

Ich habe ein Smartphone und bin eigentlich immer online. Wenn ich aufstehe, gucke ich immer zuerst, was los ist. Ich kann mir ein Leben ohne soziales Netzwerk gar nicht mehr vorstellen.

Manuela, 40 Jahre

Nein, im Internet ist doch alles öffentlich. Das finde ich nicht gut. Deshalb bin ich bei keinem sozialen Netzwerk.

TRAINING: HÖREN

1 Wie hat dir der *Tatort* am Sonntag gefallen?

Welche Adjektive können Sie verwenden, wenn Sie einen Film / eine Sendung bewerten wollen? Ergänzen Sie.

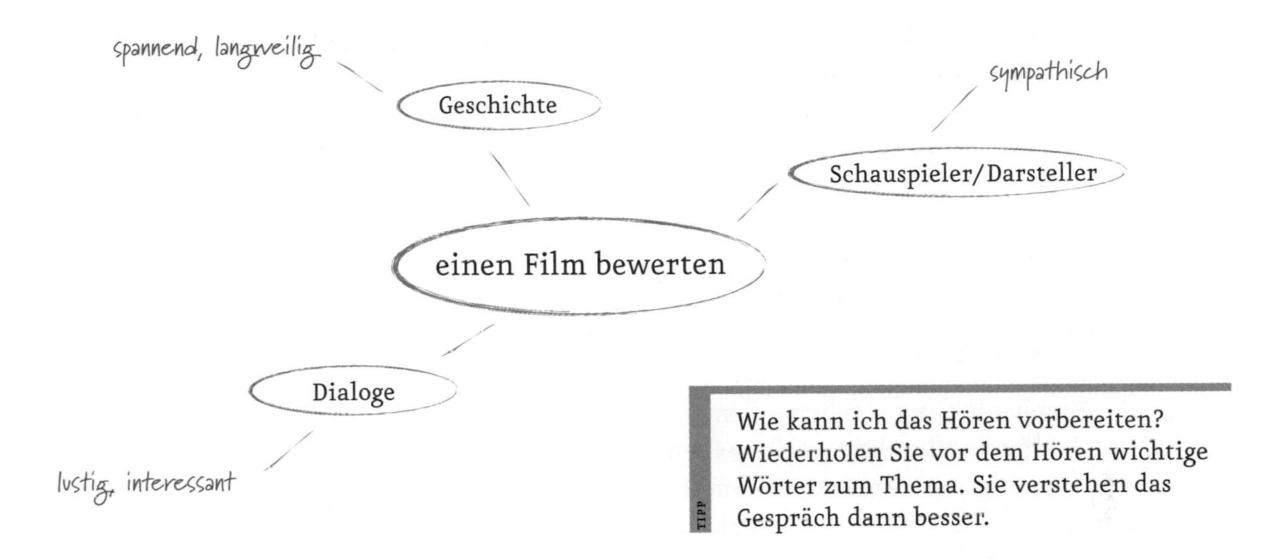

TIPP
Wie kann ich das Hören vorbereiten? Wiederholen Sie vor dem Hören wichtige Wörter zum Thema. Sie verstehen das Gespräch dann besser.

▶ 2 09

2 Hören Sie das Gespräch und kreuzen Sie an.

		richtig	falsch
a	Sandra hat den letzten *Tatort* in der Kneipe gesehen.	○	○
b	Tim hat der letzte *Tatort* nicht so gut gefallen.	○	○
c	Sandra findet die Geschichte des Kieler *Tatorts* oft spannend.	○	○
d	Tim findet, dass die Schauspieler sehr gut gespielt haben.	○	○
e	Sandra findet Sibel Kekilli sehr sympathisch.	○	○
f	Die schlechten Dialoge haben Tim nicht so gut gefallen.	○	○

TRAINING: AUSSPRACHE *Wortakzent bei Buchstabenwörtern*

AUSSPRACHE – D – AUSSPRACHE

▶ 2 10

1 Hören Sie und sprechen Sie nach.

die ARD – das ZDF – die SMS – die DVD – die CD – der CD-Spieler – der MP3-Player

▶ 2 11

2 Hören Sie und sprechen Sie nach.

a Am Wochenende gucke ich mit Freunden gern DVDs.
b ARD und ZDF sind öffentlich-rechtliche Sender.
c Ich schreibe täglich hundert SMS.
d Wer hört denn noch CDs?
e Heute hat man einen MP3-Player.

TEST

Wörter

1 Ordnen Sie zu.

Folgen | Zuschauer | Mediathek | Krimi | ~~Fernsehen~~ | Rundfunk | Produktion

Kommissare im ZDF – Die Rosenheim-Cops ...

... so heißt eine bekannte ________________-Serie (a) im deutschen *Fernsehen* (b). Die Serie gibt es seit 2002 mit inzwischen mehr als 250 ________________ (c). Sie spielt in Südbayern. Regelmäßig sehen etwa vier Millionen ________________ (d) die Sendung. Wer eine Sendung verpasst hat, kann sie noch sieben Tage in der ________________ (e) anschauen. Die Rosenheim-Cops sind eine ________________ (f) vom ZDF. Das ZDF ist das Zweite Deutsche Fernsehen oder einfach nur: Das Zweite. Gemeinsam mit der ARD gehört das ZDF zum öffentlich-rechtlichen ________________ (g).

_ / 6 Punkte

Strukturen

2 Schreiben Sie Sätze.

a die Fernbedienung – geben – dem Vater: Die Tochter *gibt dem Vater die Fernbedienung*.
b ein Parfüm – schenken – seiner Freundin: Er ________________.
c den Film – seinen Freunden – empfehlen: Der Regisseur ________________.
d meinen Eltern – zeigen – die Urlaubsfotos: Ich ________________.

_ / 3 Punkte

Strukturen

3 Ergänzen Sie die Pronomen.

a Wo ist denn die Fernbedienung? – Moment, ich hole *sie dir*.
b Hast du deiner Freundin wirklich ein Parfüm gekauft? – Ja, ich habe _____ _____ zum Geburtstag geschenkt.
c Ist der Film gut? – Ja, ich kann _____ _____ sehr empfehlen.
d Haben deine Eltern die Fotos schon gesehen? – Ich zeige _____ _____ heute Abend.

_ / 6 Punkte

Kommunikation

4 Wie oft seht ihr fern? Ordnen Sie zu.

kochen wir zusammen | gucke ich sie später | keine Zeit habe | sehe am liebsten | treffe mich jeden Sonntag

Bei mir sind es jeden Tag zwei oder drei Stunden.
Ich ________________ (a) Spielfilme.

Ich ________________ (b) mit meinen Freunden. Dann ________________ (c) und anschließend sehen wir den *Tatort*.

Leider arbeite ich oft am Abend. Wenn ich dann für eine bestimmte Sendung ________________ (d), ________________ (e) in der Mediathek.

_ / 5 Punkte

Wörter		Strukturen		Kommunikation	
●	0–3 Punkte	●	0–4 Punkte	●	0–2 Punkte
●	4 Punkte	●	5–7 Punkte	●	3 Punkte
●	5–6 Punkte	●	8–9 Punkte	●	4–5 Punkte

www.hueber.de/menschen

15

LERNWORTSCHATZ

1 Wie heißen die Wörter in Ihrer Sprache? Übersetzen Sie.

Medien

DVD die, -s ______
Fernsehen das ______
Folge die, -n ______
Krimi der, -s ______
Programm das, -e ______
Rundfunk der ______
CH: Radio und Fernsehen
Sender der, - ______
Privatsender der ______
Sendung die, -en ______
Serie die, -n ______
Spielfilm der, -e ______
Video das, -s ______
Zuschauer der, - ______

gucken, hat geguckt ______
A/CH: schauen, hat geschaut
produzieren, hat produziert ______

öffentlich ______
privat ______

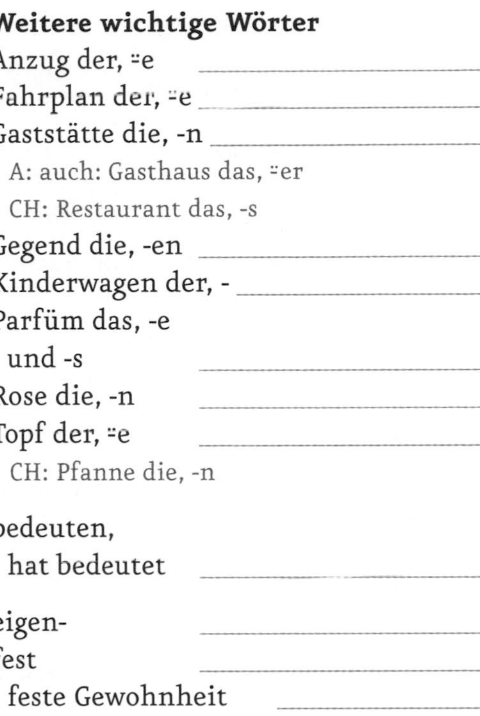

Weitere wichtige Wörter

Anzug der, ¨-e ______
Fahrplan der, ¨-e ______
Gaststätte die, -n ______
A: auch: Gasthaus das, ¨-er
CH: Restaurant das, -s
Gegend die, -en ______
Kinderwagen der, - ______
Parfüm das, -e und -s ______
Rose die, -n ______
Topf der, ¨-e ______
CH: Pfanne die, -n

bedeuten, hat bedeutet ______

eigen- ______
fest ______
feste Gewohnheit ______
knapp ______
sozial ______

außer ______
inzwischen ______

TIPP

Lesen Sie das Fernsehprogramm. Welche Wörter passen zum Thema Medien? Markieren Sie die Wörter.

ARD	Kabel eins
20:00 Tagesschau 20:15 Tatort: Der Wald steht schwarz und schweiget TV-Krimi, D 2012	20:15 Bill Cosby Show, Serie, USA 1992.

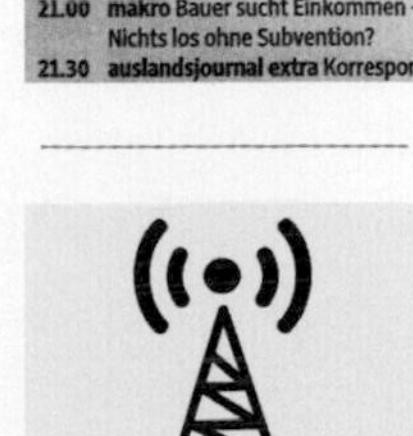

2 Welche Wörter möchten Sie noch lernen? Notieren Sie.

______

WIEDERHOLUNGSSTATION: WORTSCHATZ

1 Lerntipps. So lernen Sie eine neue Sprache.

a Markieren Sie noch fünf Verben.

hörenunwiederholenbaltschauenopschlaübersetzenreitesprechenschreilösenlieb

b Ergänzen Sie die Verben aus a und lösen Sie das Rätsel.

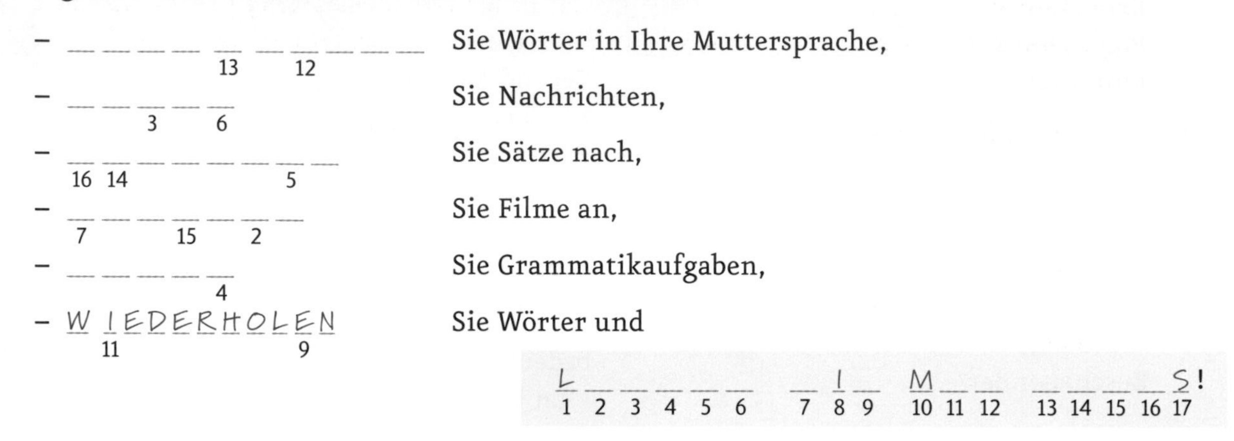

- _ _ _ _ _ _ _ _ _ _ (13, 12) Sie Wörter in Ihre Muttersprache,
- _ _ _ _ _ (3, 6) Sie Nachrichten,
- _ _ _ _ _ _ _ _ (16, 14, 5) Sie Sätze nach,
- _ _ _ _ _ _ _ (7, 15, 2) Sie Filme an,
- _ _ _ _ _ (4) Sie Grammatikaufgaben,
- W I E D E R H O L E N (11, 9) Sie Wörter und

L _ _ _ _ _   _ I _   M _ _   _ _ _ _ S!
1 2 3 4 5 6   7 8 9   10 11 12   13 14 15 16 17

2 Auf der Post. Was ist das? Notieren Sie.

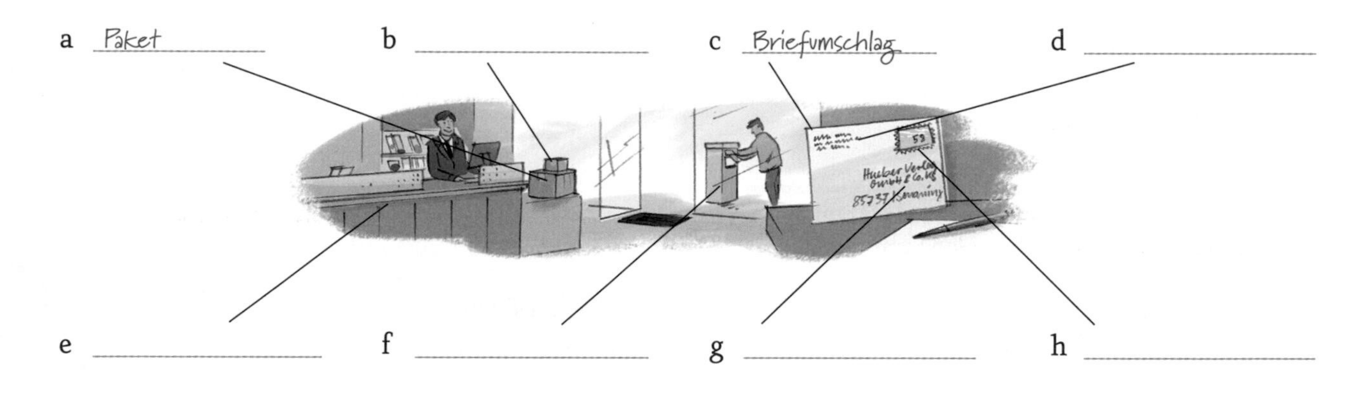

3 Fernsehen in Deutschland. Ordnen Sie zu.

~~Darsteller~~ | Fernbedienung | Sendung | Fernseher | Privatsender | Zuschauer

Wussten Sie, dass

- 95 % der deutschen Haushalte einen __________ (a) haben?
- Sean Connery für mehr als die Hälfte aller Deutschen der beste James Bond-Darsteller (b) ist?
- im Jahr 2010 die meisten __________ (c) des „Tatorts" über 45 Jahre alt waren?
- fast 90 % aller Deutschen aufstehen und das Programm wechseln, wenn die __________ (d) nicht funktioniert? Die anderen bleiben sitzen und schauen sich die __________ (e) an, auch wenn sie ihnen nicht gefällt.
- 47 % der Deutschen glauben, dass die Qualität des Fernsehens durch die __________ (f) nicht so gut ist. 45 % glauben, dass die Qualität gleich gut ist.

WIEDERHOLUNGSSTATION: GRAMMATIK

1 Fernsehen früher. Ergänzen Sie *wenn* oder *als*.

a Ich habe nur wenig ferngesehen, als ich klein war.
b ______ es noch keine Privatsender gegeben hat, hatten wir nur drei Programme.
c ______ sonntags die Serie „Lindenstraße" gelaufen ist, habe ich immer vor dem Fernseher gesessen.
d Ich war schon 8 Jahre alt, ______ meine Eltern den ersten Fernseher gekauft haben.
e Ich habe immer dann den *Tatort* geguckt, ______ meine Eltern nicht zu Hause waren.

2 Was wird im Deutschkurs gemacht? Schreiben Sie Sätze im Passiv.

a Ein Test wird geschrieben ______.
(schreiben)
b Manchmal ______.
(Sätze übersetzen)
c Neue Wörter ______.
(aufschreiben)
d Ein Film ______.
(anschauen)
e Oft ______.
(die Grammatik wiederholen)
f Aufgaben ______.
(lösen)
g Texte ______.
(korrigieren)

3 Im Deutschkurs. Ergänzen Sie das Personalpronomen im Dativ und das Nomen im Akkusativ.

a ■ Ist der Film „Kirschblüten – Hanami" von Doris Dörrie gut?
▲ Ja, ich kann euch den Film (ihr – der Film) nur empfehlen.
b ■ Wir verstehen das nicht.
▲ Soll ich ______ (ihr – die Aufgabe) noch einmal erklären?
c Leihst du ______ (ich – dein Kugelschreiber)? Ich habe meinen vergessen.
d Schickt ______ (ich – eine E-Mail), wenn ihr noch Fragen habt.
e In der Pause gehe ich zur Bäckerei. Soll ich ______ (du – ein Brötchen) mitbringen?

4 Post. Ergänzen Sie die Personalpronomen im Dativ und im Akkusativ.

a Hat der Postbote ein Paket für mich gebracht? – Ja. Moment, ich hole es dir.
b Hast du die Adresse von Paul? – Ja, ich gebe ______ gleich.
c Wann bekommt Petra das Päckchen? – Ich schicke ______ heute.
d Hast du schöne Briefmarken gekauft? – Ja, ich zeige ______ gleich.
e Wo ist denn der nächste Briefkasten? – Ich zeige ______, wenn wir zum Bus gehen.

SELBSTEINSCHÄTZUNG Das kann ich!

Ich kann jetzt ...

... von Sprachlernerfahrungen berichten: L13

■ Ich finde e_____ w_________, dass man viel spricht.
▲ Ich mu_____ i_________ zuerst die Grammatik lernen.
● Grammatik _______ mir nicht. Am aller_______________ ist _____ mich das Hören.
◆ Beim Vokabellernen _________ es für _____ nur einen _________: Bilder.

... Freude ausdrücken: L14

V___________ D_______ _______ deine tollen Geschenke!
Sie haben m_________ sehr g_____________________.
Schön, _________ ________ ______ _________ gedacht hast.
Die Tasche m_____ ich b______________ g_______.
Aber auch der Theatergutschein w_______ eine tolle I_________.
Ich f_________ m_________ schon sehr _________ das Stück.

... über Fernsehgewohnheiten sprechen: L15

■ Ich _______ am ____________ den *Tatort*. M____________ gucke ich ihn in der Kneipe, _________ meistens zu Hause zusammen mit ein paar Freunden. D_______ g_________ es Schokolade und ein Bier.
▲ Meine L_______________________ ist die Sportschau.
● Ich sehe oft die Tagesthemen, aber ich habe k______ f________ G_______________. Wenn ich k______ Z_____ habe, gu______ ich sie manchmal auch in der Mediathek.

Ich kenne ...

... 10 Lerntipps: L13

Das hilft mir: ____
Das hilft mir nicht: ____

... 8 Wörter zum Thema Post: L14

____

... 10 Wörter zum Thema Medien: L15

____

Ich kann auch ...

... sagen, wann etwas in der Vergangenheit passiert ist (Konjunktion: *als*): L13

Marie war mit der Schule fertig. Sie ist lange verreist.
Marie ist lange verreist, ____.

... eine Handlung ohne Subjekt beschreiben (Passiv Präsens): L14

Das Paket ____.
Die Geschenke __________________ in den Karton __________________.

... sagen, wem ich was gebe/schenke/... (Verben mit Dativ und Akkusativ): L15

schenken / Ihren Freunden / eine DVD: Sie ______________________________.
schenken / ihnen / eine DVD: Sie ______________________________.
schenken / ihnen / sie: Sie ______________________________.

SELBSTEINSCHÄTZUNG Das kann ich!

Üben / Wiederholen möchte ich noch ...

RÜCKBLICK

Wählen Sie eine Aufgabe zu Lektion 13

1 Welcher Lernertyp passt? Lesen Sie noch einmal den Ratgeber im Kursbuch auf Seite 77 (Aufgabe 5) und ordnen Sie die Lernertypen zu.

haptisch | ~~kognitiv~~ | kommunikativ | visuell | auditiv

______ ______ ______ kognitiv ______ ______

2 Welcher Lernertyp sind Sie? Was machen Sie gern/oft? Was möchten Sie noch machen? Notieren Sie noch sechs Sätze und kreuzen Sie an.

	Das mache ich schon.	Das möchte ich noch machen.
a Ich wiederhole Wörter.	○	○
b Ich höre oft Radio.	○	○
c Ich bewege mich viel.	○	○
...		

Wählen Sie eine Aufgabe zu Lektion 14

1 Sehen Sie sich noch einmal das Foto von den Kindern im Kursbuch auf Seite 80 an. Sie möchten ein Päckchen verschicken.

a Notieren Sie.

- Wem möchten Sie das Päckchen schicken? Mädchen
- Sie dürfen <u>drei</u> Sachen verschicken. Was packen Sie ein (Kleidung, Spielsachen, Lebensmittel, Schulsachen)? Warum?

Was?	Warum?
warme Strümpfe	im Winter sicher kalt
Hefte	in der Schule benutzen
...	

b Schreiben Sie eine Karte zum Päckchen. Schreiben Sie zu folgenden Punkten:

Wer sind Sie? / Was ist im Päckchen? Warum? / Wünsche

Liebe/Lieber ...,
ich heiße ... und komme aus ... Ich möchte Dir zu Weihnachten ein Päckchen schicken.
In Deinem Päckchen sind ... Die kannst Du ... Ich habe Dir ... in das Päckchen gepackt. Denn ...
Ich hoffe, Du freust Dich über die Geschenke.
Frohe Weihnachten wünscht Dir ...

2 Ein tolles Geschenk: Haben Sie schon einmal ein besonderes Geschenk bekommen oder verschenkt?

a Machen Sie Notizen.

Was? eine tolle Jacke
Warum? Geburtstag
Von wem?
Was war besonders?

Was haben Sie verschenkt?
Wer hat das Geschenk bekommen?
Warum hat die Person das Geschenk bekommen?

b Schreiben Sie.

Meine Schwester hat mir einmal an meinem Geburtstag eine Jacke geschenkt.
Ich habe mich sehr gefreut, weil ...

Wählen Sie eine Aufgabe zu Lektion 15

1 Lesen Sie noch einmal den Text über den *Tatort* im Kursbuch auf Seite 84 (Aufgabe 3) und beantworten Sie die Fragen.

a Wo gibt es sonntags Public Viewing? in manchen Kneipen und Gaststätten
b Wo spielen die *Tatort*-Krimis?
c Seit wann gibt es den *Tatort*?
d In welchen Ländern werden *Tatort*-Krimis produziert?
e Wie lange dauert ein *Tatort*?
f Wie viel kostet eine Folge?

2 Wie sieht für Sie ein perfekter Fernseh- oder Kinoabend aus? Schreiben Sie einen Forumsbeitrag. Machen Sie zuerst Notizen.

Im Kino oder zu Hause? zu Hause auf dem Sofa fernsehen
Was?/Warum?
Mit wem?
Essen/Trinken?

Am liebsten sehe ich zu Hause auf dem Sofa fern, weil das sehr gemütlich ist. Ich interessiere mich für Sport. Deshalb gucke ich zuerst die Sportschau. ...

ALTE FREUNDE, NEUE FREUNDE

Max, Ina, Bernd, Mara und Ralf waren schon in der Schule beste Freunde. Jetzt, zehn Jahre später, wohnen sie alle in verschiedenen Städten und sehen sich nicht mehr so oft. Aber sie sind Freunde geblieben.

Mara arbeitet in einer Bank in München.

Max ist Fitnesstrainer. Er wohnt in Konstanz.

Ina ist Künstlerin und lebt in Dresden.

Ralf unterrichtet an der Universität Zürich.

Bernd lebt in Hamburg. Er ist ein Computerfreak. Er arbeitet in der IT-Branche.

Teil 1: Schade, dass Diogo nicht da ist.

Es klingelt.

„Das ist sicher Bernd …", sagt Ina. Sie öffnet die Tür.

„Hallo Ina."

„Hallo Bernd. Was ist passiert? Es ist schon nach sechs, die anderen sind schon lange hier."

„Ähhh …"

„Du hast den Weg nicht gefunden." Max lacht.

„Ich, also, naja … mein Notebook … der Akku ist leer. Ich hatte keine Straßenkarte."

„Man kann auch Karten aus Papier kaufen", sagt Mara.

„Also wirklich, was denkst du denn? Ich verwende nie Papier."

„Egal, jetzt bist du hier", sagt Ralf. „Das ist toll. Alle fünf sind hier."

„Aber einer fehlt trotzdem", sagt Ina.

„Was? Wer fehlt?"

„Diogo sollte auch hier sein. Dann wäre es noch schöner."

Diogo … der Künstler aus Brasilien. Sie haben ihn im Sommer in Berlin kennengelernt, als sie gemeinsam Urlaub gemacht haben. Und Ina hat sich ein bisschen in ihn verliebt.

Jetzt ist Winter, die Freunde besuchen Ina in Dresden. Sie wollen gemeinsam Weihnachten feiern. Und ein paar Tage später hat Ina eine große Ausstellung. Da wollen auch alle dabei sein.

„Kommt, es ist schon alles fertig für die Weihnachtsfeier", sagt Ina. „Und Ralf hat leckere Plätzchen mitgebracht."

Sie sitzen gemeinsam unter dem Weihnachtsbaum, essen Plätzchen, singen Weihnachtslieder und packen Geschenke aus.

„Mann, Max, sei still, du kannst ja gar nicht singen", sagt Bernd.

Am Ende liegt noch ein Geschenk unter dem Baum. „Für Ina" steht darauf. Kein Absender.

„Von wem ist das?"

„Brasilianische Briefmarken … Ich kann es mir schon denken." Ralf lächelt.

„Was ist da drin?", fragt Mara. „Los Ina, mach schon auf!"

„Ok, warte … es ist ein Bild … von uns fünf."

„Seht mal, da ist auch eine Karte."

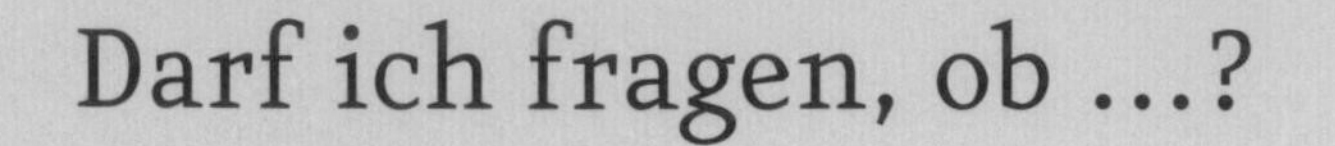

Darf ich fragen, ob ...?

KB 3 **1 Ergänzen Sie die Wörter.**

HOTEL AIDA

D o p p e l z i m m e r (a) mit H _ l _ p _ n _ i _ n (b) ab 70 Euro! E _ n _ e _ _ i _ m _ r (c) schon ab 49 Euro. Unsere R _ z _ p t _ on (d) ist 24 Stunden für Sie geöffnet.

Ferienhaus an der Ostsee für 6 Personen
f _ e _ (e) ab 1. Juni. P _ r _ plä _ _ e (f) für Ihr Auto vor dem Haus

Ä _ _ er (g) im Urlaub? – Das muss nicht sein!

Darauf müssen Sie schon bei der Buchung achten. Lesen Sie weiter auf Seite 7.

Reisetipps: Reisekasse
Mit einer Kreditkarte bekommen Sie fast ü _ e _ a _ l (h) auf der Welt Geld.

KB 3 **2 Ordnen Sie zu und markieren Sie die Verben in den Nebensätzen.**

Strukturen entdecken

wohin | wie | ~~wie viel~~ | wo | warum | wie lange

a Darf ich fragen, wie viel ein Einzelzimmer kostet?
b Können Sie mir erklären, ______ das Telefon funktioniert?
c Wissen Sie, ______ die Geschäfte noch offen sind?
d Können Sie mir sagen, ______ man schnell einen Kaffee trinken kann?
e Ich weiß nicht, ______ mein Gepäck noch nicht angekommen ist.
f Ich würde gerne wissen, ______ man am Abend gehen kann.

KB 3 **3 Markieren Sie die Verben im *ob*-Satz und schreiben Sie dann direkte Fragen.**

Strukturen entdecken

a Darf ich fragen, ob Ihr Essen scharf ist?
Ist Ihr Essen scharf?
b Können Sie mir sagen, ob man einen Tisch reservieren muss?
______?
c Wissen Sie, ob der Platz noch frei ist?
______?
d Ich weiß nicht, ob man in diesem Restaurant vegetarisch essen kann.
______.

KB 4

4 Auf der Reise. Schreiben Sie höfliche Fragen.

Strukturen

a Wo kann man Geld wechseln?
Können Sie mir sagen, wo man Geld wechseln kann?
b Um wie viel Uhr kommen wir an?
Wissen Sie, ______________________________?
c Kann man eine Stadtführung machen?
Ich würde gern wissen, ______________________________.
d Wann soll ich Sie wecken?
Darf ich fragen, ______________________________?
e Haben Sie schon Eintrittskarten gekauft?
Darf ich fragen, ______________________________?
f Möchten Sie eine Veranstaltung besuchen?
Wissen Sie schon, ______________________________?

KB 4

5 Schreiben Sie Fragen. Ihre Partnerin / Ihr Partner fragt höflicher.

Sie sind in einem Hotel an der Rezeption. Was möchten Sie wissen?
Schreiben Sie fünf direkte Fragen wie in 4.
Ihre Partnerin / Ihr Partner fragt höflicher. Die Satzanfänge in 4 helfen.

Wo ist der Frühstücksraum?

Können Sie mir erklären,
wo der Frühstücksraum ist?

KB 4

6 Im Hotel ein Zimmer buchen. Ordnen Sie zu.

Kommunikation

wecken | bleiben möchten | Ihnen einen angenehmen Aufenthalt | oder mit Halbpension | noch ein Zimmer frei | brauche ein Zimmer für drei Nächte | ist Ihr Schlüssel | ~~ich Ihnen helfen~~ | es buchen | würde gern noch wissen

■ Guten Tag, kann ich Ihnen helfen (a)?
▲ Guten Tag. Haben Sie ______________________________ (b)?
■ Moment bitte. Darf ich fragen, wie lange Sie ______________________________ (c)?
▲ Ja, ich ______________________________ (d).
■ Ein Einzelzimmer haben wir noch. Möchten Sie ______________________________ (e)?
▲ Ja, gern.
■ Möchten Sie das Zimmer mit Frühstück ______________________________ (f)?
▲ Nur mit Frühstück bitte.
Ich ______________________________ (g),
von wann bis wann es Frühstück gibt.
■ Sie können von 7.00 bis 10.00 Uhr frühstücken. Hier ______________________________ (h).
▲ Danke. Ach ja und könnten Sie mich bitte morgen um 7.00 Uhr ______________________________ (i)?
■ Ja, gern. Dann wünsche ich ______________________________ (j).

KB 4 **7** **Reservieren Sie ein Zimmer in einem Hotel. Schreiben Sie eine E-Mail.**

SCHREIBEN

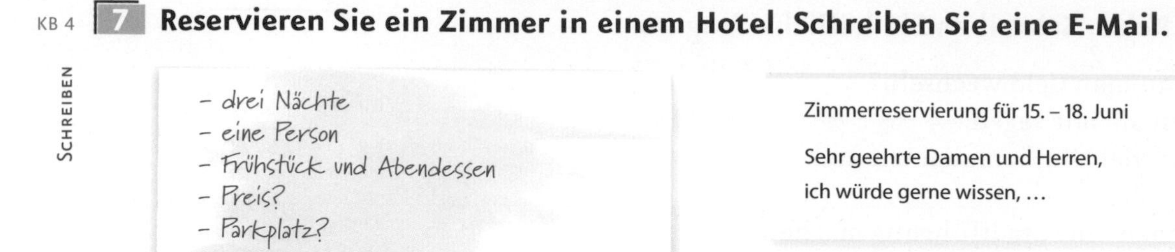

Zimmerreservierung für 15. – 18. Juni

Sehr geehrte Damen und Herren,
ich würde gerne wissen, …

KB 5 **8** **Im Hotel. Bilden Sie Wörter. Ergänzen Sie dann und vergleichen Sie.**

WÖRTER

ON | PARK | CHER | FE | ZEP | ~~SAU~~ | ~~NA~~ | RENZ | KI | TI | RAU | PLATZ | NICHT | RE | KON | OSK

Deutsch	Englisch	Meine Sprache oder andere Sprachen
a die Sauna	sauna	
b	parking place	
c	non-smoker	
d	conference	
e	kiosk	
f	reception	

KB 6 **9** **An der Information in der Volkshochschule**

Ergänzen Sie *durch*, *an … vorbei* oder *gegenüber von* und die Artikel.

STRUKTUREN

a ■ Entschuldigung. Wissen Sie, wo hier die nächste Bushaltestelle ist?
▲ Ja, das ist nicht weit. Gehen Sie hier durch die Tür (1) und dann rechts. Wenn Sie ________ Parkplatz ________ (2) gehen, sehen Sie schon die Bushaltestelle.

b ● Entschuldigung. Können Sie mir sagen, wo der A2-Deutschkurs stattfindet?
◆ Ja, Moment. Der Kurs ist in Raum 103. Am besten gehen Sie hier ________ ________ Empfangshalle (3), ________ Kiosk ________ (4) und ________ ________ rechte Glastür (5). Dann sind Sie in einem Flur. Gehen Sie ________ Aufzug ________ (6). Ihr Raum ist ________ ________ ________ Bibliothek (7).

TRAINING: LESEN

1 Ein Berufsporträt verstehen

Lesen Sie den Text und die Aufgaben genau und kreuzen Sie dann an.

	richtig	falsch
a Im Moment gibt es nicht viel Arbeit an der Rezeption.	○	⊗
b Janines Ausbildung dauert noch zwei Jahre.	○	○
c Janine kümmert sich um die verschiedenen Wünsche von den Gästen an der Rezeption.	○	○
d Janine ärgert sich oft, wenn sich die Gäste beschweren.	○	○
e Janine arbeitet fast überall im Hotel.	○	○
f Die Arbeit im Hotel gefällt Janine.	○	○

TIPP
Sie wollen Informationen aus einem Text genau verstehen? Lesen Sie die Aufgaben und suchen Sie dann die Information im Text. Lesen Sie diese Informationen ganz genau.

Berufsporträt:

Hotelfachfrau: ein spannender Beruf

An der Rezeption des Hotels „Post" ist gerade ziemlich viel los. Gäste kommen an oder reisen ab, manche haben Fragen, andere wollen nur ihren Zimmerschlüssel. An der Rezeption steht (5) Janine Preising. Sie ist im 2. Jahr ihrer Ausbildung zur Hotelfachfrau. Sie muss noch ein Jahr lernen. Die 22-Jährige kümmert sich um alles: Sie füllt Formulare aus, beantwortet Fragen, telefoniert mit Kunden, reserviert und gibt den (10) Gästen ihre Zimmerschlüssel.
Manchmal beschweren sich auch Gäste. Dann muss Janine richtig reagieren. Sie meint: „Am allerwichtigsten ist, dass man immer freundlich bleibt, auch wenn es mal Ärger gibt."
(15) Aber Janine arbeitet nicht nur an der Rezeption, sondern auch im Büro oder in der Küche. Sie bereitet die Gästezimmer (20) vor, arbeitet im Service des Hotelrestaurants, kümmert sich um das Frühstücksbuffet oder organisiert Konferenzen. Janine sagt: „Die Arbeit (25) ist vielleicht manchmal stressig, aber mein Beruf macht mir total viel Spaß."

Janine Preising, 22 Jahre

TRAINING: AUSSPRACHE *Konsonantencluster*

▶ 2 12
1 Hören Sie. Sprechen Sie dann. Sprechen Sie immer schneller.

Park – Platz – Park – Platz – Park – Platz ...
Parkplatz – Parkplatz – Parkplatz ...
Hat das Hotel einen Parkplatz?

▶ 2 13
2 Hören Sie. Sprechen Sie dann. Sprechen Sie zuerst langsam und deutlich, dann schneller.

a Konferenz|raum – Wo ist bitte der Konferenzraum?
b Aufent|halt – Angenehmen Aufenthalt!
c Öffnungs|zeiten – Die Öffnungszeiten sind täglich von 19 bis 23 Uhr.
d Empfangs|halle – Gehen Sie durch die Empfangshalle.

TEST

1 Ordnen Sie zu.

WÖRTER

Nichtraucherzimmer | Aufenthalt | ~~Frühstücksraum~~ | Schwimmbad | Rezeption | Konferenzräume | Bar | Einzelzimmer | Parkplätze

Herzlich Willkommen im Hotel „Zur schönen Aussicht"!

Wir haben einen Frühstücksraum (a) mit Blick zum See, 8 ______ (b) und 24 Doppelzimmer, alle nur ______ (c), kostenlose ______ (d) in der Tiefgarage, 4 ______ (e) mit Computer, Drucker und Internetzugang, ein kleines ______ (f) mit Sauna und Fitnessraum, ein Restaurant und eine ______ (g).
An der ______ (h) sind wir 24 Stunden für Sie da! Wir wünschen Ihnen einen angenehmen ______ (i)!

_ / 8 PUNKTE

2 Schreiben Sie Sätze.

STRUKTUREN

a Wie lange hat das Schwimmbad geöffnet? – Wissen Sie, wie lange das Schwimmbad geöffnet hat?
b Haben Sie noch zwei Doppelzimmer frei? – Ich würde gern wissen, ...
c Wie komme ich zum Bahnhof? – Können Sie mir erklären, ...
d Gibt es hier einen Kiosk? – Ich möchte gern wissen, ...
e Wann gibt es Frühstück? – Können Sie mir sagen, ...

_ / 4 PUNKTE

3 Was ist richtig? Kreuzen Sie an.

STRUKTUREN

Sie suchen den Konferenzraum? Gehen Sie am besten geradeaus durch ☒ das ○ dem (a) Restaurant, ○ an den ○ am (b) Frühstücksraum vorbei. Dann gehen Sie durch ○ der ○ die (c) Glastür in den ersten Stock. Gleich gegenüber von ○ die ○ der (d) Treppe ist der Konferenzraum.

_ / 3 PUNKTE

4 Ordnen Sie zu.

KOMMUNIKATION

ist ab 7 Uhr geöffnet | möchte nur Frühstück | mit Halbpension buchen | ist Ihr Schlüssel | ein Zimmer frei | Ihnen helfen

■ Guten Tag, kann ich ______ (a)?
▲ Haben Sie noch ______ (b)? Für eine Nacht?
■ Das ist gar kein Problem. Möchten Sie das Zimmer ______ (c)?
▲ Nein, ich ______ (d).
■ Ja gern. Hier ______ (e). Der Frühstücksraum ______ (f).
▲ Vielen Dank!

_ / 6 PUNKTE

Wörter		Strukturen		Kommunikation	
●	0–4 Punkte	●	0–3 Punkte	●	0–3 Punkte
●	5–6 Punkte	●	4–5 Punkte	●	4 Punkte
●	7–8 Punkte	●	6–7 Punkte	●	5–6 Punkte

www.hueber.de/menschen

LERNWORTSCHATZ

1 Wie heißen die Wörter in Ihrer Sprache? Übersetzen Sie.

Im Hotel

Aufenthalt der, -e ______
Doppelzimmer das, - ______
Einzelzimmer das, - ______
Empfangshalle die, -n ______
Fitnessraum der, ¨-e ______
Frühstücksraum der, ¨-e ______
Halbpension die ______
Kiosk der, -e ______
A: auch: Trafik die, -en
Konferenz die, -en ______
Konferenzraum der, ¨-e ______
Nichtraucherzimmer das, - ______
Parkplatz der, ¨-e ______
Rezeption die, -en ______
Vollpension, die ______

wecken, hat geweckt ______

frei (Platz, Zimmer) ______

Weitere wichtige Wörter

Ärger der ______
Raucher der, - ______
Spaß der, ¨-e ______
Viel Spaß ______

angenehm ______

durch ______
gegenüber ______
vorbei ______
an … vorbei ______
überall ______

TIPP

Machen Sie sich ein Bild von den Wörtern. Stellen Sie sich zum Beispiel einen Kiosk vor. Was gibt es dort alles?

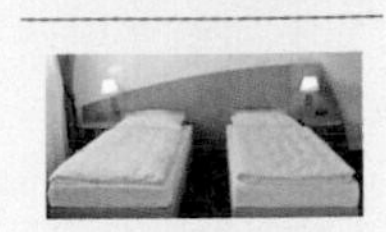

2 Welche Wörter möchten Sie noch lernen? Notieren Sie.

Wir wollen nach Rumänien.

KB 4 **1 Lösen Sie das Rätsel.**

WÖRTER

1 An der … kann man tanken.
2 An der Ampel können wir die Straße …
3 Auto = …
4 In England fährt man auf der linken …, in vielen anderen Ländern fährt man rechts.
5 Es gibt keine Brücke über den Fluss, deshalb müssen wir die … nehmen.
6 Auf der Reise hatten wir eine Panne. Der … von unserem Auto war kaputt.
7 Mit meinem alten Autoradio kann man sogar noch … hören und nicht nur CDs.
8 Am Wochenende soll es schneien und wir haben immer noch Sommer… an unserem Auto. Wir müssen unbedingt die … wechseln.
9 die Ankunft ⟷ die …
10 Auf der … können wir endlich wieder 130 km/h fahren.
11 An der … zu Österreich mussten wir nicht mal unseren Pass zeigen.

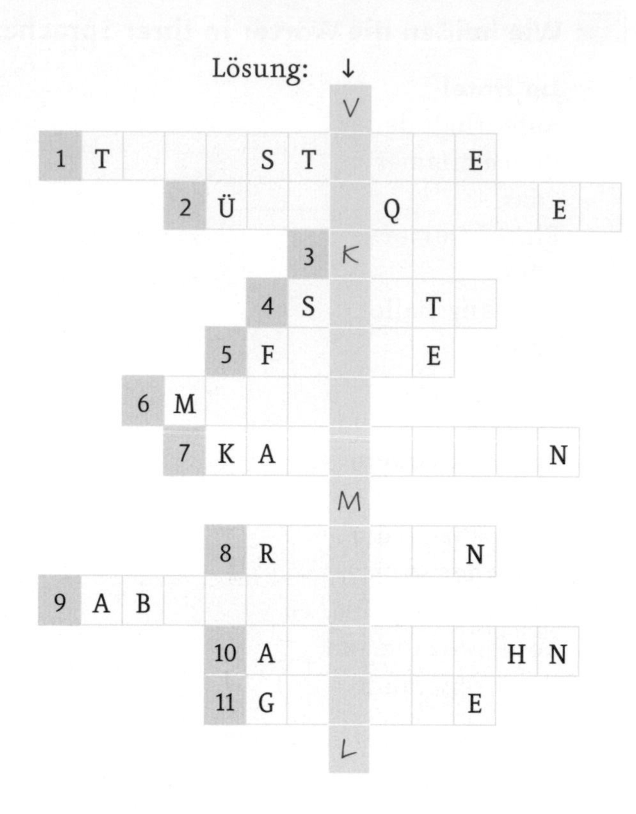

KB 4 **2 Bilden Sie Wörter und ergänzen Sie.**

WÖRTER

Mit dem Rad an der Donau

Linz – 17. Juli: Eine Nacht im Zelt

Gestern haben wir das erste Mal in unserem Zelt auf einer Wiese übernachtet. Nach der langen Fahrt waren wir total müde (DÜME) (a) und sind sofort eingeschlafen. ______ (MIENTT) (b) in der Nacht habe ich ______ (LICHPIÖTZ) (c) etwas gehört. Ich habe gedacht, da ist ______ (MANDJE) (d) vor unserem Zelt. Als ich Jens geweckt habe, hat er nur gesagt: „Quatsch! Da ist ______ (MANDNIE) (e)!" Aber dann hat er doch nachgesehen: Und stellt euch vor: Da war ein Wildschwein vor unserem Zelt und auf dem ______ (FLED) (f) neben uns waren mindestens noch zehn.
In dieser ______ (GIONRE) (g) gibt es ziemlich viele, hat uns heute Morgen ein ______ (ERBAU) (h) erzählt. Heute übernachten wir in jedem Fall in einem Hotel. Da kann ich ja auch wieder ______ (DSCHUEN) (i).

Und sonst: Wir sind in zwei Tagen ______ (GEINSSAMT) (j) schon 120 Kilometer gefahren. Hier ist wahnsinnig viel los. Der Donauradweg ist leider sehr ______ (KANNBET) (k).

KB 4 | Strukturen entdecken

3 Ordnen Sie die Wörter in beiden Spalten zu.

~~Bukarest~~ | ~~Strände(n)~~ | Schweiz | Meer | Küste | Rumänien | See

	Wohin? Wir fahren ...	Wo? Wir waren ...
Wasser	● an den ______ ● ans ______ ● an die ______ ● an die Strände	● am ______ ● am ______ ● an der ______ ● an den Stränden
Land / Stadt	nach Bukarest nach ______ ! in die ______	in Bukarest in ______ ! in der ______

KB 4 | Strukturen

4 Ergänzen Sie *in*, *an* oder *nach* und die Artikel, wenn nötig.

a ■ Gut, dass wir direkt am Meer ein Hotel gefunden haben.
▲ Ja, das ist toll. Da kann ich morgens schon ganz früh ______ d______ Strand gehen.

b ■ Ich möchte im Urlaub gern ______ Venedig fahren.
▲ Wir waren doch letztes Jahr erst ______ Italien. Ich würde lieber ______ d______ Nordseeküste fahren.

c ■ Schau mal, diese Häuser stehen direkt ______ Fluss. Das ist toll.
▲ Ja, das finde ich auch. Bei uns ______ Bamberg gibt es das aber auch.

d ■ Wann fliegst du denn ______ d______ USA?
▲ Am 15. Ich besuche eine Freundin ______ New York. Ich freue mich schon.

KB 4 | Strukturen entdecken

5 Freizeit und Urlaub

a Was ist richtig? Kreuzen Sie an.

		wohin?	wo?	
1	Ich fahre gern	☒ in den Süden.	○ im Süden.	
2	Gestern sind wir	○ in den Wald	○ im Wald	spazieren gegangen.
3	Ich möchte im Urlaub	○ ins Gebirge	○ im Gebirge	fahren.
4	Warst du schon einmal	○ auf diese Insel?	○ auf dieser Insel?	
5	Bist du schon mal	○ auf diesen Berg	○ auf diesem Berg	gestiegen?
6	Ich war noch nie	○ in eine Wüste.	○ in einer Wüste.	
7	Komm, wir gehen	○ in den Park.	○ in dem Park.	
8	Am Sonntag fahren wir	○ aufs Land.	○ auf dem Land.	
9	Lass uns	○ in die Berge	○ in den Bergen	fahren.

b Wo benutzt man *in* und wo *auf*? Ergänzen Sie die Nomen aus a mit Artikel.

in	auf
der Süden	die Insel

KB 4 **6** Ergänzen Sie die Präpositionen und die Artikel, wo nötig.

STRUKTUREN

Hallo Klara,
wir sind gerade _in_ (a) Südfrankreich ______ ______ (b) Bergen beim Wandern. Puh, das ist ganz schön anstrengend. Aber am Dienstag wollen wir ______ (c) Marseille ______ ______ (d) Küste fahren. Ich hoffe, das Wetter bleibt auch ______ (e) Meer so schön wie hier ______ (f) Gebirge. Dann kann ich den ganzen Tag ______ (g) Strand liegen und abends auch mal ______ ______ (h) Disco gehen. Hier gibt´s ja kein Nachtleben. Die Fahrt ______ (i) Frankreich hat ziemlich lang gedauert. ______ ______ (j) Autobahn war total viel Verkehr. Na ja, in den Ferien fahren eben alle ______ ______ (k) Süden. Wir haben ______ ______ (l) Schweiz übernachtet, ______ ein______ (m) sehr netten Hotel mitten ______ ein______ (n) Park mit alten Bäumen.

KB 5 **7** Ergänzen Sie die Kommentare zu den Fotos.

KOMMUNIKATION

I_st_ das nicht s_chön_? (a)

Frida Knoll: Die I__ s___ s___ht toll ___. (b)

Es g___t n___h total nette Kaffeehäuser. (c)

Bernd Hiller: So ein Z__f___! Ich war auch s__h__n e__nm__ in diesem Café. (d)

Puh, endlich oben!

Ida Müller: Das war b__s__im__t a__st___n___d. (e)

Beim Kite-Surfen

Jonas Käuferle: Das hat s__ch___ S___ß ge__a___t. (f)

Nicht z__ g__au__en!
Wie ist das bloß passiert? (g)

Hans Braunmüller: So ein P__c__! Das ist wirklich ä__g___l___h. (h)

Die ganze Nacht Party vor dem Fenster!

Frida Knoll: Das kenne ich. Ich f___e das s__h___m. (i)

KB 5 **8** Ihre Urlaubfotos

Bringen Sie ein paar Fotos aus dem Urlaub oder von einem Ausflug mit. Ihre Partnerin / Ihr Partner schreibt Kommentare zu Ihren Fotos. Übung 7 hilft. Hängen Sie die Fotos mit den Kommentaren im Kursraum auf.

KB 6 **9** Erzählen Sie über eine Reise / einen Ausflug.

SPRECHEN

Machen Sie Notizen zu den Fragen. Erzählen Sie dann.

Wohin? Mit wem? Wie lange? Mit welchem Verkehrsmittel?
Wo übernachtet? Was noch gemacht? Was war besonders toll?

Letztes Jahr sind wir nach Italien an den Gardasee gefahren.
...

TRAINING: SCHREIBEN

1 Einladung zum Fotoabend

a Freunde laden Sie zu einem Foto-Abend ein und möchten ihre Urlaubsfotos zeigen. Anfang des Jahres waren Sie in dem gleichen Land im Urlaub. Planen Sie Ihre Antwort.

Hier finden Sie vier Punkte für Ihre Antwort-E-Mail. Wählen Sie drei aus und machen Sie Notizen.

- jemanden mitbringen
- Essen/Getränke mitbringen
- etwas später kommen
- eigener Urlaub in dem Land **oder** was hat Ihnen in dem Land am besten gefallen

b Was können Sie am Anfang / am Ende schreiben? Notieren Sie: E für Einleitung und S für Schluss.

Vielen Dank für die Einladung! ___
Dann sehen wir uns am Samstag. ___
Ein Fotoabend ist eine tolle Idee. ___
Ich freue mich schon. ___
Ich komme gern. E

TIPP
Wie wird das Schreiben von Briefen leichter? Schreiben Sie nicht gleich los. Planen Sie vor dem Schreiben:
1. Was wollen Sie schreiben? Machen Sie Notizen.
2. Vergessen Sie nicht eine passende Einleitung und einen passenden Schluss.

2 Schreiben Sie nun die E-Mail. Schreiben Sie zu jedem der drei Punkte in 1a ein bis zwei Sätze. Schreiben Sie auch eine passende Einleitung und einen passenden Schluss.

________________,
vielen Dank für die Einladung! ...

TRAINING: AUSSPRACHE *Auslautverhärtung „b/p", „d/t", „g/k"*

▶ 2 14 1 „b", „d", „g" am Wortende

a Was hören Sie? Kreuzen Sie an.

1	auf dem Land	○ „d"	○ „t"
	südliche Länder	○ „d"	○ „t"
2	ein hoher Berg	○ „g"	○ „k"
	in die Berge	○ „g"	○ „k"
3	im Urlaub	○ „b"	○ „p"
	viele schöne Urlaube	○ „b"	○ „p"

b Ergänzen Sie.

REGEL
Am Wort- und Silbenende spricht man „b", „d" und „g" wie ___, ___ und ___.

▶ 2 15 2 Hören Sie und sprechen Sie nach.

a Wir haben viele schöne Urlaube auf dem Land verbracht.
b Im Urlaub fahren wir gern in südliche Länder oder in die Berge.

3 Schreiben Sie eigene Sätze mit diesen Beispielen und sprechen Sie.

am Strand – feine Sandstrände |
im Wald – in den Wäldern |
mit dem Flugzeug – große Flugzeuge |
Urlaub auf der Schwäbischen Alb

TEST

1 Ordnen Sie zu.

WÖRTER

Panne | ~~Autobahn~~ | Ankunft | Fähre | Reifen | Motor | Wagen | Werkstatt

a ■ Welche ist die längste Autobahn (1) in Deutschland?
▲ Das ist die A7, sie ist mehr als 960 Kilometer lang.

b ■ Wie kommt ihr nach Irland?
▲ Wir fahren mit der ______________ (2). Wir fahren abends los und die ______________ (3) ist dann morgens um 8 Uhr.

c ■ Hast du schon die ______________ (4) gewechselt? Nächste Woche schneit es.
▲ Oh, dann muss ich meinen ______________ (5) dringend in die Kfz-______________ (6) bringen.

d ■ Hast du ein neues Auto?
▲ Ja, ich hatte eine ______________ (7) mit meinem Auto, der ______________ (8) war kaputt.

_ / 7 PUNKTE

2 Ferienende! Was ist richtig? Kreuzen Sie an.

STRUKTUREN

FORUM: WAS HABT IHR IN DEN FERIEN GEMACHT?

Ich bin mit meinen Eltern ☒ nach ○ in (a) Italien gefahren. Wir waren ○ auf einen ○ auf einem (b) Campingplatz ○ ans ○ am (c) Meer. War ganz ok.

Wir waren wie jedes Jahr ○ in die ○ in der (d) Schweiz und haben Urlaub ○ auf dem ○ auf den (e) Bauernhof gemacht. Einmal bin ich mit meinem Vater auch ○ ins ○ im (f) Gebirge gefahren und wir sind ○ auf einen ○ auf einem (g) hohen Berg gegangen.

Meine Schwester und ich waren ○ in ○ nach (h) Berlin. Die Stadt ist super!

Wir sind ○ in die ○ in der (i) Türkei geflogen. Zuerst waren wir ○ in den ○ im (j) Süden, dann sind wir ○ in den ○ im (k) Norden gefahren. Ich habe sogar ein bisschen Türkisch gelernt.

_ / 10 PUNKTE

3 Ordnen Sie zu.

KOMMUNIKATION

bestimmt anstrengend | für ein Zufall | sicher schrecklich | nicht langweilig | so ein Pech

a ■ Meine Eltern fahren seit 20 Jahren im Urlaub immer nach Frankreich.
▲ Ist das ______________________?

b ■ Unser Flugzeug fliegt zwei Stunden später ab. Wir kommen erst um 23.30 Uhr an.
▲ Dann fährt keine S-Bahn mehr, ______________________!

c ■ Im Urlaub war es toll. Aber ich habe jede Nacht nur fünf Stunden geschlafen.
▲ Das war ______________________.

d ■ Der Campingplatz ist direkt am Meer. Aber es ist sehr dreckig, überall liegt Müll.
▲ Das sieht ______________________ aus.

e ■ Stell dir vor, wir haben auf einem Markt in Rumänien unsere Nachbarn getroffen.
▲ Was ______________________!

_ / 5 PUNKTE

Wörter		Strukturen		Kommunikation	
●	0–3 Punkte	●	0–5 Punkte	●	0–2 Punkte
●	4–5 Punkte	●	6–7 Punkte	●	3 Punkte
●	6–7 Punkte	●	8–10 Punkte	●	4–5 Punkte

www.hueber.de/menschen

LERNWORTSCHATZ

1 Wie heißen die Wörter in Ihrer Sprache? Übersetzen Sie.

Auf Reisen/unterwegs

Abfahrt die, -en ______
Ankunft die, ⸚e ______
Autobahn die, -en ______
Fähre die, -n ______
Gebirge das, - ______
Grenze die, -n ______
Insel die, -n ______
Kfz (= Kraftfahrzeug das, -e) ______
CH: Motorfahrzeug das, -e
Küste die, -n ______
Motor der, -en ______
Panne die, -n ______
Region die, -en ______
Reifen der, - ______
Tankstelle die, -n ______

tanken, hat getankt ______
überqueren, hat überquert ______
wechseln (Reifen), hat gewechselt ______

Weitere wichtige Wörter

Bauer der, -n ______
Feld das, -er ______
Kassette die, -n ______
Pech das ______
Seite die, -n ______
Zufall der, ⸚e ______

jemand ______
niemand ______

ärgerlich ______
bekannt ______
müde ______

insgesamt ______
mitten ______
plötzlich ______

Nicht zu glauben! ______
A: Nicht zu fassen!

TIPP

Suchen Sie ein Wort. Bilden Sie aus den Buchstaben einen Satz.

Insel
Im November Singt er Lieder.

2 Welche Wörter möchten Sie noch lernen? Notieren Sie.

Ich freue mich auf Sonne und Wärme.

KB 2 **1** **Ordnen Sie zu.**

WIEDERHOLUNG WÖRTER

Gewitter | Hitze | Kälte | kalt | ~~Nebel~~ | Regen | Schnee | Sonne | Wind | warm

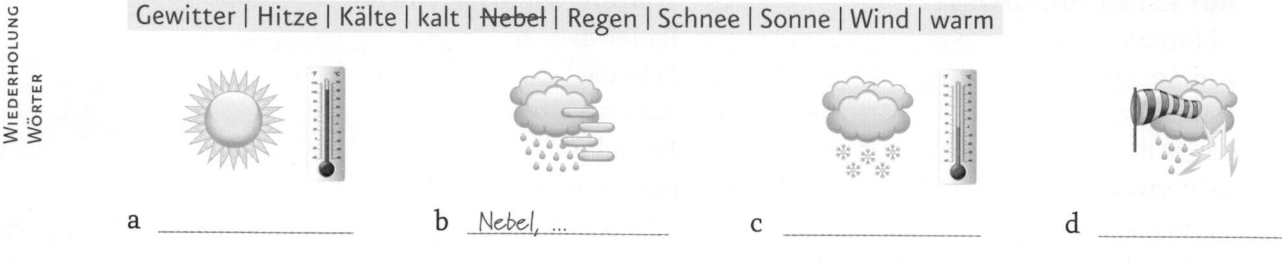

a ________ b Nebel, ... c ________ d ________

KB 3 **2** **Ein Anruf aus dem Urlaub. Ordnen Sie zu.**

STRUKTUREN

ärgern | gefreut | ~~gesprochen~~ | interessierst | Lust | spreche | zufrieden | träume

▲ Hallo Monika! Was für eine Überraschung! Seid ihr nicht in Urlaub? Gerade gestern haben wir über euch gesprochen (a).
■ Doch, wir sind noch in Schweden.
▲ Ich ________ (b) schon lange von einem Urlaub dort. Wie ist das Wetter?
■ Wunderbar. Es ist ziemlich heiß. Wir sind total ________ (c) mit dem Wetter. Wir ________ (d) uns nur manchmal über die Mücken. Wir haben überhaupt noch keine ________ (e) auf die Stadt. Deshalb wollen wir noch eine Woche länger bleiben. Du ________ (f) dich doch für Klavierkonzerte, oder?
▲ Ja, warum fragst du?
■ Wir haben fürs Wochenende Konzertkarten. Und eigentlich haben wir uns auch schon lange auf das Konzert ________ (g), aber nun sind wir ja gar nicht da. Möchtest du vielleicht die Karten?
▲ Oh ja, gern. Vielen Dank!
■ Holst du die Karten bei Mika ab? Dann ________ (h) ich heute noch mit ihm.

KB 3 **3** **Markieren Sie in 2 und ergänzen Sie die Tabelle.**

STRUKTUREN ENTDECKEN

mit	über	auf	von	für
	sprechen			

KB 3 **4** **In der Kantine. Ergänzen Sie die Präpositionen.**

STRUKTUREN

▲ Hallo Florian, hier ist noch Platz. Wir sprechen gerade über (a) unseren Urlaub.
■ Nächste Woche geht's los, oder?
● Ja, endlich! Ich freue mich besonders ______ (b) das Meer und ______ (c) lange Wanderungen an der Küste.
■ Klingt gut. ______ (d) Sommer am Meer habe ich in diesem Winter auch oft geträumt.
▲ Ja, der war ganz schön lang. Ich habe total Lust ______ (e) Sonne, Strand und Meer. Du warst doch auch gerade im Urlaub, oder?
■ Ja, letzten Monat in Bulgarien. Das war toll. Es gibt dort unglaublich viele Kirchen, und ich interessiere mich doch so sehr ______ (f) Archäologie. Und ______ (g) dem Wetter waren wir auch total zufrieden. Es war nicht zu heiß und nicht zu kalt. Aber wir haben uns ______ (h) unser Auto geärgert. Wir hatten Probleme mit dem Motor. Der Wagen war eine Woche in der Werkstatt.

BASISTRAINING

KB 3 **5** **Akkusativ oder Dativ? Kreuzen Sie an.**

STRUKTUREN

■ Herr Sanmann, was kann ich für Sie tun? Haben Sie einen angenehmen Aufenthalt?
▲ Nein, leider nicht. Ich möchte mich beschweren. Wir haben uns letzte Nacht über ⊗ die Gäste ○ den Gästen (a) in Zimmer 10 geärgert. Sie haben die ganze Nacht laut Musik gehört.
■ Oh, das tut mir leid. Ich kümmere mich darum und spreche mit ○ die Gäste ○ den Gästen (b) über ○ das Problem. ○ dem Problem. (c)
▲ Das wäre sehr nett. Wir haben uns so sehr auf ○ eine ruhige Woche ○ einer ruhigen Woche (d) in Ihrem Hotel gefreut.
■ Ich kann Ihnen aber auch ein anderes Doppelzimmer anbieten.
▲ Ach nein. Eigentlich sind wir sehr zufrieden mit ○ das Zimmer. ○ dem Zimmer. (e) Wir haben einen wunderbaren Blick auf den See.

KB 3 **6** **Ergänzen Sie.**

STRUKTUREN

a Bist du zufrieden mit dem Wetter? (das Wetter)
b Er ärgert sich oft ______________________. (seine Kollegen)
c Wir träumen ______________________ in der Karibik. (ein Urlaub)
d Wann hast du zuletzt ______________ gesprochen? (er)
e Meine Mitbewohnerin interessiert sich sehr ______________________. (unser Garten)

KB 3 **7** **Schreiben Sie fünf Satzanfänge.**
Sagen Sie Ihre Satzanfänge, Ihre Partnerin / Ihr Partner ergänzt den Satz.

Ich bin zufrieden ...
Ich träume oft ...
Meine Mutter ärgert sich oft ...
Ich habe keine Lust ...
Ich spreche überhaupt nicht gern ...

Ich bin zufrieden mit meiner Arbeit.

KB 4 **8** **Ordnen Sie zu.**

STRUKTUREN

An wen | ~~Auf wen~~ | Daran | Darauf | Davon | Von wem | Woran | Worauf | Wovon

a ■ Auf wen freust du dich? ▲ Auf meinen Großvater. Ich besuche ihn morgen.
b ■ ______________ freust du dich? ▲ Auf unsere Reise ins Gebirge. ______________ freue ich mich schon sehr.
c ■ ______________ denkst du? ▲ An meine Kindheit. ______________ denke ich immer gern.
d ■ ______________ denkst du? ▲ An meinen Sohn.
e ■ ______________ träumst du? ▲ Von meiner Traumfrau.
f ■ ______________ träumst du? ▲ Von einem Sportwagen. ______________ träume ich schon lange.

BASISTRAINING

KB 4 **9** **Ergänzen Sie.**

STRUKTUREN

a ■ Bist du zufrieden mit deinem neuen Job?
▲ Im Gegenteil! Ich ärgere mich ____________. Die Arbeit ist langweilig und die Kollegen sind unfreundlich.

b ■ Was wollen wir am Wochenende machen? ____________ hast du Lust?
▲ ____________ eine Radtour. Wir könnten nach Lüneburg fahren.
■ Ja, das ist eine gute Idee. ____________ habe ich auch Lust. Wie wird denn das Wetter?

c ▲ ____________ hast du denn so lange telefoniert?
■ ____________ meiner Mutter. Wir haben ____________ ihren Umzug gesprochen. Morgen treffe ich mich ____________ ihr. Dann packen wir die letzten Sachen.

KB 5 **10** **Ordnen Sie zu.**

WÖRTER

feuchter | Hauptstadt | ~~hohe~~ | niedrige | Regen | Temperaturen | trocken | Wüstengebieten

KLIMA WELTWEIT – HEUTE: KASACHSTAN

In Kasachstan gibt es im Sommer sehr hohe (a) und im Winter sehr ________________ (b) ________________ (c). Astana ist die zweitkälteste ________________ (d) der Welt. Die Durchschnittstemperatur liegt im Winter bei –15°C. Es kann aber auch nachts Frost mit bis zu –40°C geben. Die Luft ist sehr ________________ (e) und es gibt kaum Niederschläge. Vor allem in den ________________ (f) fällt nur wenig ________________ (g). Nur im Gebirge im Südosten kann es im Frühling etwas ________________ (h) werden. Hier liegen die Niederschläge bei 1000 mm.

KB 6 **11** **Pech mit dem Urlaubswetter**

KOMMUNIKATION

a Ordnen Sie zu.

~~es hat leider nur geregnet~~ | es war leider gar nicht | Normalerweise regnet es | Typisch sind außerdem ein Wechsel aus | Typisch sind Temperaturen | waren viel höher als sonst | zu der Jahreszeit stürmisch

Thema: Pech mit dem Urlaubswetter **17. März**

Hi Leute,
hattet ihr auch schon mal Pech mit dem Wetter in eurem Urlaub? Ich war zwei Wochen in Kenia und es hat leider nur geregnet (1). ________________________ (2) im Februar nur selten. ________________________ (3) bis zu 30 Grad und viel Sonnenschein. Da hat sich der Flug auf den afrikanischen Kontinent leider gar nicht gelohnt. **Alice 17**

Ich war im Herbst in Dänemark an der Westküste. Wir haben in einem Ferienhaus nicht weit vom Strand gewohnt und haben uns auf typisches Herbstwetter gefreut. Normalerweise ist es ________________________ (4). ________________________ (5) Schauern, Wolken und Sonne. Doch wir hatten Pech. Die Temperaturen ________________________ (6) und ________________________ (7) windig. **Wiebke**

SCHREIBEN

b **Schreiben Sie nun selbst einen Forumstext. Machen Sie zuerst Notizen zu den Fragen. Wo waren Sie? Wie war das Wetter? War das Wetter typisch für die Jahreszeit?**

TRAINING: HÖREN

1 Was passt zusammen? Ordnen Sie zu.

a um 14.15 Uhr
b Regen
c kalt
d ein Radiokonzert
e etwas findet nicht statt
f öffentliche Verkehrsmittel

1 nicht warm / niedrige Temperaturen
2 etwas wird abgesagt
3 z. B. Bus, S-Bahn oder U-Bahn
4 um Viertel nach zwei
5 eine Musiksendung
6 Niederschläge / Schauer

TIPP
Sie haben Probleme bei Informationen aus dem Radio? In den Aufgaben stehen oft andere Wörter als in den Radiobeiträgen. Lesen Sie die Aufgaben und überlegen Sie: Wie kann man das anders sagen?

▶ 2 16–19

2 Informationen aus dem Radio: Was ist richtig? Hören Sie und kreuzen Sie an. Sie hören jeden Text einmal.

a Wie wird das Wetter morgen?
- ◯ Die Sonne scheint.
- ◯ Es regnet.
- ◯ Es gibt Hagelschauer.

b Welche Informationen gibt es zu dem Konzert am Freitag?
- ◯ Das Konzert findet am Freitag etwas später statt.
- ◯ Das Konzert findet am Freitag nicht statt.
- ◯ Es gibt keine Karten mehr für das Konzert am Freitagabend.

c Was kommt heute Abend nach den Nachrichten?
- ◯ Ein Krimi.
- ◯ Eine Sendung mit Ihren Lieblingssongs.
- ◯ Ein Konzert.

d Wie können Sie morgen ins Stadtzentrum kommen?
- ◯ Mit dem Bus, der S-Bahn oder der U-Bahn.
- ◯ Mit dem Auto.
- ◯ Gar nicht.

TRAINING: AUSSPRACHE *der Konsonant „h"*

▶ 2 20

1 Hören Sie. In welchen Wörtern hören Sie „h"? Markieren Sie und ergänzen Sie die Regel.

a Eis – heiß | ach – hoch | aus – Haus
b Glühwein | Jahreszeit | fahren | Oh!

REGEL
lang | darf | gesprochen
Am Wort- und am Silbenanfang wird „h" ____________. Außerdem macht „h" Vokale ____________. Man ____________ „h" dann nicht sprechen.

▶ 2 21

2 Hören Sie noch einmal die Wörter in 1 und sprechen Sie nach.

▶ 2 22

3 Hören Sie und sprechen Sie nach.

a Bei Hitze gehe ich nicht aus dem Haus.
b Im Herbst schon Ski fahren – ach nein!
c Ah, ist das heiß! Da will ich Eis!
d In der kalten Jahreszeit trinkt man gern Glühwein.

TEST

1 Das Wetter in Norddeutschland. Ordnen Sie zu.

WÖRTER

Hauptstadt | Hagel | ~~Hitze~~ | Niederschläge | Jahreszeit | Temperaturen | Frost

Nach der *Hitze* (a) an Ostern ist nun ein Tief auf dem Weg nach Norddeutschland. Es bringt starke ________________ (b) mit Gewittern und ________________ (c). Die ________________ (d) liegen bei nur fünf bis zehn Grad. Am Wochenende kann es in der Nacht auch ________________ (e) geben. Das Wetter in der ________________ (f) ist Anfang nächster Woche zu kühl für diese ________________ (g).

_ / 6 PUNKTE

2 Ergänzen Sie die Präpositionen und die Endungen.

STRUKTUREN

a ■ Es ist so kalt heute. Jetzt freue ich mich *auf* ein*en* heißen Tee.
 ▲ Und ich habe große Lust ______ ein___ Suppe .
b ■ Bist du zufrieden ______ dein___ Job?
 ▲ Ja, meistens schon. Nur heute habe ich mich ______ mein___ Chef geärgert.
c ■ Hast du schon ______ Tamara __________ d___ Urlaub gesprochen?
 ▲ Nein, aber ich treffe mich am Sonntag ______ ihr.

_ / 5 PUNKTE

3 Ergänzen Sie.

STRUKTUREN

a ■ *Worüber* ärgerst du dich? ▲ Ich habe die Prüfung nicht bestanden. __________ ärgere ich mich sehr.
b ■ __________ interessiert er sich? ▲ Für Eishockey.
c ■ __________ freut ihr euch? ▲ Auf unsere Hochzeit, wir heiraten in fünf Wochen.
d ■ __________ träumst du? ▲ Von Maximilian, ich finde ihn so toll.

_ / 4 PUNKTE

4 Ordnen Sie zu.

KOMMUNIKATION

es ist feucht | bald wärmer | es wieder Frost | ganz normal | nicht höher und nicht niedriger | das typisch

■ Was für ein Wetter! Die letzten Tage war es sehr heiß und morgen soll ________________ (a) geben. Ist ________________ (b) für diese Jahreszeit?
▲ Ja, das ist ________________ (c). Die Temperaturen sind ________________ (d) als früher.
■ Aber wir haben April!
▲ Und der macht, was er will! Das Wetter wechselt normalerweise häufig: Es ist heiß, es ist kalt, ________________ (e) und dann wieder trocken.
■ Dann hoffe ich, dass es ________________ (f) wird.

_ / 6 PUNKTE

Wörter		Strukturen		Kommunikation	
●	0–3 Punkte	●	0–4 Punkte	●	0–3 Punkte
●	4 Punkte	●	5–7 Punkte	●	4 Punkte
●	5–6 Punkte	●	8–9 Punkte	●	5–6 Punkte

www.hueber.de/menschen

LERNWORTSCHATZ

1 Wie heißen die Wörter in Ihrer Sprache? Übersetzen Sie.

Wetter
Eis das ______
Gebiet das, -e ______
Hauptstadt die, ¨-e ______
Hitze die ______
Jahreszeit die, -en ______
Kälte die ______
Kontinent der, -e ______
Temperatur die, -en ______
Trockenheit die ______
Tropfen der, - ______
Regentropfen der, - ______
Wärme die ______

eisig ______
feucht ______
heiß ______
hoch ______
niedrig ______
trocken ______
typisch ______

mittler- ______

Weitere wichtige Wörter
Gegenteil das, -e ______
Im Gegenteil! ______
Quatsch! ______

ärgern über (sich), hat sich geärgert ______
denken an, hat gedacht ______
freuen auf (sich), hat sich gefreut ______
interessieren für (sich), hat sich interessiert ______
Lust haben auf, hat Lust gehabt ______
sprechen über/mit, du sprichst, er spricht, hat gesprochen ______
träumen von, hat geträumt ______
treffen mit (sich), du triffst dich, er trifft sich, hat sich getroffen ______
zufrieden sein mit ______

weit ______

normalerweise ______

TIPP
Lernen Sie Nomen und Adjektiv zusammen.

die Hitze – heiß

die Kälte – kalt

2 Welche Wörter möchten Sie noch lernen? Notieren Sie.

______
______
______
______
______
______
______

WIEDERHOLUNGSSTATION: WORTSCHATZ

1 Im Hotel. Bilden Sie Wörter und notieren Sie die Wörter mit Artikel.

fe | Dop | ~~raum~~ | Sau | Re | platz | mer | tion | Ki | renz | ~~Früh~~ | pel | ~~stücks~~ | zim | zep | Park | osk | na | Kon | raum

Hier kann man ...

a am Morgen etwas essen: der Frühstücksraum
b zu zweit schlafen: ______
c ein Zimmer buchen: ______
d Autos parken: ______
e einkaufen: ______
f sich erholen. Es ist sehr heiß dort: ______
g Geschäftspartner treffen: ______

2 Ergänzen Sie die Wörter und lösen Sie dann das Rätsel.

Julian macht mit seiner Familie Urlaub auf der Insel Rügen. Wie sind sie dorthin gekommen? Mit der F _ _ _ _ _ _. (AE = Ä)

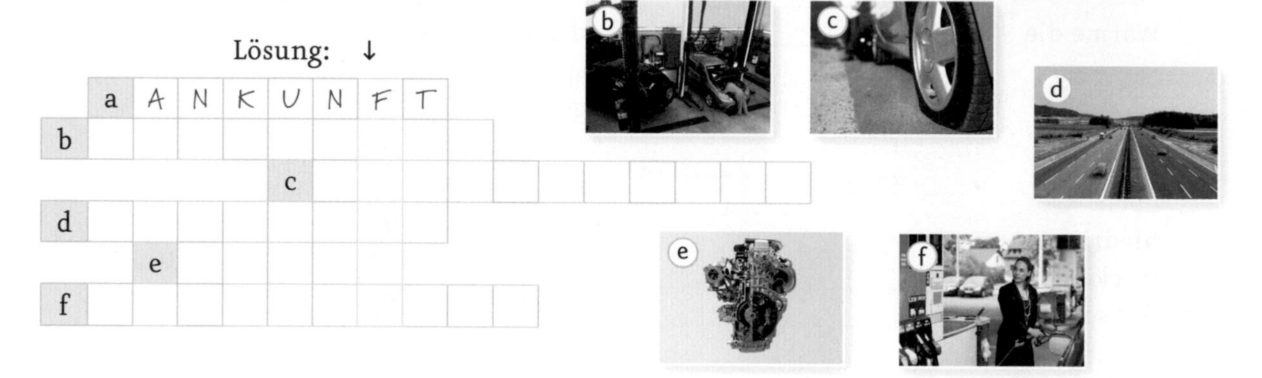

3 Ordnen Sie zu.

Jahreszeit | Eis | Temperaturen | ~~Hitze~~ | Kontinent | Trockenheit

Gesundheit: So bleiben Sie bei der Hitze (a) fit!

______ (b) im November: Noch nie hat es so wenig geregnet!

Regen, Regen, Regen: Für die ______ (c) ist es viel zu feucht!

Winteranfang mit Schnee und ______ (d)!

SCHÖNES WOCHENENDE: BLAUER HIMMEL UND ______ (E) BIS 25 GRAD!

Heftige Stürme mit Hagel und Schauer auf dem europäischen ______ (f)!

4 Ordnen Sie zu.

~~habe große Lust~~ | treffe ich mich | Euch sprechen | interessiert sich nur | freue mich

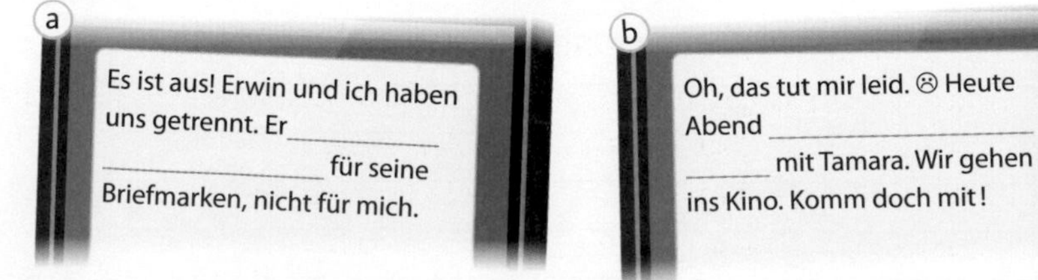

c Gute Idee. Ich habe große Lust auf Kino und würde gern mit ______. Ich ______ auf den Abend!

WIEDERHOLUNGSSTATION: GRAMMATIK

1 Ein Zugticket kaufen

a Lesen Sie das Formular und ordnen Sie die Fragen zu.

Wann möchte man fahren? ② – Wie viele Personen brauchen eine Fahrkarte? ○ – Wann kommt man an? ○ – Ist man Erwachsener oder Kind? ○ – Wohin möchte man fahren? ○

Home | Suche

① von: Berlin
nach: ______
② Abfahrt: ______
③ Ankunft: ______
④ Personen: ○ Erwachsener Zahl ______
○ Kind bis 14 Jahre Zahl ______ ⑤

Suchen

b Ergänzen Sie die Sätze aus a.

1 Hier muss man schreiben, wohin man fahren möchte.
2 Hier muss man schreiben, ______.
3 Hier steht, ______.
4 Hier muss man ankreuzen, ______.
5 Hier muss man schreiben, ______.

2 Ergänzen Sie die Präpositionen und Artikel, wo nötig.

Endlich! Der Sommer kommt!
Wenn Sie in (a) Berlin wohnen, können Sie sich freuen. Denn in der (b) Hauptstadt scheint heute den ganzen Tag die Sonne und es ist bis zu 30 Grad heiß. ______ (c) Küste ist es windig. Achtung: Am Abend kann es ______ (d) Osten Gewitter geben.

Ferien in Bayern
Zum Ferienbeginn hat es ______ (e) Autobahn mehrere Unfälle gegeben. ______ (f) österreichischen Grenze haben die Autofahrer mehrere Stunden gewartet.

Deutsche Urlaubstrends
Die Deutschen fahren am liebsten ______ (g) Spanien, Italien oder ______ (h) Türkei. 30 Prozent bleiben ______ (i) Land. Sie reisen ______ (j) Küste oder ______ (k) Süden ______ (l) Gebirge.

3 Ärger an der Rezeption. Ergänzen Sie *wo(r)...*, *da(r)...* oder eine Präposition.

■ Ich möchte bitte mit (a) Ihrem Chef sprechen.
▲ Oh, tut mir leid. Der Chef ist im Moment nicht da. ______ (b) möchten Sie denn ______ (c) ihm sprechen? Vielleicht kann ich Ihnen ja helfen.
■ Ich bin ______ (d) meinem Zimmer überhaupt nicht zufrieden. Ich habe ein Nichtraucherzimmer reserviert, aber habe ein Raucherzimmer bekommen.
▲ Ich verstehe, dass Sie sich ______ (e) ärgern. Das tut mir leid. Sie bekommen natürlich ein anderes Zimmer. Ich kümmere mich gleich ______ (f).

SELBSTEINSCHÄTZUNG Das kann ich!

Ich kann jetzt ...

... im Hotel ein Zimmer buchen: L16

■ Ich hätte gern ___________________________________.
▲ Darf ich fragen, wie lange ___________________________________?

... im Hotel um Informationen bitten: L16

● Guten Tag, kann ____________ Ihnen ______________?
◆ Ja. Ich ____________________ wissen,
___________________________________? (wann – Frühstück?)

... Gefallen/Missfallen ausdrücken: L17

Die Kirche __________ int____________ aus.
Ist das nicht spa______________?

Das ist w______________ ä________________!
Das k________ m______ doch n____________ machen.

... über das Wetter sprechen: L18

■ __________ ist das Wetter heute?
▲ Nicht so toll. Es ______________. / Es ______________.

Ich kenne ...

... 6 Wörter zum Thema Hotel: L16

____

... 10 Dinge auf Reisen: L17

____

... 10 Wörter zum Thema „Wetter": L18

So mag ich das Wetter: ___________________________________
So mag ich das Wetter nicht: ___________________________________

Ich kann auch ...

... höfliche Fragen stellen: L16

Wie lange möchten Sie bleiben?
Darf ich fragen, ___________________________________?
Haben Sie noch ein Zimmer frei?
Ich würde gern wissen, ___________________________________.

... die Lage von Dingen und die Richtung angeben (lokale Präpositionen): L16

Gehen Sie ______ Frühstücksraum __________!

Gehen Sie ________ die Glastür!

Die Sauna liegt __________________ vom Schwimmbad.

SELBSTEINSCHÄTZUNG Das kann ich!

... sagen, wohin ich reise und wo ich war/bin. (Wechselpräpositionen): L17
Diesmal wollen wir ____________ Meer fahren.
Wenn alles gut läuft, sind wir in vier Wochen ______ Bergen.

... sagen, worauf ich mich freue / wovon ich träume ... (Verben mit Präpositionen): L18
Ich freue mich ______________________.
Ich träume ______________________.

... fragen, wofür sich jemand interessiert ...
(Verben mit Präpositionen: Fragen und Präpositionaladverbien): L18
▲ __________ interessierst du dich?
■ ______ Fußball. ____________ interessiere ich mich besonders.

Üben / Wiederholen möchte ich noch:

____

RÜCKBLICK

Wählen Sie eine Aufgabe zu Lektion 16 ____________

1 Ein Tag im Hotel
Sehen Sie noch mal den Plan auf der Aktionsseite im Kursbuch auf Seite 164 an.
Sie sind einen Tag in diesem Hotel. Was machen Sie? Notieren Sie.

Urlaubsort	Wo sind Sie?	Was machen Sie?
am Morgen	im Frühstücksraum	lange frühstücken
am Vormittag		
am Mittag		
am Nachmittag		
am Abend		

2 Ihr Lieblingshotel / Das perfekte Hotel
Beschreiben Sie Ihr Lieblingshotel oder wie ein perfektes Hotel sein soll. Machen Sie Notizen. Schreiben Sie dann einen Text.

Mein Lieblingshotel ist im Stadtzentrum von Regensburg. Es ist sehr klein und schön. Es gefällt mir sehr gut.

Wo (Stadt/Land)? Deutschland, Regensburg
Wo liegt es? im Stadtzentrum
Was gibt es (nicht)? keinen Fitnessraum, aber große Zimmer, Blick über Regensburg
Wie ist das Hotel eingerichtet? gemütliche alte Möbel, Himmelbetten
Was gefällt Ihnen besonders? jedes Zimmer ist anders

RÜCKBLICK

Wählen Sie eine Aufgabe zu Lektion 17

1 Lesen Sie noch einmal das Reisetagebuch im Kursbuch auf Seite 96. Beantworten Sie die Fragen mit Stichpunkten.

a Warum verreisen Paul und Simone so gern mit dem Motorrad?
schnell Kontakt zu Menschen haben

b Was für ein Problem haben Paul und Simone gleich am Anfang?

c Wie lange dauert die Reise durch Deutschland, Österreich und Ungarn?

d Wo liegt das Dorf Săpânta?

e Was hat Paul in Viseu de Sus gekauft?

2 Ihr Tagebuch

a Machen Sie Notizen über drei Tage.

Tag	Das war schön / interessant / lustig / hat Spaß gemacht.	Das war anstrengend / unangenehm.	Das war ärgerlich!
Donnerstag	*mit einer Freundin auf Deutsch gechattet*	*Winterreifen gewechselt*	

b Schreiben Sie dann einen Text.

Donnerstag
Am Vormittag habe ich mit einer Freundin aus Deutschland auf Deutsch gechattet. Das hat Spaß gemacht. Es war das erste Mal, sonst sprechen wir immer Englisch. Dann habe ich endlich meine Winterreifen gewechselt.

Wählen Sie eine Aufgabe zu Lektion 18

1 Wie ist das Wetter in den deutschsprachigen Ländern? Lesen Sie noch einmal den Text im Kursbuch auf Seite 101 und ordnen Sie zu.

Dauerfrost | eisige Temperaturen | ~~feucht~~ | Hitze | Kälte | mittlere Temperaturen | Niederschlag | Regentropfen

Bei Westwind: *feucht,*
Bei Ostwind:

2 Wie ist das Wetter in Ihrem Heimatland, ...? Ergänzen Sie die Tabelle.

	Im Frühling	Im Sommer	Im Herbst	Im Winter
..., wenn es schön ist?				
..., wenn es nicht so schön ist?				

ALTE FREUNDE, NEUE FREUNDE

Teil 2: Kommst du auch?

„Wisst ihr was?", fragt Mara. „Wir rufen Diogo an und laden ihn zur Ausstellung ein."

„Die ist aber schon in drei Tagen. Und Diogo ist in Brasilien", sagt Max.

„Das schafft er schon noch. Ina würde sich sehr freuen."

Es ist der Tag nach Weihnachten. Mara, Max, Ralf und Bernd sitzen im Wohnzimmer.

Ina ist nicht da, sie bereitet ihre Ausstellung vor.

„Vielleicht will Diogo gar nicht kommen", meint Bernd.

„Das sehen wir dann schon. Jetzt rufen wir ihn erst mal an. Wer hat seine Nummer?"

„Ich nicht."

„Ich auch nicht ..."

„Ich habe Diogo als Skype-Kontakt", sagt Bernd. „Hoffentlich ist er gerade online."

Er macht sein Notebook an.

„Ja, Glück gehabt. Ich rufe ihn gleich an."

Man sieht Diogo auf dem Bildschirm.

„Hallo Diogo ... Frohe Weihnachten!", sagt Bernd.

„Hallo, schön, dass ihr mich anruft! Euch auch frohe Weihnachten! Wartet mal ... eins, zwei, drei, vier ... ich kann Ina nicht sehen."

„Sie ist nicht hier."

„Schade."

„Wir rufen aber wegen Ina an", sagt Ralf. „Sie hat eine große Ausstellung hier in Dresden."

„Ja, sie hat mir davon geschrieben. Finde ich toll!"

„Ina würde sich sehr freuen, wenn du auch zur Ausstellung kommst."

„Sie hat mir nichts gesagt ..."

„Aber uns. Sie redet dauernd von dir."

„Es wäre natürlich toll, wenn ich Ina wiedersehe ..."

„Ich schaue gleich im Internet nach, ob es noch einen Flug gibt", sagt Bernd. „Ja, hier: Du kommst damit um 17 Uhr in Dresden an. Um 19 Uhr beginnt die Ausstellung. Ich schicke dir den Link."

Diogo sieht sich den Flug an. „Ja, das würde gehen. Aber ich weiß nicht ..."

„Ina würde sich wirklich freuen ..."

„Hmm ... also gut, ich mache es."

„Toll! Aber kein Wort zu Ina", sagt Mara. „Das ist eine Überraschung. Und nimm dir warme Kleidung mit."

„Warum? Ist es kalt bei euch?"

„Fünf Grad minus. Und es schneit."

„Oh ... Bei uns scheint die Sonne. Ich sitze im T-Shirt im Garten."

„Oh Mann, im Garten sitzen ... und einen Caipirinha trinken", sagt Max. „Wollen wir es nicht andersrum machen? Diogo bleibt in Brasilien und wir alle besuchen ihn."

„Gute Idee!" Bernd lacht. „Buchen wir gleich den Flug ..."

„Welchen Flug wollt ihr buchen?" Ina ist zurückgekommen.

„Oh, keinen ..." Bernd macht schnell das Notebook zu. „Wir haben nur darüber geredet ... äh ... wohin wir nächsten Sommer in Urlaub fahren wollen."

„Oh nein, darüber reden wir jetzt nicht", sagt Ina. „Ich will ruhige Weihnachten haben."

Wohin gehen wir heute?

KB 3 **1 Ergänzen Sie.**

Wörter

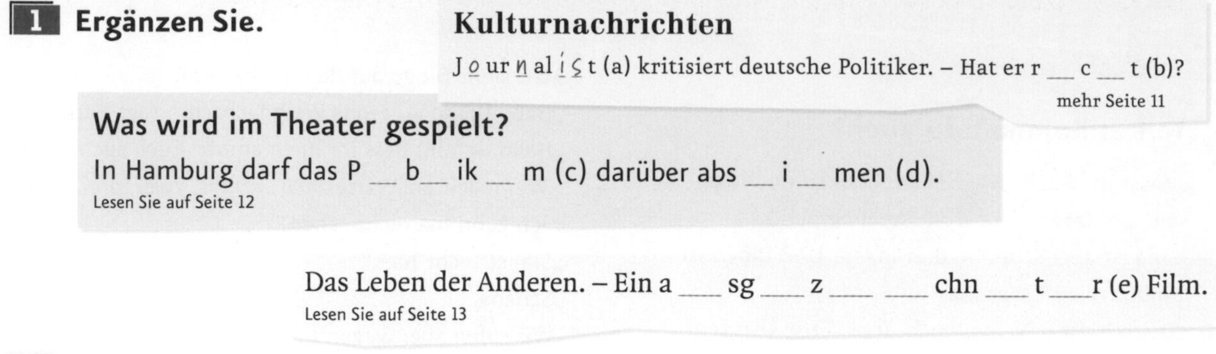

KB 3 **2 Woher?**

Strukturen entdecken

a Markieren Sie die Nomen mit Präpositionen.

1 Peter kommt in einer Stunde vom Sport.
2 Die Frau mit dem schicken Kleid kommt bestimmt gerade aus dem Theater.
3 Ich habe Grippe. Ich komme gerade vom Arzt.
4 Herr Müller kommt in einer halben Stunde vom Essen zurück.
5 Ich komme gerade von der Sekretärin. Sie hat mir die Post mitgegeben.
6 Als ich aus der Bäckerei gekommen bin, habe ich Klaus getroffen.

b Ergänzen Sie die Tabelle mit den Wörtern aus a.

	Woher?
Orte	
Aktivitäten	vom Sport,
Personen	

KB 3 **3 *Woher?* Ergänzen Sie *aus* oder *von* und den Artikel, wo nötig.**

Strukturen

Woher kommst du gerade?

a von Paul
b ______ ______ Haus
c ______ ______ Stadtführung
d ______ ______ Freundin meines Bruders
e ______ Ausflug
f ______ Arzt
g ______ ______ Schwimmbad
h ______ ______ Hochzeitsreise
i ______ ______ Supermarkt
j ______ Schwimmen

KB 3 **4 *Wo* oder *Wohin*? Ordnen Sie zu.**

Strukturen entdecken

bei der | zur | beim | in den | ~~in der~~ | zum | bei den | zu den

	Wo?	Wohin?
Orte	in der Werkstatt	______ Konferenzraum
Aktivitäten	______ Rauchen	______ Schwimmen ______ Beratung
Personen	______ Schwiegertochter ______ Leuten	______ Freunden

KB 3 **5** ***Wo* oder *wohin*? Ergänzen Sie *bei*, *in* oder *zu* und den Artikel, wo nötig.**

STRUKTUREN

	Petra ist …	Petra geht …
a	bei ihrer Freundin.	___ ihr___ Freundin.
b	___ Joggen.	___ Joggen.
c	im Konferenzraum.	___ ___ Konferenzraum.
d	___ Schwimmbad.	___ Schwimmbad.
e	___ ein___ Veranstaltung.	___ ein___ Veranstaltung.
f	___ Arzt.	___ Arzt.
g	___ ein___ Lokal.	___ ein___ Lokal.

KB 3 **6** ***Wo*, *woher* oder *wohin*? Ergänzen Sie *aus*, *bei*, *in*, *von* oder *zu* und den Artikel, wo nötig.**

STRUKTUREN

■ Warst du bei deiner (a) Tante oder kommst du erst jetzt ___ ___ (b) Stadt?
▲ Ich komme ___ (c) Einkaufen. ___ (d) Tante Thea gehe ich morgen. Jetzt bin ich total müde. Ich glaube, ich kann heute nicht mehr ___ (e) Joggen gehen.
■ Das habe ich mir schon gedacht. Du warst doch bestimmt den ganzen Tag ___ (f) Kaufhaus.
▲ Na ja, ___ (g) anderen Geschäften war ich natürlich auch.
■ Was machen wir eigentlich heute Abend? Sollen wir ___ (h) Kino gehen oder möchtest du lieber ___ (i) Essen gehen?
▲ ___ (j) Essen waren wir doch gestern schon und ___ (k) Kino war ich erst letzte Woche. Lass uns ___ (l) Theater gehen.

KB 3 **7** **Schreiben Sie eine Liste mit je drei Orten, Personen und Aktivitäten. Ihre Partnerin / Ihr Partner ergänzt die Präpositionen und Artikel, wo nötig.**

Ich bin …
___ Kino
…

Ich gehe …
___ Freundin
…

Ich komme …
___ Deutschkurs
…

KB 5 **8** **Markieren Sie die Nomen. Ergänzen und vergleichen Sie.**

WÖRTER

EROPERASMUSICALBECLUBSZEZIRKUSSEKONZERTINBALLETTEN

Deutsch	Englisch	Meine Sprache oder andere Sprachen
a das Konzert	concert	
b	ballet	
c	opera	
d	musical	
e	circus	
f	club	

KB 5 WÖRTER

9 Was passt nicht? Streichen Sie das falsche Wort durch.

a einen Club – ein Geschäft – ~~einen Prospekt~~ eröffnen
b den Vorschlag – den Urlaub – die Ausstellung verlängern
c den Zug – das Auto – den Beginn von der Vorstellung verpassen
d ein klassisches – ausgezeichnetes – kulturelles Konzert hören
e ein beliebter – dringender – berühmter Künstler sein
f an einer kulturellen – geöffneten – öffentlichen Veranstaltung teilnehmen

KB 5 ▶ 2 23 HÖREN

10 Hören Sie fünf Veranstaltungstipps und ergänzen Sie die Informationen.

a Für die Oper „Carmen" im Stadttheater gibt es noch Karten.
b Die ______________ mit Landschaftsbildern wird verlängert.
c Bei der Vernissage kann man ______________ sehen.
d Das kulturelle Highlight der Woche ist die ______________.
An vielen verschiedenen Orten finden ______________ und ______________ statt.
e Am Sonntag findet im Zentrum ab 15 Uhr ein ______________ statt.

KB 6 KOMMUNIKATION

11 Ordnen Sie das Gespräch.

◯ Oh ja, lass uns zusammen weggehen.
◯ Das können wir ja danach immer noch machen.
◯ Ich würde lieber in den neuen Club gehen.
◯ Ich habe da einen Vorschlag. Am Samstag gibt es eine Lesung von Wladimir Kaminer.
◯ Also gut, dann lass uns zu der Lesung gehen.
◯ Unsinn! Eine Lesung mit Kaminer ist etwas Besonderes. Glaub mir, das lohnt sich.
① Wir könnten am Wochenende mal wieder etwas zusammen unternehmen. Hast du Lust?
◯ Eine Lesung? Das hört sich ja nicht so toll an.

KB 6 KOMMUNIKATION

12 Ordnen Sie zu.

Also | probier das | Schon gut | so negativ | kostenlos | gar nicht neugierig | ~~Lass uns~~ | du recht | bestimmt Spaß

■ Lass uns (a) doch mal in eine Karaoke-Bar gehen.
▲ ______________ (b), ich weiß nicht. Ich war noch nie in einer Karaoke-Bar.
■ Ich auch nicht. Aber das macht ______________ (c). Bist du denn ______________ (d)?
▲ Ich weiß nicht, ob ich singen kann.
■ Dann ______________ (e) doch mal.
▲ Ich glaube, ich singe wirklich schlecht.
■ Sieh das doch nicht ______________ (f). Die anderen können doch auch nicht singen. Deshalb ist es doch so lustig.
▲ Na ja. Vielleicht hast ______________ (g).
■ Außerdem ist der Eintritt ______________ (h).
▲ ______________ (i). Ich komme mit.

TRAINING: SPRECHEN

1 Ein Abend in der Stadt mit dem Deutschkurs

a Sie wollen mit Ihrer Partnerin / Ihrem Partner den Abend planen. Sammeln Sie vor dem Sprechen passende Sätze zu den Rubriken und schreiben Sie sie auf Kärtchen.

etwas gemeinsam planen | etwas vorschlagen | auf Vorschläge zögernd reagieren | einen Vorschlag ablehnen | jemanden überzeugen/begeistern | sich überzeugen lassen | zustimmen / sich einigen

jemanden überzeugen/begeistern
Das ist mal etwas anderes.

etwas gemeinsam planen
Wollen wir zuerst ...?

TIPP: Sie möchten nicht so viele Pausen beim Sprechen machen? Sammeln Sie vor dem Sprechen passende Sätze und schreiben Sie sie auf Kärtchen.

b Planen Sie nun den Abend zusammen mit Ihrer Partnerin / Ihrem Partner: Was wollen Sie mit dem Deutschkurs machen? Verwenden Sie Ihre Kärtchen aus a.

■ *Wollen wir zuerst etwas essen gehen?*
▲ *Ja, das ist eine gute Idee. Kennst du ein gutes Restaurant?*
...

TRAINING: AUSSPRACHE *Wörter aus anderen Sprachen*

▶ 2 24 **1 Hören Sie die Wörter auf Deutsch und Englisch. Wo ist der Wortakzent? Markieren Sie.**

Deutsch	Englisch	Meine Sprache oder andere Sprachen
der Club	club	
das Theater	theatre	
die Oper	opera	
der Zirkus	circus	
das Ballett	ballet	
das Konzert	concert	
das Café	café	
die Bar	bar	
die Jury (auch: Jury)	jury	
das Musical	musical	
das Restaurant	restaurant	

Kennen Sie diese Wörter auch aus Ihrer Sprache oder anderen Sprachen? Notieren Sie und markieren Sie den Wortakzent.

▶ 2 25 **2 Hören Sie noch einmal die deutschen Wörter in 1 und sprechen Sie nach.**

TEST

1 Ordnen Sie zu.

WÖRTER

beliebte | Club | kostenlos | Spaziergang | ~~Kulturelle~~ | Beginn | Publikum | klassische

Kulturelle (a) **Highlights am Sonntag – das dürfen Sie auf keinen Fall verpassen!**
Bürgerhaus: Lesung mit Walther Winkler. Der ________________ (b) Dichter liest aus seinem neuen Buch vor. ________________ (c) 19.30 Uhr.
Die Veranstaltung ist ________________ (d).
E.T.A.-Hoffmann-Theater: Heute Abend können Sie um 20 Uhr noch einmal das ________________ (e) Ballett „Romeo und Julia“ sehen.
Poetry Slam im Motown-________________ (f): Das ________________ (g) stimmt über den besten Text und das beste Lied ab.
St. Anna Kirche, 10 Uhr: ________________ (h) durch den Klostergarten.
Lernen Sie neue Kräuter kennen.

_ / 7 PUNKTE

2 Ergänzen Sie die Präpositionen *aus, bei/beim, im/in/ins, vom/von, zum.*

STRUKTUREN

a ■ Woher kommst du denn? Von (1) Michael?
▲ Ja, wir waren zuerst ______ (2) Schwimmen, dann sind wir noch ______ (3) eine Kneipe gegangen.
b ■ Ich war schon lange nicht mehr ______ (4) Theater.
▲ Ich auch nicht, wir gehen meistens ______ (5) Kino.
c ■ Es ist schon spät! Kommst du jetzt erst ______ (6) der Schule?
▲ Nein, ______ (7) Sport. Mittwochnachmittag habe ich doch immer Tennis.
d ■ Sollen wir uns um 17.30 Uhr ______ (8) Timo treffen?
▲ Das ist zu früh. Ich muss um 17.00 Uhr noch ______ (9) Arzt, 18.00 Uhr passt besser.

_ / 8 PUNKTE

3 Ordnen Sie zu.

KOMMUNIKATION

ist doch Unsinn | ich weiß nicht | hört sich wirklich interessant | probieren wir es | mal etwas Besonderes

■ Kommst du am Samstag mit zur „Langen Kunstnacht“? Es gibt total viele Veranstaltungen.
▲ Also, ________________ (a). Ich kann doch immer ins Museum gehen.
■ Aber das ist ________________ (b)! Die Museen haben bis 24 Uhr geöffnet, es gibt viele Führungen, tolle Konzerte, Vernissagen ... einfach alles!
▲ Aber ich bin abends immer so müde.
■ Das ________________ (c). Schlafen kannst du jeden Tag, die Kunstnacht ist nur einmal im Jahr.
▲ Schon gut, das ________________ (d) an.
Dann ________________ (e) doch mal.

_ / 5 PUNKTE

Wörter	Strukturen	Kommunikation
0–3 Punkte	0–4 Punkte	0–2 Punkte
4–5 Punkte	5–6 Punkte	3 Punkte
6–7 Punkte	7–8 Punkte	4–5 Punkte

www.hueber.de/menschen

LERNWORTSCHATZ

1 Wie heißen die Wörter in Ihrer Sprache? Übersetzen Sie.

Kultur
Beginn der ______
Club der, -s ______
Publikum das ______
Spaziergang der, ¨-e ______
Vorstellung die, -en ______

eröffnen, hat eröffnet ______
verlängern, hat verlängert ______
verpassen, hat verpasst ______

ausgezeichnet ______
beliebt ______
klassisch ______
kostenlos ______
A: auch: gratis
kulturell ______

jemanden überzeugen
lohnen (sich), hat sich gelohnt ______
probieren (etwas), hat etwas probiert ______

recht haben, hat recht gehabt ______
unternehmen (etwas), du unternimmst, er unternimmt, hat etwas unternommen ______
versuchen (etwas), hat etwas versucht ______
weg·gehen, ist weggegangen ______

negativ ______
neugierig sein ______
positiv ______
wahr sein ______

Na ja. ______
Schon gut. ______
Unsinn! ______

Weitere wichtige Wörter
Liebe, die ______

abstimmen ______
nennen ______

TIPP
Sie verstehen ein Wort nicht, zum Beispiel *ausgezeichnet*? Suchen Sie die Bedeutung im einsprachigen Wörterbuch. Notieren Sie Wörter mit gleicher oder ähnlicher Bedeutung.

aus|ge|zeich|net ['au̯sgət͜sai̯çnət] ⟨Adj.⟩: *sehr gut, hervorragend:* ausgezeichnete Zeugnisse; sie ist eine ausgezeichnete Lehrerin; er spielt ausgezeichnet Geige. *Syn.:* exzellent, klasse (ugs.), prima (ugs.), toll (ugs.), unübertrefflich.

2 Welche Wörter möchten Sie noch lernen? Notieren Sie.

______
______
______
______
______
______
______
______

Ich durfte eigentlich keine Comics lesen.

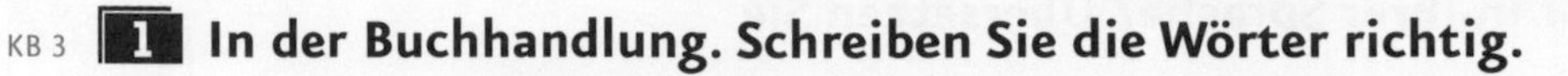

KB 3 **1** **In der Buchhandlung. Schreiben Sie die Wörter richtig.**

WÖRTER

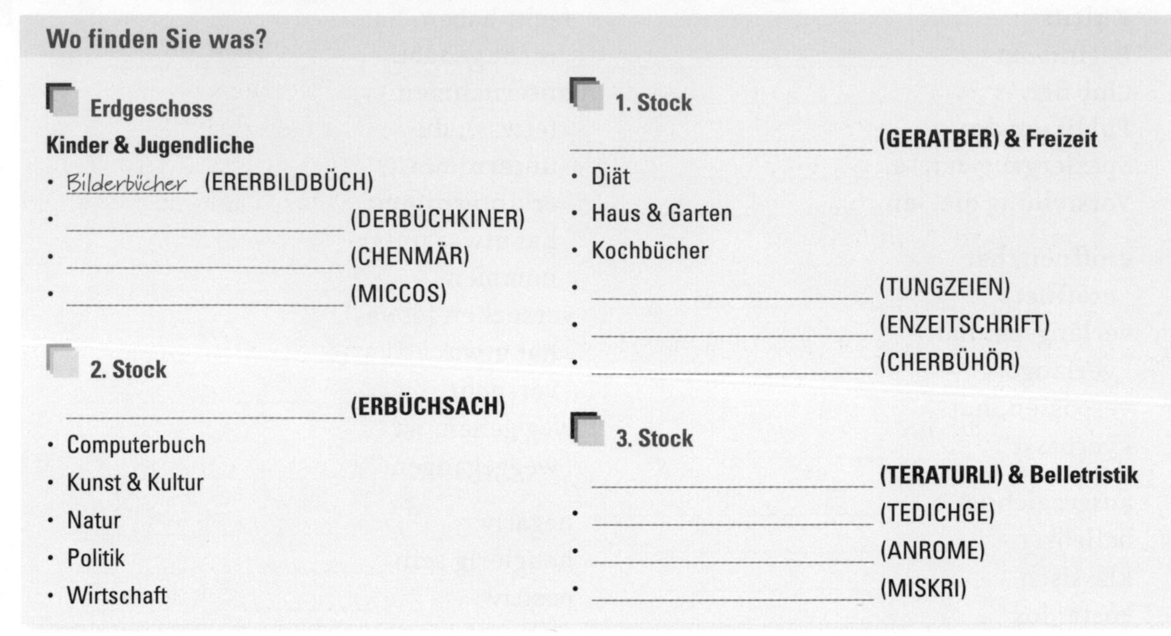

Wo finden Sie was?

Erdgeschoss

Kinder & Jugendliche

- Bilderbücher (ERERBILDBÜCH)
- ____________ (DERBÜCHKINER)
- ____________ (CHENMÄR)
- ____________ (MICCOS)

2. Stock

____________ **(ERBÜCHSACH)**

- Computerbuch
- Kunst & Kultur
- Natur
- Politik
- Wirtschaft

1. Stock

____________ **(GERATBER) & Freizeit**

- Diät
- Haus & Garten
- Kochbücher
- ____________ (TUNGZEIEN)
- ____________ (ENZEITSCHRIFT)
- ____________ (CHERBÜHÖR)

3. Stock

____________ **(TERATURLI) & Belletristik**

- ____________ (TEDICHGE)
- ____________ (ANROME)
- ____________ (MISKRI)

KB 3 **2** **Ergänzen Sie.**

WÖRTER

- Warum Sie sich keine Sorgen machen müssen, wenn Ihre Kinder nachts heimlich unter der B e t t de c k e (a) lesen.
- Warum A _ t _ re _ (b) wie J.K. Rowling und Enid Blyton bei Kindern so beliebt sind.
- Warum Sie Ihren kleinen Kindern möglichst oft G _ s _ _ i _ ht _ n (c) v _ r l _ sen (d) sollten.
- Wie Lesen bei Ihren Kindern zur festen Gewohnheit im Al _ t _ g (e) wird.

Das alles e _ f _ h _ en (f) Sie auf unseren Kinderliteraturseiten ab Seite 12.

KB 4 **3** **Wählen Sie ein Modalverb und ergänzen Sie in der richtigen Form.**

WIEDERHOLUNG STRUKTUREN

a Heute Abend gehe ich zu einer Lesung. Wollt (müssen – wollen – sollen) ihr auch mitkommen?
b Ich ____________ (können – mögen – sollen) keine Krimis.
c Hier in der Buchhandlung ____________ (dürfen – können – müssen) du kein Eis essen. Das ist verboten.
d Psychologen sagen, man ____________ (wollen – sollen – mögen) Kindern vorlesen. Es ist gut für sie.
e Meine Kinder gehen noch nicht in die Schule. Sie ____________ (mögen – dürfen – können) noch nicht lesen.
f Für unseren Literaturkurs ____________ (mögen – dürfen – müssen) wir bis zum nächsten Mal 500 Seiten von einem total langweiligen Autor lesen.

KB 4 **4 Was passt? Markieren Sie.**

STRUKTUREN

a Mochtest / Wolltest du früher keine Comics?
b Wenn ich nachts schlafen sollte / durfte, habe ich unter der Bettdecke gelesen.
c Durftet / Musstet ihr früher in der Schule auch so langweilige Bücher lesen?
d Leider wollte / sollte mein Vater mir nie eine Gutenachtgeschichte vorlesen.
e Mit spannenden Romanen konnten / mochten wir den langweiligen Alltag vergessen.
f Meine Eltern mussten / durften auf keinen Fall erfahren, dass ich heimlich Zombie-Filme angeschaut habe.

KB 4 **5 Ergänzen Sie die Endungen der Modalverben im Präteritum. Hilfe finden Sie in 4.**

STRUKTUREN ENTDECKEN

ich	mochte
du	soll_____
er/es/sie	muss_____

wir	durf_____
ihr	woll_____
sie/Sie	konn_____

KB 4 **6 Ergänzen Sie im Präteritum.**

STRUKTUREN

Mein großer Bruder konnte (können) (a) schon lesen, ich aber noch nicht. Das hat mich als kleines Kind sehr geärgert. Als ich dann endlich auch lesen _____________ (können) (b), _____________ (wollen) (c) ich am liebsten nichts anderes mehr machen.
Comics _____________ (mögen) (d) ich besonders gern.
Leider _____________ (müssen) (e) ich aber auch viel Hausaufgaben machen. Einmal _____________ (sollen) (f) wir eine Geschichte schreiben. Das hat mir großen Spaß gemacht. Alle Schüler _____________(dürfen) (g) die Geschichte in der Schule vorlesen. Meine hat vielen am besten gefallen. Von da an _____________(wollen) (h) ich Autor werden.

KB 4 **7 Ergänzen Sie *sollen, können, wollen, dürfen, müssen* oder *mögen* im Präteritum.**

STRUKTUREN

a Ich konnte schon mit fünf Jahren meinen Namen schreiben.
b _____________ ihr als Kind auch so gern Märchen?
c Wir _____________ als Kinder sonntags oft Verwandte besuchen. Das war immer total langweilig.
d Julia _____________ als kleines Kind nicht fernsehen. Ihre Eltern haben es verboten.
e Am liebsten _____________ ich Comics. Meine Eltern meinten aber, ich _____________ lieber Karl-May-Bücher lesen.
f Dirk war sehr gut im Sport. Deshalb _____________ er Profisportler werden.

KB 4 **8** **Schreiben Sie je einen Satzanfang mit *musste, konnte, wollte* und *durfte*. Ihre Partnerin / Ihr Partner ergänzt die Sätze.**

Heute Morgen musste ich ...
mich beeilen, weil ich zu spät aufgestanden bin.

Mit zehn Jahren konnte ich ...
Mit 15 wollte ich ...
An der Universität durfte ich ...
...

KB 5 **9** **Ordnen Sie zu.**

KOMMUNIKATION

Na ja | ich furchtbar | ehrlich gesagt langweilig | mich überhaupt nicht | großes Interesse daran | ich lese lieber | interessiert mich sehr | ~~und wie~~

LIEST DU AUCH SO GERNE HARRY-POTTER-ROMANE?

Antwort von pepe32:	Ja, und wie (a)!
Antwort von lila:	Nee, Harry Potter finde ich ________ (b).
Antwort von junimond:	________ (c), es geht.
Antwort von reader:	Sicher. Nicht nur Harry Potter, Fantasy-Literatur ________ (d).
Antwort von mila:	Fantasy-Romane finde ________ (e). So etwas interessiert ________ (f).
Antwort von paul18:	Nein, ________ (g) Computerzeitschriften. Interessieren euch die denn nicht?
Kommentar von pepe32:	Doch, ich habe auch ________ (h).

KB 6 **10** **Welche drei Bücher würden Sie auf eine einsame Insel mitnehmen? Warum? Machen Sie zuerst Notizen. Erzählen Sie.**

SPRECHEN

Bücher	Warum ist das Buch für eine einsame Insel gut? Nennen Sie für jedes Buch zwei Gründe.
1 Roman „Anna Karenina" von Leo Tolstoi	viel Zeit haben, Liebesroman mit vielen Seiten, romantisch
2 Ratgeber über Pflanzen	Man muss wissen, was man essen kann.
3	

Auf einer einsamen Insel hat man viel Zeit. Deshalb würde ich den Roman „Anna Karenina" von Leo Tolstoi mitnehmen. Das ist ein Liebesroman mit vielen Seiten. Außerdem ist das Buch sehr romantisch.

TRAINING: LESEN

1 Klassiker der Kinder- und Jugendliteratur

Lesen Sie die Fragen. Lesen Sie dann den Text. Wo steht die Information? Notieren Sie die Nummer(n) der passenden Zeile(n).

Klassiker der Kinder- und Jugendliteratur

Erich Kästner (1899–1974) /// **Das doppelte Lottchen** (1949)
Das doppelte Lottchen spielt in einem Kinderheim in den Alpen, wo Mädchen ihre Schulferien
ohne ihre Eltern verbringen können. Hier stehen sich die beiden neunjährigen Mädchen Luise
Palfy aus Wien und Lotte Körner aus München plötzlich gegenüber und denken: „Ich stehe
5 doch nicht vor einem Spiegel! Wieso sieht dieses Mädchen genauso aus wie ich?" Nach dem
ersten Schrecken werden die Mädchen gute Freundinnen und wollen wissen, warum die eine
genauso aussieht wie die andere. Sie erzählen sich von ihrer Vergangenheit, erfahren, dass sie
Schwestern sind, und machen Pläne für die Zeit nach der Reise. Sie wollen nämlich ihre Rollen
tauschen: Luise fährt als Lotte nach München und Lotte fährt als Luise nach Wien. Der Tausch
10 verändert das Leben in ihren Heimatorten. Denn die Mädchen sehen zwar gleich aus, sodass
zuerst niemand etwas merkt. Sie können aber unterschiedliche Dinge und sind auch sonst sehr
verschieden. Und so sorgen die Mädchen für viele Überraschungen.

		Zeile
a	Wo spielt die Geschichte?	____
b	Von wem erzählt die Geschichte?	____
c	Was überrascht die Mädchen, als sie sich das erste Mal sehen?	____
d	Was machen die Mädchen nach den Ferien?	____
e	Was passiert?	____

TIPP: Sie verstehen nicht jedes Wort? Das müssen Sie auch nicht. Lesen Sie zuerst die Aufgaben und dann den Text. Wo steht die Information?

TRAINING: AUSSPRACHE *Satzmelodie, Satzakzent*

▶ 2 26 1 Hören Sie die Gespräche und ergänzen Sie die Satzmelodie: ↘, ↗, →.

▲ Ah! Ich <u>lie</u>be Gedichte. ↘ Interessierst du dich <u>auch</u> dafür? ↗
■ Na ja, → es <u>geht</u>. ___
▲ Aber Gedichte sind doch <u>toll</u>! ___ Ich mag auch <u>Mär</u>chen. ___ Und du? ___
■ Märchen finde ich <u>furcht</u>bar. ___
▲ Warum keine <u>Mär</u>chen? ___ Ich glaube, ___ du <u>liest</u> nicht besonders gern. ___
■ <u>Nein</u>. ___ Lesen finde ich ehrlich gesagt <u>lang</u>weilig. ___ Ich mache lieber <u>Sport</u>. ___

▶ 2 26 2 Ordnen Sie zu. Hören Sie das Gespräch in 1 noch einmal und sprechen Sie dann. Achten Sie auch auf den Satzakzent.

REGEL

→ | ↗ | ↘

In Aussagen, W-Fragen und (emotionalen) Ausrufen geht die Satzmelodie am Ende nach unten: ____
In Ja-/Nein-Fragen und Nachfragen geht sie nach oben: ____
Wenn eine Aussage noch weitergeht, bleibt die Stimme gleich: ____

TEST

1 Bilden Sie Wörter und ordnen Sie zu.

WÖRTER

Zei | Kri | buch | Co | mi | Ge | ~~chen~~ | tung | buch | dicht | Bil | ~~Mär~~ | mics | Hör | der

a ■ Meine Großmutter hat mir früher viele Märchen erzählt.
▲ Meine auch. Am besten haben mir „Rotkäppchen" und „Der Froschkönig" gefallen.
b ■ Kann ich Ihnen helfen?
▲ Ja, ich suche ein schönes ______________ für meinen Neffen. Er ist zwei Jahre alt.
c ■ Mama, ich habe ein ______________ für Papa geschrieben: *Du bist ein Supermann, der einfach alles kann, du bist ...* ▲ Da wird er sich aber freuen!
d ■ Was wünscht sich dein Mann zum Geburtstag?
▲ Einen spannenden ______________. Am liebsten hätte er ein ______________, weil er nicht so gern liest.
e ■ Ich mag ______________. Die Texte sind kurz und man hat immer auch ein Bild dazu.
▲ Mir gefallen besonders Ausdrücke wie *rrrrrums, klirr, mampf, boing ...*
f ■ Hast du heute schon die ______________ gelesen?
▲ Nein, leider nicht. Ist etwas Besonderes passiert?

_/6 PUNKTE

2 Was ist richtig? Kreuzen Sie an und ergänzen Sie die richtige Form.

STRUKTUREN

a Der Chef war hier und ☒ wollte ○ konn___ dich sprechen.
b Tut uns leid. Wir sind zu spät. Wir ○ muss___ ○ durf___ zuerst unsere Hausaufgaben machen.
c Ich esse nicht gern Nudeln mit Thunfisch, den ○ soll___ ○ moch___ ich noch nie.
d ○ Moch___ ○ Konn___ du etwas über den Unfall erfahren?
e Was ○ woll___ ○ konn___ Sie schon immer einmal machen?
f Ihr ○ durf___ ○ soll___ doch euer Zimmer aufräumen!
g Leider habe ich die Prüfung nicht bestanden. Ich ○ woll___ ○ konn___ drei Fragen nicht beantworten.
h Meine Tochter ○ durf___ ○ konn___ als Kind nur mit Helm Fahrrad fahren.

_/7 PUNKTE

3 Was sagen die Personen? Ergänzen Sie.

KOMMUNIKATION

a Interessierst du dich für Autos? – (😐) _ i _ _ _ b _ s _ _ d _ _ s.
b Sollen wir am Wochenende in die Berge fahren? – (☹) Nein, Wandern f _ n _ _ ich l _ n _ _ _ i _ _ g.
c Kommst du mit zum Poetry Slam? – (☺) Ja, das i _ t _ _ _ s _ _ _ _ _ _ mich _ e h _.
d Liest du gern Comics? – (😐) N _ j _, _s g _ _ t.
e Schaut ihr euch heute Abend das Fußballspiel an? – (☹) _ei_, daran haben wir ü _ _ _ h _ _ _ _ _ kein Interesse.
f Mögen deine Kinder Schokolade? – (☺) _ a, und w _ _!

_/6 PUNKTE

Wörter	Strukturen	Kommunikation
0–3 Punkte	0–3 Punkte	0–3 Punkte
4 Punkte	4–5 Punkte	4 Punkte
5–6 Punkte	6–7 Punkte	5–6 Punkte

www.hueber.de/menschen

LERNWORTSCHATZ

1 Wie heißen die Wörter in Ihrer Sprache? Übersetzen Sie.

Rund ums Buch

Autor der, -en ____________
Autorin die, -nen ____________
Bilderbuch das, ¨-er ____________
Comic der, -s ____________
A: Comic das, -s
Gedicht das, -e ____________
Geschichte die, -n ____________
Hörbuch das, ¨-er ____________
Kinderbuch das, ¨-er ____________
Krimi der, -s ____________
Literatur die ____________
Märchen das, - ____________
Ratgeber der, - ____________
Roman der, -e ____________
Sachbuch das, ¨-er ____________
Zeitschrift die, -en ____________
Zeitung die, -en ____________

etwas erfahren, hat erfahren ____________
vor·lesen, du liest vor, er liest vor, hat vorgelesen ____________

Weitere wichtige Wörter

Alltag der ____________
(Bett)Decke die, -n ____________
A: Tuchent die, -en
Interesse das, -n ____________
Profi der, -s ____________
Verwandte der/die, -n ____________

beeilen (sich), hat sich beeilt ____________
kriegen, hat gekriegt ____________
weinen, hat geweint ____________

ehrlich ____________
ehrlich gesagt ____________
furchtbar ____________

überhaupt ____________
überhaupt nicht

Und wie! ____________
Sicher! ____________

TIPP
Suchen und notieren Sie jeden Tag Ihre persönliche Vokabel des Tages.

Datum	Wort des Tages	wo gefunden?	Beispiel
11.12	Profi	Krimi	„Man muss kein Profi sein, aber ..."
12.12	ehrlich	Zeitung	„Aber ehrlich gesagt, wer hat ..."

2 Welche Wörter möchten Sie noch lernen? Notieren Sie.

____
____
____
____
____
____
____
____

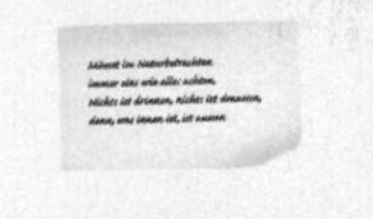

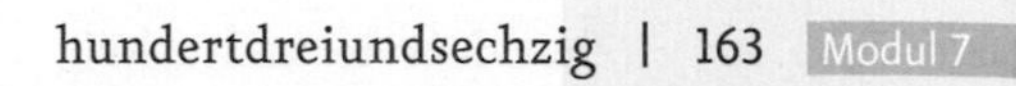

Ja genau, den meine ich.

KB 3 **1** **Ergänzen Sie.**

WÖRTER

Oh nein, ich habe meine G e l d b ö r s e (a) verloren. Hoffentlich ruft der Finder mich an. Denn das Schlimmste ist: Außer den 250,– Euro B_ _ _ e _ _ (b) waren auch meine Karten in dem Geldbeutel. Bei der Bank habe ich sofort angerufen und meine _ _-_ a r _ _ (c) und meine _ _e _ _ _k _ _ _ _ (d) gesperrt. Nun muss ich noch bei der _ _ _ s i _ _ _ _u _ _ (e) anrufen, denn ich brauche ja eine neue G e _ _ _ _ h e i t s k _ _ _ _ (f). Die alte T_ _ e f _ _ _ _ _ _ _ _ (g) war fast leer, das ist nicht so schlimm. Aber ich brauche natürlich auch einen neuen A _ _ w _ _ _ (h). Nur meinen _ ü _ _ _ _ s c h e _ _ (i) hatte ich zum Glück nicht dabei.

KB 4 **2** **Ordnen Sie zu und ergänzen Sie in der richtigen Form.**

WÖRTER

Hammer | lang | ~~Polizei~~ | schmal | sperren | stehlen | Täter | tragen | ungefähr

Die Polizei (a) **bittet um Ihre Hilfe!**

Im Stadtteil Schwachhausen werden zurzeit immer wieder Autos mit einem ____________ (b) aufgebrochen. Der ____________ (c) sucht nach Wertgegenständen und ____________ (d) Autoradios.

Gesucht wird ein ____________ (e) 30 Jahre alter Mann mit einem ____________ (f) Gesicht und ____________ (g) Haaren.
Er ist ungefähr 1,85 m groß und ____________ (h) oft schwarze Kleidung.

Tipp: Nehmen Sie Taschen und Wertgegenstände aus dem Auto und ____________ (i) Sie Ihr Auto gut ab. Hinweise bitte an die Polizei in Bremen 0421/ 1234-567

KB 4 **3** **Eine Zeugenaussage. Ordnen Sie zu.**

STRUKTUREN

Den | Den | Den | Den | ~~Der~~ | Der | Welchen

■ Können Sie den Täter wiedererkennen?
▲ Oh ja. Der (a) da war es! Ich bin ziemlich sicher.
■ ____________ (b) meinen Sie? ____________ (c) hier?
▲ Nein. ____________ (d) da.
■ ____________ (e) mit der Nummer 0815?
▲ Ja, genau. ____________ (f) meine ich. ____________ (g) kann es gewesen sein.

KB 4 **4** **Was passt? Ordnen Sie zu.**

STRUKTUREN

a Mit welchem Flug kommst du an? — 3
b Von welchem Buch sprecht ihr? Von dem hier?
c In welcher Vorstellung bist du gewesen?
d In welchen Clubs bist du am Wochenende gewesen?

1 In denen in der Sophienallee.
2 In der am Freitagabend.
3 Mit dem um 18.42 Uhr.
4 Nein, von diesem hier. Das ist super spannend.

KB 4 **5** **Markieren Sie in 4 und ergänzen Sie die Tabelle.**

STRUKTUREN ENTDECKEN

Dativ		
	welch-	dies-/dem/der/denen
●	welchem	diesem / ______
●		______ / dem
●		dieser / ______
●		diesen / ______

KB 4 **6** **Ergänzen Sie.**

STRUKTUREN

■ Welcher (a) Künstler gefällt dir am besten?
▲ Dies___ (b) hier. D___ (c) mag ich besonders.
Von d___ (d) habe ich schon einmal eine Ausstellung besucht.
■ D___ (e) im Herbst hier in der Kunsthalle?
▲ Nein, ich war bei d___ (f) vor drei Jahren in Berlin. Das war wirklich eine wunderbare Ausstellung. Siehst du das Bild da drüben? D___ (g) hat mir schon damals besonders gut gefallen.
■ Welch___ (h)? D___ (i) mit den Feldern?
▲ Nein, d___ (j) mit dem Gebirge.
■ Ja, d___ (k) ist toll. Aber noch besser finde ich seine Zeichnungen. Hast du d___ (l) dort drüben schon gesehen?
▲ Ja, d___ (m) sind nicht schlecht. Aber was sagst du zu dies___ (n) Zeichnungen hier?
■ D___ (o) sind auch toll.

KB 5 **7** **Ordnen Sie zu.**

KOMMUNIKATION

Gibt es dafür Zeugen | Ich kann nur sagen, dass | kann ich mich nicht mehr erinnern | Können Sie ihn näher beschreiben | Was haben Sie gemacht | ~~Wo waren Sie~~

■ Bei Ihren Nachbarn ist gestern eingebrochen worden. Wo waren Sie (a) denn gestern Abend?
▲ Zu Hause.
■ ______________________________ (b)?
▲ Ja, meine Frau war auch hier.
■ ______________________________ (c) ?
▲ Wir haben ferngesehen. Den Krimi im Zweiten, aber an den Titel ______________ ______________ (d). Aber ich habe letzte Woche zweimal einen Mann vor dem Haus gesehen.
■ ______________________________ (e)?
▲ Nein, leider nicht. ______________________________ (f) er kurze, dunkle Haare hatte.

KB 6 **8** **Ordnen Sie zu und ergänzen Sie *lassen* in der richtigen Form.**

STRUKTUREN

~~einbauen~~ | helfen | putzen | renovieren | reparieren | sichern | wechseln

a Ich lasse morgen ein Sicherheitsschloss einbauen und meine Fenster ________________.
b Herr Winter ________________ seine Reifen immer in der Werkstatt ________________.
c Wir ________________ unsere Wohnung immer donnerstags ________________.
d Das ist schwer. Warum ________________ du dir nicht ________________?
e Meine Nachbarn ________________ nächste Woche ihre Wohnung ________________.
f ________________ ihr eure Fahrräder auch immer ________________?

KB 6 **9** **Notieren Sie.**

STRUKTUREN

a Ich leere meinen Briefkasten nie selbst. Ich lasse ihn leeren ________________.
b Meine Eltern putzen ihr Haus nicht selbst. Sie ________________.
c Wir holen unsere Getränke nicht selbst. Wir ________________.
d Joachim installiert Computerprogramme nicht selbst. Er ________________.
e Ich repariere mein Auto nie selbst. Ich ________________.

KB 7 **10** **Was macht Herr Schrader selbst? Was lässt er machen? Notieren Sie.**

WÖRTER

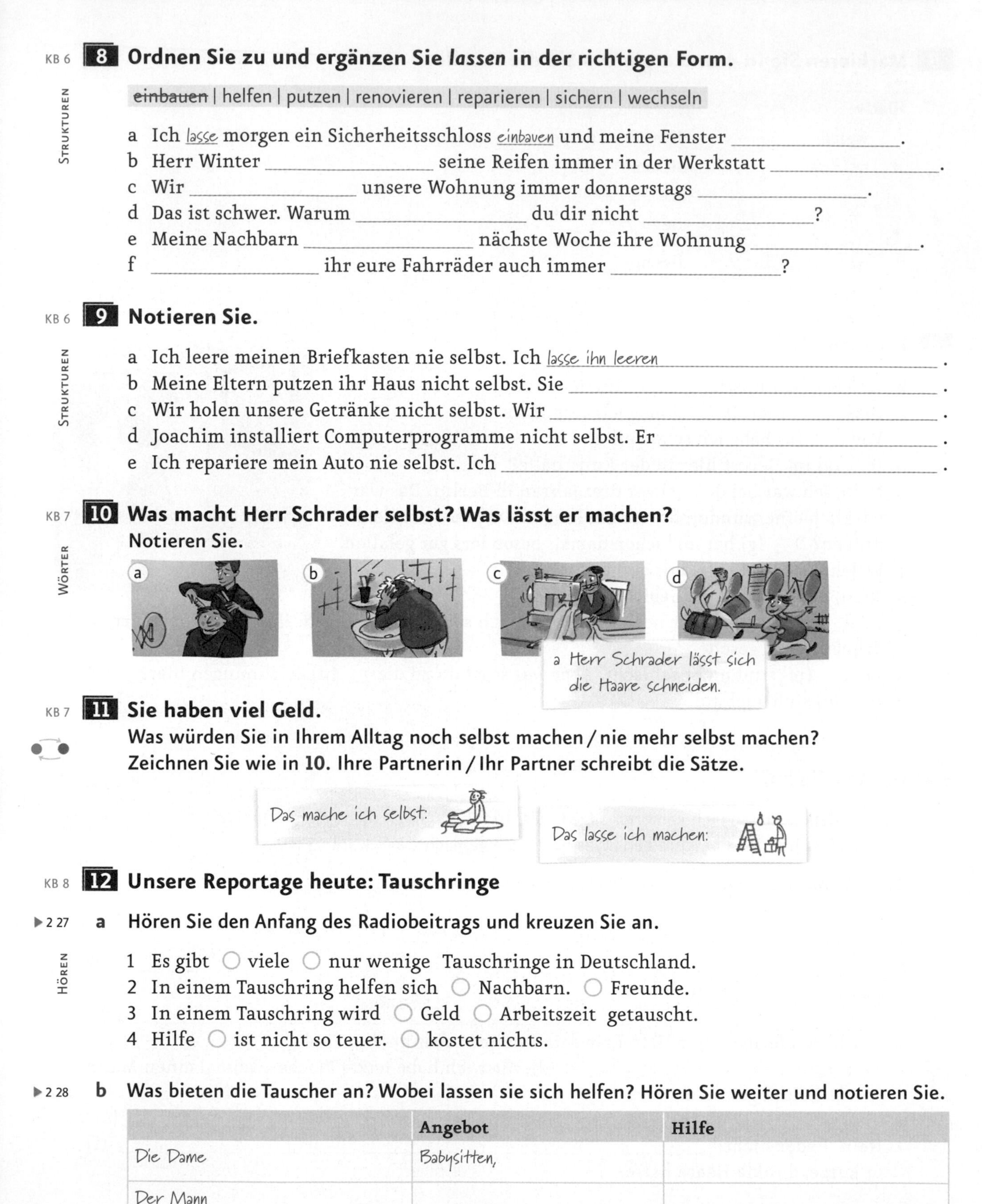

a Herr Schrader lässt sich die Haare schneiden.

KB 7 **11** **Sie haben viel Geld.**
Was würden Sie in Ihrem Alltag noch selbst machen / nie mehr selbst machen? Zeichnen Sie wie in 10. Ihre Partnerin / Ihr Partner schreibt die Sätze.

Das mache ich selbst:

Das lasse ich machen:

KB 8 **12** **Unsere Reportage heute: Tauschringe**

▶ 2 27 **a** **Hören Sie den Anfang des Radiobeitrags und kreuzen Sie an.**

HÖREN

1 Es gibt ○ viele ○ nur wenige Tauschringe in Deutschland.
2 In einem Tauschring helfen sich ○ Nachbarn. ○ Freunde.
3 In einem Tauschring wird ○ Geld ○ Arbeitszeit getauscht.
4 Hilfe ○ ist nicht so teuer. ○ kostet nichts.

▶ 2 28 **b** **Was bieten die Tauscher an? Wobei lassen sie sich helfen? Hören Sie weiter und notieren Sie.**

	Angebot	Hilfe
Die Dame	Babysitten,	
Der Mann		

TRAINING: SCHREIBEN

1 Ihre Freundin Laura hat gestern Abend einen Einbruch gesehen. Sie schreiben die Geschichte einer Freundin / einem Freund.

a Was ist passiert? Machen Sie zuerst Notizen zu den Bildern.

1 mit Hund spazieren gehen

b Schreiben Sie die E-Mail. Schreiben Sie spannend. Die Sätze helfen.

Plötzlich … | Und weißt du, was dann passiert ist? | Also pass auf: … | Sie hatte Angst, dass … | Aber sie hatte Glück: | Zum Glück … | Hoffentlich … | Leider … | …

Liebe/Lieber ______________________ ,
ich hoffe, es geht Dir gut. Du kennst doch noch Laura? Du glaubst nicht, was ihr gestern passiert ist. Das muss ich Dir unbedingt erzählen! Also, gestern Abend …

____

____

____

TIPP: Sie möchten eine Geschichte spannend erzählen? Beginnen Sie nicht immer mit dem Subjekt und sammeln Sie vor dem Schreiben passende Redemittel.

TRAINING: AUSSPRACHE *Umlaute*

AUSSPRACHE – ä – AUSSPRACHE

▶ 2 29 **1 Hören Sie und markieren Sie: lang (__) oder kurz (.).**

ä: Täter – Verdächtige – nähen – ängstlich – erzählen
ö: Geldbörse – Wohnungsschlösser – hören – öffnen – können
ü: Schlüssel – Glühbirne – bügeln – Führerschein

▶ 2 30 **Hören Sie noch einmal und sprechen Sie nach.**

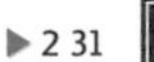

2 Hören Sie und sprechen Sie dann. Achten Sie besonders auf „ä", „ö", „ü".

Der ängstliche Verdächtige erzählt:
„Ich habe keinen Führerschein,
könnte Schlösser ohne Schlüssel nicht öffnen,
würde nie eine Glühbirne selbst wechseln,
kann nicht nähen, nicht bügeln.
Hören Sie: Der Täter war ich nicht!
Aber wer ist so blöd und lässt eine
Geldbörse offen liegen?"

TEST

1 Ordnen Sie zu.

WÖRTER

EC-Karte | Gesundheitskarte | Ausweis | Bargeld | ~~Kreditkarte~~

a ■ Oh, ich habe nicht genügend ________________, kann ich auch mit Kreditkarte bezahlen?
 ▲ Leider nicht, nur mit ________________.
b ■ Guten Tag, ich habe um 15 Uhr einen Termin bei Dr. Fiengo.
 ▲ Ja, richtig. Haben Sie Ihre ________________ dabei?
c ■ Kann ich mal bitte Ihren Führerschein und Ihren ________________ sehen?

_ / 4 PUNKTE

2 Ergänzen Sie *welchen, welche, diesem* und *diese*.

STRUKTUREN

■ Das Konzert ist echt super, diese (a) Sängerin ist toll.
▲ ________ (b) denn? Die mit dem schwarzen Kleid?
■ Nein, sie steht direkt neben ________ (c) Mann mit der Gitarre.
▲ ________ (d) meinst du? Die spielen doch alle Gitarre!

_ / 3 PUNKTE

3 Ergänzen Sie *lassen* in der richtigen Form und ordnen Sie die Verben zu.

STRUKTUREN

wechseln | sichern | ~~nähen~~ | schneiden

a ■ Wir lassen uns zur Hochzeit einen Anzug und ein Kleid nähen. ▲ Tolle Idee!
b ■ Wann gehst du zum Friseur? ▲ Morgen, dann ____________ ich mir die Haare ganz kurz ____________.
c ■ Wo ist Papa? ▲ In der Autowerkstatt. Er ____________ die Reifen ____________.
d ■ ____________ ihr alle Fenster ____________? ▲ Nein, nur die im Erdgeschoss.

_ / 6 PUNKTE

4 Ordnen Sie zu.

KOMMUNIKATION

Daran kann ich mich | Erzählen Sie doch | Ich kann nur sagen | Ich war im | Unfall näher beschreiben

■ Können Sie den ____________________ (a)? ____________________ (b) mal.
● ____________________ (c) Altstadtcafé und habe gerade aus dem Fenster geschaut. Eine Frau wollte mit ihrem Fahrrad links abbiegen. Sie konnte das Auto nicht sehen. Es war viel zu schnell.
■ Was für ein Auto war das?
● ____________________ (d) nicht erinnern. ____________________ (e), dass es schwarz war.

_ / 5 PUNKTE

Wörter		Strukturen		Kommunikation	
●	0–2 Punkte	●	0–4 Punkte	●	0–2 Punkte
●	3 Punkte	●	5–7 Punkte	●	3 Punkte
●	4 Punkte	●	8–9 Punkte	●	4–5 Punkte

www.hueber.de/menschen

1 Wie heißen die Wörter in Ihrer Sprache? Übersetzen Sie.

Dokumente

Ausweis der, -e ______

Bargeld das
bar ______

EC-Karte die, -n ______
A: Bankomatkarte die, -n

Telefonkarte
die, -n ______
A: Telefonwertkarte die, -n

Gesundheitskarte
die, -n ______
A: E-Card die, -s /
CH: Krankenkassenkarte die, -n

Einbruch

Feuerwehr
die, -en ______

Polizist der,
-en, Polizistin
die, -nen ______

Schloss das, ⸚er ______

Täter der, - ______

Versicherung
die, -en ______

Zeuge der, -n ______

ab·schließen, hat
abgeschlossen ______

ab·sperren, hat
abgesperrt ______

an·fassen, hat
angefasst ______
A: auch: an·greifen, hat angegriffen

etwas sichern,
hat gesichert ______

stehlen,
du stiehlst,
er stiehlt,
hat gestohlen ______

Weitere wichtige Wörter

Glühbirne
die, -n ______

Hammer der, - ______

Liste die, -n ______

Strom der ______

Titel der, - ______

ändern, hat
geändert ______

brennen, hat
gebrannt ______

(etwas machen)
lassen, du lässt,
er lässt, hat
machen lassen ______

nähen, hat
genäht ______

reinigen, hat
gereinigt ______

schneiden, hat
geschnitten ______

waschen, du wäschst,
er wäscht,
hat gewaschen ______

ängstlich ______

schmal ______

welcher –
dieser/der ______

______

______

______

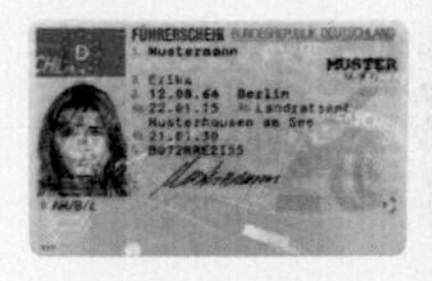
______

______

______

______

______

TIPP

Suchen Sie lange Wörter. Welche Wörter sind darin versteckt?
Gesundheitskarte: ein, Eis, Seite ...

2 Welche Wörter möchten Sie noch lernen? Notieren Sie.

______

______

______

WIEDERHOLUNGSSTATION: WORTSCHATZ

1 Was für eine Veranstaltung ist das? Kreuzen Sie an.

a Hier gibt es Clowns und viele Tiere: ☒ Zirkus ○ Musical
b Hier wird getanzt: ○ Stadtspaziergang ○ Ballett
c Hier kann man Bilder anschauen: ○ Puppentheater ○ Vernissage
d Hier hört man Musik: ○ Konzert ○ Lesung

2 Was passt? Ordnen Sie zu.

Ratgeber ○ – Märchen ⓐ – Bilderbuch ○ – Krimi ○ – Comic ○ – Zeitung ○

3 Ordnen Sie zu.

Gesundheitskarte | Kundenkarten | Führerschein | Ausweis | EC-Karte | ~~Bargeld~~

Forum

Meggie:	Gestern habe ich meinen Geldbeutel verloren. Schrecklich!!! Da waren 100 Euro drin. Was habt Ihr denn alles in Eurem Geldbeutel?
Glueckskind:	Du Arme, so ein Pech! Ich habe deshalb immer nur wenig Bargeld (a) dabei, meistens nicht mehr als 20 Euro, und meine __________ (b) von der Krankenkasse.
Johann231:	Ich habe noch meine Busfahrkarte und den __________ (c) für die Bücherei dabei.
Wemu:	Natürlich Personalausweis und den __________ (d), denn ich bin viel mit dem Auto unterwegs.
Pete99:	Ich nehme immer meine __________ (e) mit. Ich zahle nicht so gern bar.
Sue:	In meinem Geldbeutel sind __________ (f) von der Apotheke, der Tankstelle, dem Supermarkt und dem City-Kino. Und das Wichtigste: Ein Bild von meinem Freund. ☺

WIEDERHOLUNGSSTATION: GRAMMATIK

1 Ergänzen Sie die Präpositionen und die Artikel, wo nötig.

▲ Hier ist gerade ein Unfall passiert. Wir suchen Zeugen. Haben Sie gesehen, was passiert ist?

■ Ich war *beim* (a) Einkaufen, dort ______ (b) Supermarkt. Aber ich habe nichts gesehen. Tut mir leid, ich habe jetzt auch keine Zeit. Ich muss ______ (c) Sport. Das Training fängt gleich an.

● Als ich hier ______ d______ (d) Blumengeschäft gekommen bin, war schon der Notarzt da. Kann ich jetzt gehen? Wissen Sie, ich muss ______ ein______ (e) Freundin ______ (f) Krankenhaus.

◆ Ja, also ich komme gerade ______ (g) Friseur und wollte ______ (h) Einkaufen. Da sehe ich dieses rote Auto. Es war sehr schnell. ...

2 Ergänzen Sie *können*, *wollen*, *müssen* oder *dürfen* im Präteritum.

tessa:	Hi Claudia, wir *wollten* (a) doch gestern Abend ins Konzert gehen. Wo warst Du denn? Ich habe eine Stunde auf Dich gewartet.
claudi10:	Ach, meine Eltern! Ich ______________ (b) mal wieder nicht weggehen. Ich ______________ (c) Babysitten.
tessa:	Warum hast Du mich denn nicht angerufen?
claudi10:	Warum?! Ich ______________ (d) ja, aber ich ______________ (e) Dich doch nicht anrufen. Dein Handy war die ganze Zeit aus.

3 In der Buchhandlung. Ergänzen Sie *welcher*, *dieser* oder *der* in der richtigen Form. Manchmal gibt es zwei Möglichkeiten.

■ Entschuldigen Sie, von *welchem* (a) Autor ist *Small World*?

▲ Von Martin Suter.

■ Von ________ (b) gibt es doch auch noch andere Romane, oder?

▲ Ja, natürlich. ________ (c) möchten Sie denn?

■ Das weiß ich doch nicht.

▲ Ich empfehle Ihnen ________ / ________ (d) da: „Ein perfekter Freund."

4 Paul macht fast nichts selbst. Ergänzen Sie die Sätze.

a Wenn sein Fahrrad kaputt ist, *lässt er es in der Werkstatt reparieren*.
(es – in der Werkstatt – reparieren lassen)

b Er ____.
(die Wäsche – von der Mutter – waschen lassen)

c Vor einer Reise ____.
(er – seinen Koffer – von seiner Freundin – packen lassen)

d Am liebsten würde ____.
(er – alles – machen lassen)

SELBSTEINSCHÄTZUNG Das kann ich!

Ich kann jetzt ...

... auf Vorschläge zögernd reagieren: L19
Also, i______ w_________ nicht. Das h_________ sich j___ nicht s___ toll a_____.
I______ das nicht e________ langweilig?

... jemanden überzeugen/begeistern: L19
Gl__________ mir. Das ist mal etwas B______________________.
V___________ es doch m______.
Sieh das doch nicht so ne____________!
Bist du denn gar nicht neu_____________?
Das lo________ sich be_____________________.

... sich überzeugen lassen: L19
Du hast r___________.
Das ist w___________.
S__________ gut. L__________ uns dahin gehen.

... Interesse/Desinteresse äußern: L20
– I______________________ du dich nicht f_____ Gedichte?
Hast du überhaupt gar kein I______________ da___________?

– Doch, u__________ w_____! D_______, ich habe großes I____________ daran.

– N___ j______, es geht. Nicht b______________.

– Das interessiert mich ü______________ n__________.

... um einen Bericht / eine Beschreibung bitten: L21
W______ __________ Sie gemacht? G__________ es dafür Z___________?
Können Sie das n_________ besc____________? E_______________ Sie doch mal!

... etwas berichten/beschreiben: L21
Wir haben ü________ nichts B_______________ gesprochen.
Daran kann ich mich nicht mehr e__________________. Ich kann d__________
nur s__________, dass ...

Ich kenne ...

... 10 kulturelle Veranstaltungen: L19

... 10 Wörter rund ums Buch: L20
Das lese ich oft: ____________________
Das lese ich fast nie: ____________________

... 6 Dokumente: L21

... 4 Wörter zum Thema „Einbruch“: L21

SELBSTEINSCHÄTZUNG Das kann ich!

Ich kann auch …

… sagen, woher jemand kommt, wohin jemand geht und wo jemand ist (lokale Präpositionen): L19
- Bruno kommt ____________ Sport.
- Der Poetry Slam findet __________ Café Kurt statt.
- Laura möchte morgen ________ Tennis gehen.

… über Vergangenes sprechen (Modalverben Präteritum): L20
- Julius hat heimlich Comics gelesen, weil er sie als Kind nicht lesen ______________. (dürfen)
- Anton __________ Bilderbücher, als er noch nicht selber lesen ______________. (mögen, können)

… auf Nomen hinweisen (Frageartikel: *welcher?* – Demonstrativpronomen: *dieser, der*): L21

▲ Welch____ Täter war es denn? D____ da?

■ Nein, dies____ da.

… sagen, was ich nicht selbst mache (Verb: *lassen*): L21

Wir __________________ unsere Wohnung ________________________.

Üben / Wiederholen möchte ich noch:

____

RÜCKBLICK

Wählen Sie eine Aufgabe zu Lektion 19 ________________________________

1 Lesen Sie noch einmal den Veranstaltungskalender im Kursbuch auf Seite 109. Suchen Sie für jede Person eine passende Veranstaltung. Ergänzen Sie die Überschriften aus dem Kursbuch.

a Britta macht gerne Führungen in Museen mit. *Ausstellung*

b Ben möchte gern bayerisch essen gehen. ________________

c Eva feiert gern mit jungen Leuten. ________________

d Daniel interessiert sich für bekannte Personen aus München. ________________

e Laura möchte literarische Texte von unbekannten Autoren kennenlernen. ________________

2 Schreiben Sie einen Veranstaltungskalender für heute. Denken Sie sich drei interessante Veranstaltungen für Ihren Kursort aus. Schreiben Sie drei Anzeigen.

Was? Wo? Wann? Heute in …. – Mein Veranstaltungskalender

Open-Air-Kino

Haben Sie „Sommer in Orange" im Kino verpasst? Heute Abend können Sie den beliebten Film von Marcus H. Rosenmüller draußen sehen. Wo? Vor dem Kulturzentrum. Beginn: 21.30 Uhr / Karten: 8 Euro

RÜCKBLICK

Wählen Sie eine Aufgabe zu Lektion 20

1 Lesen Sie noch einmal die Texte im Kursbuch auf Seite 112 und kreuzen Sie an.

		richtig	falsch
a	Julius findet, Kinder sollen auf keinen Fall Comics lesen.	○	⊗
b	Julius Mutter durfte nicht erfahren, dass Julius nachts Comics gelesen hat.	○	○
c	Als Anton noch nicht lesen konnte, hat er viele verschiedene Hörbücher gehört.	○	○
d	Lucy findet die Bücher von Christine Nöstlinger immer noch lustig.	○	○
e	Von Anitas Lieblingsbuch gibt es auch einen Film.	○	○

2 Lesen Sie den Beitrag von „Leseratte". Schreiben Sie eine Antwort.
Schreiben Sie zu den Punkten unten.

Leseratte am 15. August | 1 | 2 | 3 | 11 | 51 | > | >> | ▼

Wie findet Ihr es, wenn Bücher verfilmt werden? ▼

Normalerweise finde ich Literaturverfilmungen sehr gut. Aber letzte Woche habe ich mir *Der Vorleser* angeschaut. Ehrlich gesagt, hat mir der Film nicht besonders gefallen. Kate Winslet spielt die Hauptrolle. Meiner Meinung nach passt das nicht. Den Roman mag ich aber sehr gern.

– Sehen Sie es positiv oder negativ, wenn Bücher verfilmt werden?
– Nennen Sie ein oder zwei Beispiele: Was finden Sie gut/schlecht?
– Zuerst das Buch lesen oder den Film sehen? Was ist besser?

Wählen Sie eine Aufgabe zu Lektion 21

1 Sehen Sie noch einmal das Foto im Kursbuch auf Seite 115 an und schreiben Sie: Was ist hier passiert?

Auto abgesperrt | Geldbeutel ins Auto gelegt | Jacke geholt | ~~Jacke vergessen~~ | Geldbeutel gestohlen | Mann mit Hammer das Fenster eingeschlagen | Polizei angerufen | Mann weggelaufen | zum Auto zurückgegangen ...

Herr Abelein hat seine Jacke in der Wohnung vergessen. ...

2 Erzählen Sie von einem Einbruch.
Machen Sie Notizen zu den Fragen und schreiben Sie einen Bericht.

1 Was für ein Einbruch?
(Wann / Wo / Wem / ... ist er passiert?)
2 Wie ist das passiert?
3 Was haben die Täter gestohlen?

Ich habe letzte Woche einen Krimi im Fernsehen gesehen. In dem Krimi sind zwei junge Männer in ein Schmuckgeschäft eingebrochen. ...

ALTE FREUNDE, NEUE FREUNDE

Teil 3: Polizei! Polizei!

Der große Tag ist da. In drei Stunden ist die Vernissage von Inas Ausstellung.

Die Freunde kommen in die Galerie.

„Wow, die Bilder sind toll!", sagt Max. „Die muss ich mir gleich alle ansehen."

Bernd macht sein Notebook an.

„Ach komm, Bernd, einmal kannst du auch ohne Internet leben. Schau dir doch zuerst mal meine Bilder an."

„Ja, gleich, ich muss nur zuerst noch etwas Wichtiges nachsehen."

„Ach was ..." Ina geht weg.

„Alles gut", sagt Bernd. „Ich habe gerade nach Diogos Flug geschaut. Es gibt keine Probleme, in einer Stunde kommt er in Dresden an."

Ein bisschen später kommt Ina zurück.

„Es ist etwas Schlimmes passiert. Ein Bild fehlt."

„Es fehlt?", fragt Ralf. „Was meinst du damit?"

„Gestern war es noch an seinem Platz. Jetzt ist es weg ... Was sollen wir machen?"

„Das Beste ist, wir rufen die Polizei", sagt Mara. „Ein Einbrecher war im Haus!"

„Ja, aber ... warum hat er dann nur ein Bild gestohlen?"

„Wartet lieber mit der Polizei. Vielleicht finden wir das Bild ja noch", sagt Ralf.

„Ich glaube nicht, dass wir es finden. Aber gut, gehen wir einmal gemeinsam durch die Räume", sagt Ina.

Nichts. Kein Bild.

„Nur noch ein Raum ... Und da ist es sicher auch nicht. Wir müssen die Polizei rufen." Sie nimmt ihr Handy heraus.

Sie gehen in den letzten Raum.

Max sitzt auf einem Stuhl. Er hat ein großes Bild in der Hand und schaut es an.

„Ich hab's mir ja gedacht!", sagt Ralf.

„Max, was machst du mit dem Bild? Wir haben es überall gesucht."

„Oh, Ina, du bist hier ... Was ist los? Gibt es ein Problem? ... Ina, das ist wirklich ein klasse Bild! Das könnte auch in einem ganz großen Museum hängen."

„Danke, Max, aber ..."

„Nein, es ist wirklich toll. Kann ich es kaufen?"

„Max, wenn dir das Bild so gut gefällt, schenke ich es dir."

„Wow, danke!" Max lacht und umarmt Ina.

„Aber jetzt häng das Bild bitte wieder an den richtigen Platz!"

„Ja klar, gerne. Beginnt die Vernissage schon?" Er sieht auf die Uhr. „Oh, Ralf, schnell, fahren wir. Sonst kommen wir zu spät."

Seit ich meinen Wagen verkauft habe, ...

KB 2 **1 Ergänzen Sie.**

WÖRTER

① Helfen Sie der Natur und der U __ w __ l __ (a)!
Werden Sie M __ t g __ i __d (b) in unserer
Organisation (c)
Nur 48 Euro im Jahr!

② Sie b __ s __ tzen (a) ein eigenes Haus
und wollen S t __ ue __ n (b) sparen?
Ihre Versicherungen sind zu teuer?
Lesen Sie unseren Ratgeber Geld!

③ Auf der CEBIT in Hannover werden die neuen
u __ w __ ltf __eu __dl __c __en (a) Notebooks
v __ rg __ ste __ __ __ (b). Wir berichten.

④ Möchten Sie mitten in
der Stadt oder lieber
a__ ß __ r __ alb (a) wohnen?
Interessante Angebote
finden Sie unter
www.immoangebote.de

⑤ Studenten aufgepasst!
Zusammen wohnen – Kosten t __ i __en (a)!
Günstige Studentenzimmer in Uni-Nähe –
h __c __ s __ens (b) 20 Minuten zu Fuß zur Uni!

⑥ Sie möchten mehr Erfolg im Beruf haben?
So er __ ei __ h __n (a) Sie Ihre Z __ __le (b):
www.psycho-tipps.de

KB 3 **2 Was passt zusammen?**

STRUKTUREN ENTDECKEN

a Ordnen Sie zu.

1 Ich bleibe in meiner kleinen Wohnung,
2 Ich fahre viel mehr Rad,
3 Bis Petra mit dem Studium fertig ist,
4 Seit(dem) ich außerhalb wohne,

seit(dem) ich kein Auto mehr habe.
wohnt sie bei ihren Eltern.
gehe ich weniger weg.
bis ich ein Haus auf dem Land finde.

b Ergänzen Sie die Sätze aus a in der Tabelle.

1	Ich	bleibe	in meiner kleinen Wohnung,	bis		
2	Ich	fahre	viel mehr Rad,			

3	Bis	Petra mit dem Studium fertig	ist,		
4	Seit (dem)				

KB 3 **3 Ergänzen Sie *bis* oder *seit(dem)*.**

STRUKTUREN

a Seit(dem) ich mehr Gehalt bekomme, muss ich auch mehr Steuern bezahlen.
b Mit dem Fahrrad dauert es höchstens eine Stunde, ________ wir unser Ziel erreichen.
c ________ ich ein neues Auto habe, macht mir das Fahren wieder mehr Spaß.
d ________ wir uns ein Auto mit den Nachbarn teilen, sparen wir viel Geld.
e Hoffentlich kann die Werkstatt unser Auto reparieren, ________ wir in Urlaub fahren.
f ________ mein Bus kommt, muss ich noch eine halbe Stunde warten.

KB 3 **4** **Schreiben Sie Nebensätze mit *bis* oder *seit(dem)*.**

STRUKTUREN

Hallo Claudia,
ich wollte Dich schon längst besuchen. Aber seitdem Du außerhalb wohnst (Du – wohnen – außerhalb) (a), ist das für mich viel komplizierter geworden. Mit dem Bus muss ich dreimal umsteigen, ______________________ (ich – sein – endlich bei Dir) (b).
Du weißt ja: ______________________ (ich – haben verkauft – mein Auto) (c), fahre ich immer mit den öffentlichen Verkehrsmitteln. Ein Taxi ist mir zu teuer.
Zum Glück dauert es nicht mehr lange, ______________________ (ich – bekommen – das alte Auto von meinem Bruder) (d).
Dann besuche ich Dich ganz sicher!
Liebe Grüße

KB 3 **5** **Schreiben Sie vier Satzanfänge. Ihre Partnerin / Ihr Partner ergänzt die Sätze mit *bis* oder *seit(dem)*.**

Ich muss noch viel lernen, bis ...
Mein Leben ist interessanter, seit(dem) ...

KB 5 **6** **Ordnen Sie zu.**

WÖRTER

a den Kaufvertrag links unten ⑤
b für die Zugfahrt eine schnelle Verbindung ○
c ein Formular mit Kugelschreiber ○
d sich mit einem Passwort aus Zahlen und Buchstaben ○
e den Termin noch einmal telefonisch ○
f mit der Maus eine E-Mail-Adresse ○
g bei der Anmeldung das Passwort und andere Zugangsdaten in den Computer ○
h im Hotel die Zimmertür mit einer Chipkarte ○

1 wählen
2 aufsperren
3 bestätigen
4 eingeben
5 unterschreiben
6 anklicken
7 ausfüllen
8 einloggen

KB 5 **7** **Ergänzen und vergleichen Sie.**

WÖRTER

ausfüllen | einloggen | anklicken | Passwort | Fahrkarte/Ticket | ~~Chipkarte~~ | Daten

Deutsch	Englisch	Meine Sprache oder andere Sprachen
a Chipkarte	smart card	
b	password	
c	data	
d	ticket	
e	to log in/on	
f	to fill in/out	
g	to click	

KB 5 **8** **Ordnen Sie zu.**

KOMMUNIKATION

~~Kannst du mir~~ | Kein Problem | Zuerst musst du | Danach wählst du | Wie geht das | Das ist ganz | Dann klickst du | Zuletzt musst du | Und dann gibst du

■ Ich möchte jetzt auch mal die Theaterkarten im Internet kaufen. ______________ (a)? Kannst du mir (b) das erklären?
● Na klar, Oma! ______________ (c) einfach. Ich zeig's dir. ______________ (d) eine Vorstellung wählen. ______________ (e) auf „Karten". ______________ (f), wo du sitzen möchtest. ______________ (g) ein, wie viele Karten du brauchst. Du bist ja noch nicht Online-Kunde, deshalb musst du hier das Formular für neue Kunden ausfüllen. ______________ (h) die Bestellung nur noch bestätigen und abschicken.
■ Wie war das noch mal? Kannst du mir das noch einmal ganz langsam zeigen?
● ______________ (i)! Gern.

KB 6 **9** **Was ist richtig? Lesen Sie und kreuzen Sie an.**

LESEN

a Man muss sich zuerst online anmelden, dann kann man ein Rad benutzen. ⊗
b Man braucht ein Handy, wenn man ein Fahrrad mieten will. ○
c Mit der Nummer auf dem Fahrrad kann man das Schloss vom Fahrrad öffnen. ○
d Wenn man eine Pause machen will, muss man wieder anrufen. ○
e Man kann das Fahrrad überall im Zentrum zurückgeben. ○
f Am Ende muss man anrufen und sagen, wo das Fahrrad ist. ○

Mit dem Handy ein Fahrrad mieten

Melden Sie sich im Internet als Kunde an. Wenn Sie dann ein Fahrrad mieten wollen, brauchen Sie nur noch ein freies Rad und ein Handy.

So geht es:

Ausleihen

1 Auf dem Schloss des Fahrrads steht eine Telefonnummer. Rufen Sie diese an. Dann bekommen Sie eine Zugangsnummer.

2 Am Schloss ist auch ein Display. Dort geben Sie diese Zugangsnummer ein. Dann öffnet sich das Schloss und Sie können losfahren.

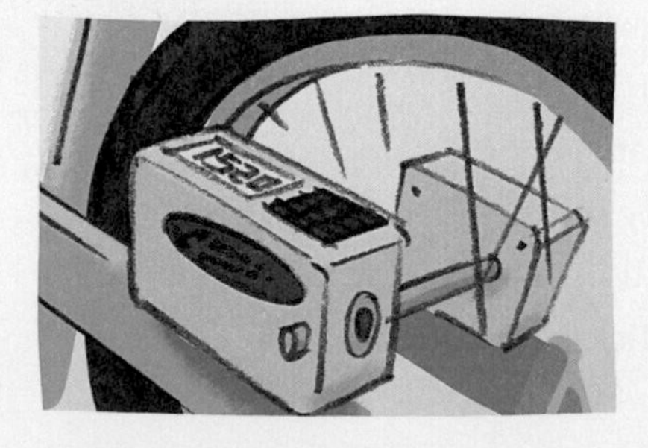

Eine Pause machen

Wenn Sie eine Pause machen wollen, schließen Sie einfach Ihr Fahrrad ab. Bestätigen Sie auf dem Display des Fahrradschlosses, dass Sie eine Pause machen wollen. Wenn Sie weiterfahren möchten, geben Sie wieder die Zugangsnummer ein.

Zurückgeben

1 Wenn Sie das Fahrrad nicht mehr brauchen und im Zentrum sind, können Sie es überall abstellen. Sperren Sie das Fahrrad einfach ab.

2 Wählen Sie jetzt die Telefonnummer auf dem Schloss und geben Sie Bescheid, wo das Rad steht.

TRAINING: HÖREN

▶ 2 32–35 **1** **Sie hören vier Ansagen am Telefon. Zu jedem Text gibt es eine Aufgabe.**
Ergänzen Sie die Telefon-Notizen. Sie hören jeden Text zweimal.

a
Cordula Riemer
Führerschein vergessen?
Bitte um Rückruf
Telefon: ________

b
Ella
Treffen verschieben
Wann? ________

c
Paco
Treffen mit Claudio
Wann? ________

d
Werkstatt
Auto ist fertig
Kosten: ________

TIPP

In Ansagen am Telefon gibt es oft viele Informationen. Hören Sie daher zuerst den ganzen Ansagetext und achten Sie genau auf die Fragen. Notieren Sie erst dann die passende Information.

TRAINING: AUSSPRACHE *der Konsonant „z"*

▶ 2 36 **1** **Wo hören Sie „ts"?**
Hören Sie und markieren Sie.

Zugangsdaten – Zahl – Organisation – funktionieren – besitzen – Benutzername

▶ 2 37 **Hören Sie noch einmal und sprechen Sie nach.**

2 **Ergänzen Sie.**

REGEL

Man spricht „ts", aber man schreibt:
___, ___ oder ___ (vor -ion).

▶ 2 38 **3** **Hören Sie und sprechen Sie dann.**

Im Zentrum
Zuerst mit dem Auto,
kein Parkplatz
Miet-Fahrrad – Ja!
Zugangsdaten?
Benutzername?
Zahl eingeben?
Können Sie mir sagen,
wie das funktioniert? Nein?
Oje! Wieder zurück –
Jetzt leider zu Fuß.

TEST

1 Willkommen auf der Homepage der Volkshochschule. Ordnen Sie zu.

WÖRTER

Zugangsdaten | wählen | Zahlen | füllen | bestätigen | ~~Anmeldung~~ | klicken | Passwort

Unser Frühjahrsprogramm ist online. Ab sofort ist eine Anmeldung (a) zu allen Kursen möglich. Dafür ______ (b) Sie zuerst einen Kurs aus. Dann ______ (c) Sie auf „Kurs buchen". Nun loggen Sie sich mit Ihren ______ (d) ein. Sind Sie ein neuer Teilnehmer? Dann ______ (e) Sie bitte zuerst das Formular für neue Teilnehmer aus. Beachten Sie bitte, dass Ihr ______ (f) Buchstaben und ______ (g) hat. Ihre Anmeldung ______ (h) wir mit einer E-Mail.

_/7 PUNKTE

2 Ergänzen Sie *bis* und *seit(dem)*.

STRUKTUREN

Hallo Anna,
Wien ist super. Am Anfang war mein Deutsch nicht so gut und es hat ein paar Wochen gedauert, bis (a) ich die Menschen verstanden habe. Aber ______ (b) ich einen Job in einer Kneipe habe, geht es gut. Ich habe ziemlich viel zugenommen, ______ (c) ich hier bin. Die fünf Kilo müssen wieder weg sein, ______ (d) ich nach Hause fliege. Deshalb fahre ich mit dem Fahrrad in die Arbeit. Das geht auch schneller. ______ (e) der Bus morgens in der Stadt ankommt, bin ich mit dem Fahrrad schon lange am Ziel. Und stell dir vor: Ich jogge jetzt zweimal in der Woche!!! Ich trainiere mit einem Freund, ______ (f) wir fit für den Stadtlauf im Mai sind. Das wollte ich schon immer machen, ______ (g) ich sechzehn war.
Liebe Grüße aus Wien, Theresa

_/6 PUNKTE

3 Ordnen Sie zu.

KOMMUNIKATION

Zuerst gehst du | Danach loggst du dich | Das ist ja wirklich | Zuletzt kannst du wählen | Kannst du mir sagen | Na klar | Dann klickst du

■ Ich möchte online eine Fahrkarte mit dem Zug buchen. ______ (a), wie das funktioniert?

● ______ (b)! Das ist nicht schwer. ______ (c) auf www.bahn.de und suchst die passende Zugverbindung. ______ (d) auf „Zur Buchung". ______ (e) mit deinen Zugangsdaten ein. ______ (f), ob du das Online-Ticket selbst ausdrucken willst oder ob die Bahn dir die Fahrkarte zuschicken soll.

■ Das ist alles? ______ (g) einfach!

_/7 PUNKTE

Wörter		Strukturen		Kommunikation	
●	0–3 Punkte	●	0–3 Punkte	●	0–3 Punkte
●	4–5 Punkte	●	4 Punkte	●	4–5 Punkte
●	6–7 Punkte	●	5–6 Punkte	●	6–7 Punkte

www.hueber.de/menschen

LERNWORTSCHATZ

1 Wie heißen die Wörter in Ihrer Sprache? Übersetzen Sie.

Internet/Online-Anmeldungen

Anmeldung die, -en ________
Buchstabe der, -n ________
Chipkarte die, -n ________
Daten die (Pl.) ________
Zugangsdaten ________
Passwort das, ¨-er ________
Vertrag der, ¨-e ________
Zahl die, -en ________

an·klicken, hat angeklickt ________
aus·füllen, hat ausgefüllt ________
bestätigen, hat bestätigt ________
wählen, hat gewählt ________

Weitere wichtige Wörter

Fahrkarte die, -n ________
CH: Billett das, -e ________
Mitglied das, -er ________
Organisation die, -en ________
Steuer die, -n ________
Umwelt die ________
umweltfreundlich ________

Verbindung die, -en ________
Ziel das, -e ________

besitzen, hat besessen ________
erreichen, hat erreicht ________
mieten, hat gemietet ________
teilen, hat geteilt ________
vorstellen (sich), hat vorgestellt ________
zurück-
zurück·bringen, hat zurückgebracht ________
zurück·fahren, ist zurückgefahren ________

außerhalb ________
höchstens ________
klar ________
A: auch: sicher
na klar ________
A: auch: na sicher
unterwegs ________
unterwegs sein ________

TIPP

Schreiben Sie schwierige Wörter oft auf und sprechen Sie sie laut.

2 Welche Wörter möchten Sie noch lernen? Notieren Sie.

____
____
____
____
____
____

Der Beruf, der zu mir passt.

KB 3 **1 Ordnen Sie zu.**

WÖRTER

Abitur | Ausbildung | Lehre | mündlichen | ~~Noten~~ | schriftlichen | Studium | Zeugnissen

Schule Winterfeld

Sie halten nichts von einer Schule mit Noten (a) und ______________ (b)? Ihr Kind soll mit Spaß lernen? Dann sind Sie und Ihr Kind in unserer Schule „Winterfeld" genau richtig. Es gibt keine ______________ (c) und keine ______________ (d) Prüfungen. Ihr Kind bekommt keine Noten, aber regelmäßig Berichte, und es gibt Eltern-Schüler-Lehrer-Gespräche. Die Schüler können zwischen zwei Schulabschlüssen wählen: Alle Schüler, die ein ______________ (e) beginnen wollen, können das ______________ (f) machen. Alle, die eine ______________ (g) oder ______________ (h) machen wollen, können unsere Schule mit der 10. Klasse beenden.

Besuchen Sie uns und lernen Sie uns kennen.
Info@schulewinterfeld.de Tel. 0124/123 456

KB 4 **2 Was passt zusammen? Ordnen Sie zu.**

STRUKTUREN

a Das ist der Beruf,
b Das Studium,
c Hast du eine Arbeit,
d Das ist der Kollege,
e Wir suchen Studentenjobs,
f Wie gefällt Tabea die Schule,

die dir gefällt?
die sie jetzt besucht?
die wir in den Semesterferien machen können.
das du ihm empfohlen hast, gefällt ihm gut.
der zu mir passt.
den du letzte Woche kennengelernt hast.

KB 4 **3 Lesen Sie noch einmal die Sätze in 2, markieren Sie die Relativpronomen und ergänzen Sie die Tabelle.**

STRUKTUREN ENTDECKEN

	Relativpronomen Nominativ	Relativpronomen Akkusativ
●	der	
●	das	
●		
●	die	

KB 4 **4 Reisevorbereitungen. Ergänzen Sie.**

STRUKTUREN

a Wo ist der große Koffer, den wir letztes Jahr gekauft haben?
b Hast du den Reiseführer gesehen, ____ Ulla uns neulich geliehen hat?
c Wo sind die Tickets, ____ ich gestern ausgedruckt habe?
d Wir dürfen das Geschenk, ____ wir für Yolanda gekauft haben, nicht vergessen.
e Wir müssen der Nachbarin, ____ unseren Briefkasten leert, noch den Schlüssel geben.
f Hast du den Stadtplan gesehen, ____ gestern noch auf meinem Schreibtisch gelegen hat?

KB 4 **5** **Im Büro**

Strukturen entdecken

a Markieren Sie wie im Beispiel.

1 Wo ist die Bewerbung?	Sie ist vorgestern mit der Post gekommen.	Ich habe sie vorgestern mit der Post bekommen.
2 Wo ist der Praktikant?	Er sollte die Akten kopieren.	Ich habe ihn zum Kopieren geschickt.
3 Wo ist das Zeugnis?	Es war heute in der Post.	Frau Winter hat es uns geschickt.
4 Wo sind die Kündigungen?	Sie haben gestern auf dem Schreibtisch gelegen.	Ich habe sie gestern auf den Schreibtisch gelegt.

Strukturen

b Verbinden Sie die Sätze aus a und schreiben Sie Relativsätze.

1 *Wo ist die Bewerbung, die vorgestern mit der Post gekommen ist?* — *Wo ist die Bewerbung, die ich vorgestern mit der Post bekommen habe?*

2 ______ ______

3 ______ ______

4 ______ ______

KB 4 **6** **Wer oder was ist das? Schreiben Sie Rätsel (fünf Sätze) wie im Beispiel und tauschen Sie mit Ihrer Partnerin / Ihrem Partner. Ihre Partnerin / Ihr Partner rät.**

– *Das ist eine Person, die mit uns zusammen Deutsch lernt. Sie kommt immer mit dem Fahrrad.*
– *Das ist ein Gegenstand, der in meiner Handtasche ist. Ich habe ihn fast immer dabei.*
– …

KB 5 **7** **Ordnen Sie zu.**

Kommunikation

habe ich fest vor | ~~bist du eigentlich zufrieden~~ | bin total unzufrieden | ist in Ordnung | stört mich sehr | Ich habe genug.

■ Sag mal, *bist du eigentlich zufrieden* (a) mit der Ausbildung?
▲ Ja, die Ausbildung ______ (b). Es gibt natürlich auch Tätigkeiten, die mir nicht so gut gefallen. Warum fragst du?
■ Ich ______ (c). Am schlimmsten ist der Chef. Der hat meistens schlechte Laune. Und ich darf nichts selbst machen. Das ______ (d).
▲ Am Anfang war ich auch nicht besonders zufrieden, aber im zweiten Lehrjahr war es dann besser.
■ ______ (e). Morgen habe ich einen Termin bei der Berufsberatung.
▲ Willst du dich denn noch einmal neu bewerben?
■ Ja, das ______ (f). Ich würde am liebsten den Ausbildungsbetrieb wechseln.

KB 5

8 Feedback-Forum

LESEN

a Was findet die Teilnehmerin positiv, was negativ? Lesen Sie den Beitrag im Forum und markieren Sie in zwei Farben (grün = positiv, rot = negativ).

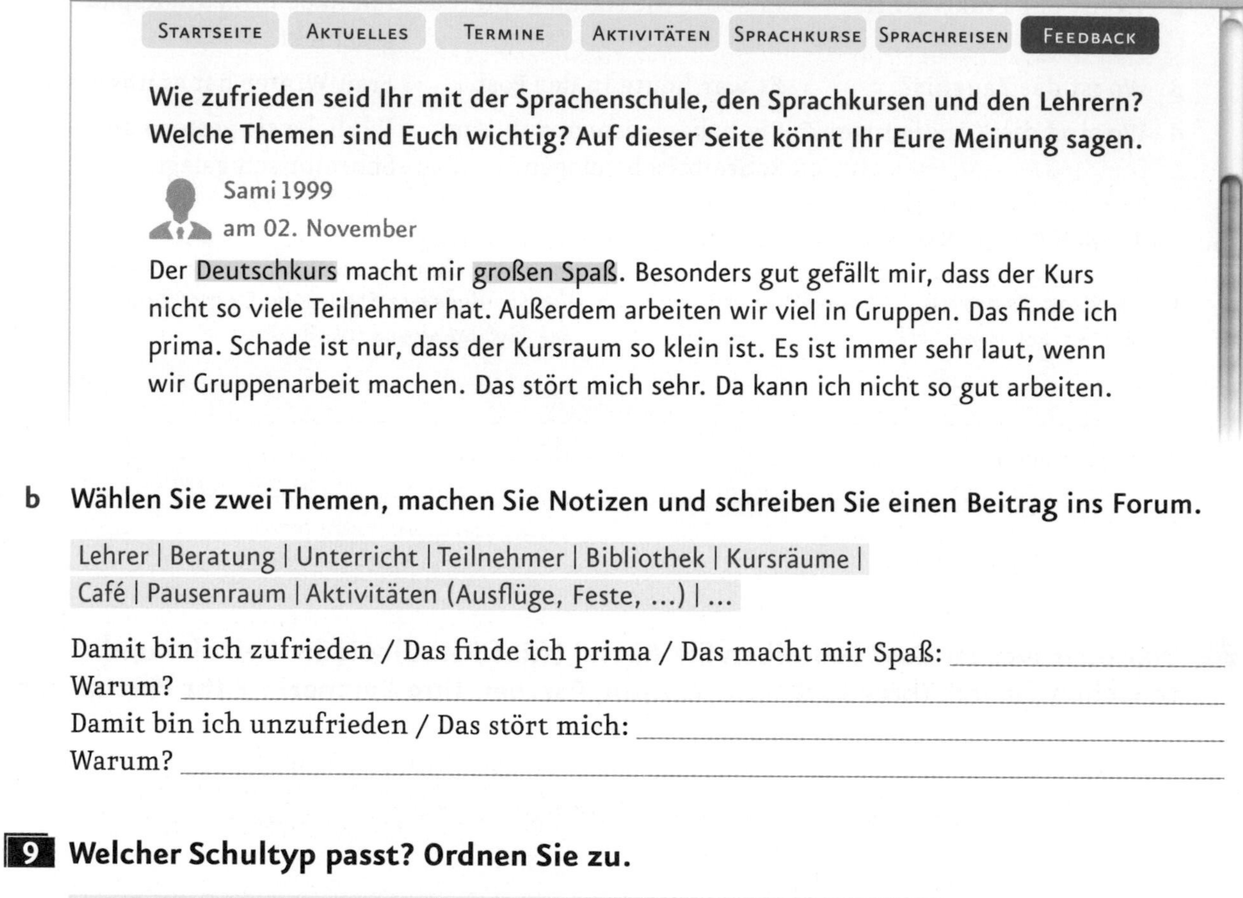

SCHREIBEN

b Wählen Sie zwei Themen, machen Sie Notizen und schreiben Sie einen Beitrag ins Forum.

Lehrer | Beratung | Unterricht | Teilnehmer | Bibliothek | Kursräume | Café | Pausenraum | Aktivitäten (Ausflüge, Feste, ...) | ...

Damit bin ich zufrieden / Das finde ich prima / Das macht mir Spaß: ______
Warum? ______
Damit bin ich unzufrieden / Das stört mich: ______
Warum? ______

KB 6

9 Welcher Schultyp passt? Ordnen Sie zu.

WÖRTER

Berufsschule | Fachhochschule | Gesamtschule | Grundschule | ~~Gymnasium~~ | Hauptschule/Mittelschule | Realschule

a Ich gehe in die 10. Klasse. Viele Mitschüler von mir machen nach dem Sommer eine Ausbildung, aber ich möchte das Abitur machen: Deshalb gehe ich aufs Gymnasium oder auf die ______.

b Ich gehe nicht gern in die Schule und möchte so schnell wie möglich einen Beruf lernen. Deshalb möchte ich nach der Grundschule auf eine ______ oder auf eine ______ gehen.

c Ich mache gerade eine Lehre als Elektroinstallateur und gehe einmal die Woche auf die ______.

d Ich habe gerade Abitur gemacht, aber ich möchte nicht an einer Universität, sondern an der ______ studieren.

e Am allerbesten haben mir die ersten vier Schuljahre in der ______ gefallen. Dort habe ich sogar freiwillig mehr Hausaufgaben gemacht.

TRAINING: LESEN

1 Zeitungsartikel verstehen

Lesen Sie zuerst die Aufgaben und dann den Text. Kreuzen Sie dann an.

		richtig	falsch
a	Simon Stern und seine Ehefrau leben nicht mehr zusammen.	○	○
b	Simon Stern wollte schon als Jugendlicher mit dem Motorrad durch die Sahara fahren.	○	○
c	Als Chefarzt hatte Simon Stern viele bekannte Patienten.	○	○
d	Nach der Geburt der Kinder hat man nicht mehr viel von dem Ehepaar gehört.	○	○
e	Tamaras Mutter ist sich sicher, dass ihr Schwiegersohn zu seiner Familie zurückkommt.	○	○

TIPP

Sie haben Probleme mit schweren Texten? Manchmal brauchen Sie zwei Sätze, wenn Sie eine Aufgabe lösen wollen. Diese Sätze können auch an verschiedenen Stellen im Text stehen. Lesen Sie die Aufgaben und markieren Sie im Text die wichtigen Sätze. Kreuzen Sie dann an.

Simon Stern – ein neues Leben in der Wüste?

Der bekannte Schönheitschirurg Simon Stern (52) macht nun keine Schönheitsoperationen mehr. Er hat seine Klinik verkauft und sich von seiner Ehefrau Tamara Timbel (38) getrennt. Zurzeit fährt er mit dem Motorrad durch die Sahara. Der aus den Medien bekannte Schönheitschirurg hat genug vom Berufs- und Familienleben. Der erfolgreiche Arzt hat seinen Job aufgegeben und ist aus der gemeinsamen Villa ausgezogen. „Er möchte endlich seine Jugendträume leben", erzählen enge Freunde. Simon Stern hat nach seinem Medizinstudium in der Klinik seines Vaters angefangen. Als Chefarzt hatte er später großen Erfolg. Viele Stars aus Film und Fernsehen haben sich von ihm operieren lassen.

Nach der Heirat mit der bekannten Sängerin Tamara Timbel hatte das Ehepaar einen festen Platz in den Schlagzeilen der Medien. Bis zur Geburt der Kinder fehlten sie auf keiner Party der High Society. Danach zeigte sich der prominente Arzt als Familienmensch. In vielen Homestorys konnte man einiges über sein Privatleben erfahren. Die Mutter von Tamara Timbel kann die Entscheidung von Simon Stern nicht verstehen: „Sie waren so ein schönes Paar und immer so glücklich! Er kommt bestimmt bald wieder zurück!", hofft sie, auch wegen der Kinder.

TRAINING: AUSSPRACHE *die Laute „ch" und „sch"*

▶ 2 39

1 Hören Sie und sprechen Sie nach.

schriftlich – Studium – Schulabschluss – Fachhochschule – Berufsschule – Spaß – Architekt – glücklich

▶ 2 40–41

2 Hören Sie und sprechen Sie dann.

Lebensläufe

a Schule: Gymnasium – Schulabschluss: Abitur – Studium: Elektrotechnik Bewerbung: schriftlich – Arbeitsstelle: super – glücklich!

b Zuerst Gesamtschule, dann Schreinerlehre und Berufsschule, schließlich Fachhochschule mit Diplom, zuletzt als Architekt viel Spaß!

TEST

1 Ordnen Sie zu.

WÖRTER

Prüfungen | Zeugnis | Praktikant | Berufsschule | Lehre | ~~Realschule~~ | Noten

■ Auf welche Schule gehst du?
▲ Auf die Realschule (a), ich bin jetzt in der 10. Klasse und bin bald fertig. Die schriftlichen ________________ (b) sind im Mai, die mündlichen im Juni.
■ Und was willst du dann machen?
▲ Ich beginne eine ________________ (c) als Kfz-Mechatroniker beim Autohaus Keser. Dort habe ich früher schon ein paar Mal als ________________ (d) gearbeitet.
■ Toll! Und wie lange dauert die Ausbildung?
▲ 3,5 Jahre. Die meiste Zeit davon bin ich im Autohaus, aber ich habe jedes Jahr auch 14 Wochen Unterricht in der ________________ (e).
■ Das wollte ich früher auch werden. Leider hatte ich immer so schlechte ____________ (f) in Mathematik und Technik.
▲ Zum Glück war mein ________________ (g) letztes Jahr sehr gut.

_ / 6 PUNKTE

2 Ergänzen Sie die Relativpronomen.

STRUKTUREN

a Das ist Jonas, der mir immer in Englisch hilft.
b Welchen Beruf soll ich lernen? Es gibt so viele Jobs, _____ mich interessieren.
c Mein Freund hat das beste Zeugnis, _____ man bekommen kann.
d Kennst du eine Firma, _____ Praktikanten sucht?
e Das ist die Bewerbung, _____ ich geschrieben habe. Kannst du sie bitte korrigieren?
f Endlich habe ich den Job, _____ ich immer haben wollte.
g Hier sind die Bewerbungen, _____ ich noch abschicken muss.

_ / 6 PUNKTE

3 Ordnen Sie zu.

KOMMUNIKATION

sehr zufrieden | muss ich alles | habe ich fest | möchte ich so bald | großen Spaß | habe keine Lust | ist prima

Wie findet Ihr Euren Job? Erzählt doch mal!

Mein Beruf macht mir ____________________ (a). Ich bin Lehrerin an der Grundschule. Ich unterrichte gern und mag die Arbeit mit den Kindern. Das ____________________ (b).

Meine Kollegen sind wirklich faul. Immer ____________________ (c) machen. Ich ____________________ (d) mehr. Deshalb ____________________ (e) wie möglich die Firma wechseln. Das ____________________ (f) vor.

Ich bin ____________________ (g). Die Arbeit ist interessant und die Kollegen sind nett.

_ / 7 PUNKTE

Wörter		Strukturen		Kommunikation	
●	0–3 Punkte	●	0–3 Punkte	●	0–3 Punkte
●	4 Punkte	●	4 Punkte	●	4–5 Punkte
●	5–6 Punkte	●	5–6 Punkte	●	6–7 Punkte

www.hueber.de/menschen

LERNWORTSCHATZ

1 Wie heißen die Wörter in Ihrer Sprache? Übersetzen Sie.

Schule und Ausbildung

Abitur das ______
A: Matura, die/ CH: Matur, die
Berufsschule die, -n ______
Fachhochschule die, -n ______
Gesamtschule die, -n ______
Grundschule die, -n ______
A: Volksschule die, -n
CH: Primarschule die, -n
Gymnasium das, Gymnasien ______
CH: auch: Kantonsschule die, -n
Hauptschule die, -n ______
Lehre die, -n ______
Note die, -n ______
Realschule die, -n ______
Zeugnis das, -se ______

mündlich ______
schriftlich ______

Beruf

Bewerbung die, -en ______
Einkommen das, - ______
Kündigung die, -en ______
Praktikant der, -en ______
Tätigkeit die, -en ______

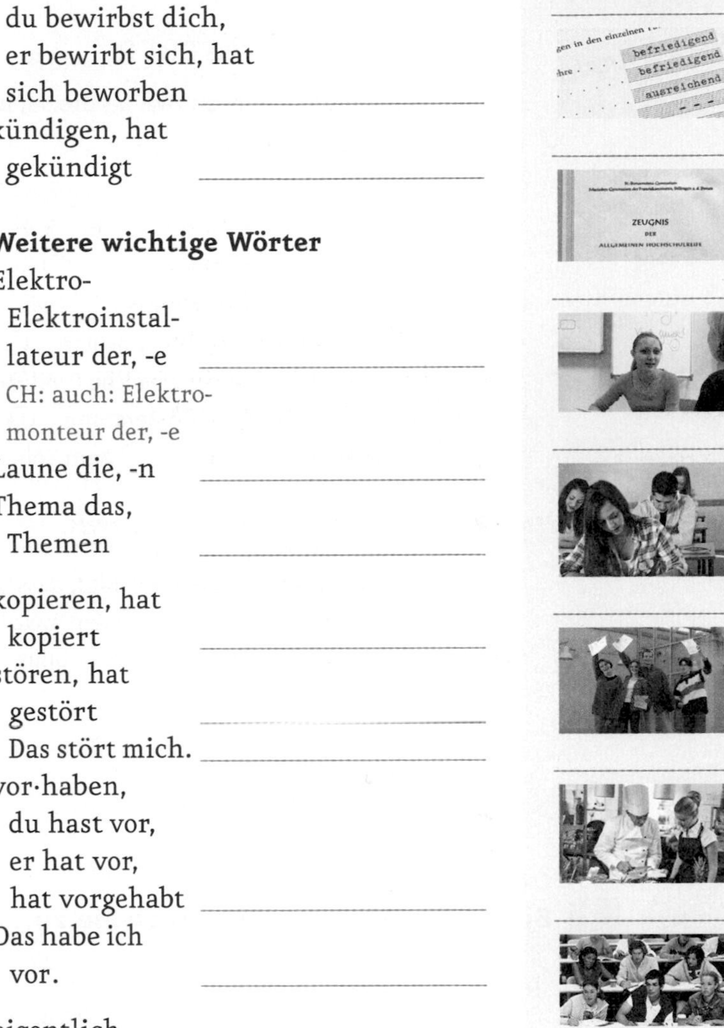

(sich) bewerben um, du bewirbst dich, er bewirbt sich, hat sich beworben ______
kündigen, hat gekündigt ______

Weitere wichtige Wörter

Elektro-
Elektroinstallateur der, -e ______
CH: auch: Elektromonteur der, -e
Laune die, -n ______
Thema das, Themen ______

kopieren, hat kopiert ______
stören, hat gestört ______
Das stört mich. ______
vor·haben, du hast vor, er hat vor, hat vorgehabt ______
Das habe ich vor. ______

eigentlich ______
freiwillig ______
genug ______
genug haben ______
neulich ______
vorgestern ______

TIPP
Wörter mit „-ung“ haben immer den Artikel „die“.
Welche Wörter kennen Sie noch?

die Bewerbung

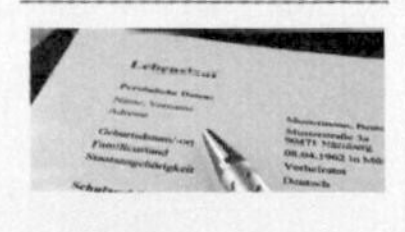

2 Welche Wörter möchten Sie noch lernen? Notieren Sie.

______
______
______

Wie sah dein Alltag aus?

KB 4 **1** **Was passt? Kreuzen Sie an.**

WÖRTER

REISE Ratgeber

Darum müssen Sie sich schon zwei bis drei Monate vor der Reise kümmern:

Dokumente

(a) Ist Ihr Pass noch ○ gültig? ○ gut? ○ international?
(b) Wenn nicht, müssen Sie ihn ○ bestätigen ○ verpassen ○ verlängern lassen oder einen neuen ○ herstellen. ○ beantragen. ○ verlängern.
(c) Für manche Länder braucht man ○ ein Visum. ○ einen Zettel. ○ eine Anmeldung.
(d) Das bekommen Sie ○ im Konsulat. ○ beim Zoll. ○ bei der Polizei.
(e) Informieren Sie sich genau, welche Produkte Sie mitnehmen dürfen, sonst bekommen Sie bei der ○ Kontrolle ○ Beratung ○ Untersuchung an der Grenze Probleme mit ○ der Versicherung. ○ dem Zoll. ○ dem Konsulat.

Flugtickets

Es lohnt sich, Tickets früh zu kaufen. Dann sind sie meistens billiger. Wenn Sie umsteigen müssen, achten Sie schon beim Ticketkauf darauf, dass Sie genug Zeit dazu haben. (f) Es ist sehr ärgerlich, wenn man ○ die Verbindung ○ den Anschluss ○ den Fahrplan verpasst. (g) Und kurz vor ○ dem Ziel ○ der Abfahrt ○ dem Abflug kann man nicht mehr so leicht umbuchen.

Gesundheit

(h) Haben Sie alle ○ Impfungen, ○ Operationen, ○ Kontrollen, die man für Ihr Reiseland braucht? Fragen Sie Ihren Arzt.

KB 4 **2** **Bilden Sie Wörter und ordnen Sie zu.**

WÖRTER

lei	sinn	burt	se
voll	~~ähn~~	ten	Er
Ge	Zu	inner	kunft
~~lich~~	Zu	ung	hau

a nicht ganz gleich, aber *ähnlich*
b sinnlos ↔ ____________
c Dort wohnt man und man fühlt sich wohl: das ____________
d Ein Baby wird geboren: die ____________
e sich erinnern: die ____________
f Vergangenheit, Gegenwart, ____________
g Der Chef und die Chefin ____________ die Firma.

KB 4 **3** **Worttreppen**

Schreiben Sie drei Wörter aus der Lektion auf.

Ihre Partnerin / Ihr Partner ergänzt jeweils ein Wort, das mit dem letzen Buchstaben von Ihrem Wort beginnt. Danach tauschen Sie die Blätter wieder und ergänzen weitere Wörter und tauschen wieder. Schreiben Sie Worttreppen mit mindestens sechs Wörtern.

FAHRKARTE
ERFAHRUNG
GELD
DOKUMENT
T...

KONSULAT
TERMIN
N...

KB 5 — Wiederholung Strukturen

4 Ergänzen Sie die Verben im Präteritum in der richtigen Form.

Letztes Jahr wollte (wollen) (a) ich mit meiner Freundin nach Australien fliegen. Leider ______ (haben) (b) wir beide nicht viel Geld. Aber wir ______ (wollen) (c) nicht zu Hause bleiben. Meine Freundin ______ (haben) (d) dann die Idee, dass wir in Australien arbeiten und danach Urlaub machen könnten. Wir haben dann dort einen Monat auf einem Bauernhof gearbeitet. Die Arbeit ______ (sein) (e) sehr anstrengend und wir ______ (müssen) (f) jeden Tag sehr früh aufstehen. Aber die Leute ______ (sein) (g) ziemlich nett. Das ______ (sein) (h) eine interessante Erfahrung.

KB 5 — Strukturen entdecken

5 Ärger im Büro

Markieren Sie die Verben im Präteritum und schreiben Sie den Infinitiv.

a Heute Morgen **fand** ich zuerst meinen Büroschlüssel nicht. finden
b Dann sah ich eine wichtige Notiz auf meinem Schreibtisch nicht. ______
c Meine zwei Kollegen kamen zu spät ins Büro. ______
d Wir arbeiteten den ganzen Tag. ______
e Es gab keine Mittagspause. ______

KB 5 — Strukturen

6 Ergänzen Sie.

	regelmäßige Verben		unregelmäßige Verben			
	arbeiten	sagen	finden	kommen	geben	sehen
ich	arbeitete		fand			
er/es/sie		sagte		kam		
wir	arbeiteten				gaben	
sie/Sie		sagten				sahen

KB 5 — Strukturen

7 Ergänzen Sie die Verben im Präteritum in der richtigen Form.

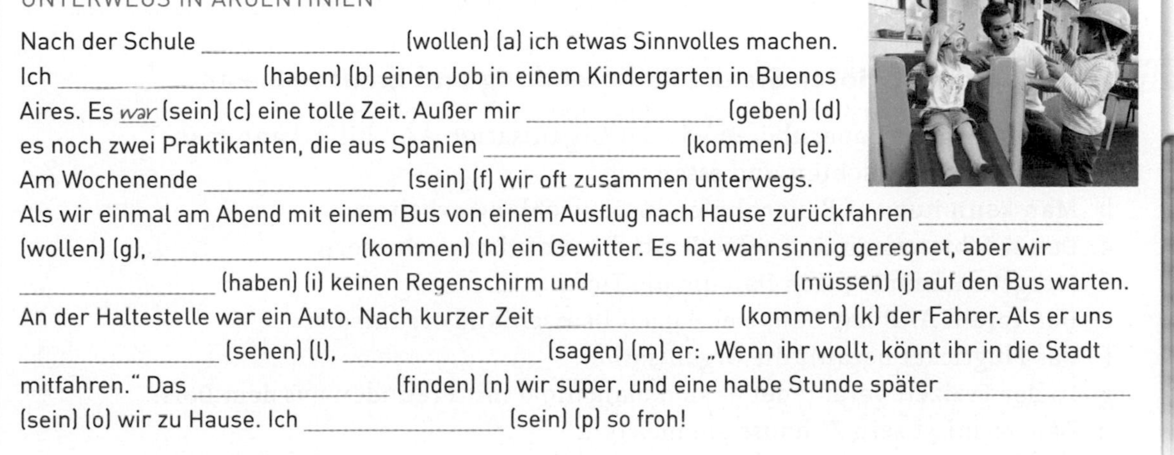

UNTERWEGS IN ARGENTINIEN

Nach der Schule ______ (wollen) (a) ich etwas Sinnvolles machen. Ich ______ (haben) (b) einen Job in einem Kindergarten in Buenos Aires. Es war (sein) (c) eine tolle Zeit. Außer mir ______ (geben) (d) es noch zwei Praktikanten, die aus Spanien ______ (kommen) (e). Am Wochenende ______ (sein) (f) wir oft zusammen unterwegs.
Als wir einmal am Abend mit einem Bus von einem Ausflug nach Hause zurückfahren ______ (wollen) (g), ______ (kommen) (h) ein Gewitter. Es hat wahnsinnig geregnet, aber wir ______ (haben) (i) keinen Regenschirm und ______ (müssen) (j) auf den Bus warten. An der Haltestelle war ein Auto. Nach kurzer Zeit ______ (kommen) (k) der Fahrer. Als er uns ______ (sehen) (l), ______ (sagen) (m) er: „Wenn ihr wollt, könnt ihr in die Stadt mitfahren." Das ______ (finden) (n) wir super, und eine halbe Stunde später ______ (sein) (o) wir zu Hause. Ich ______ (sein) (p) so froh!

KB 5 **8** **Welches Verb passt? Kreuzen Sie an.**

WÖRTER

	haben	sein	verabreden	verbessern	wohnen
a in einem Apartment	○	⊗	○	○	⊗
b seine Sprachkenntnisse	○	○	○	○	○
c Verspätung	○	○	○	○	○
d sich mit Freunden	○	○	○	○	○
e schon um 6 Uhr wach	○	○	○	○	○

KB 6 **9** **Ordnen Sie zu.**

KOMMUNIKATION

nicht so gut gefallen | so schnell vorbei waren | nicht so gut geklappt | vielen schönen | Erlebnissen | interessante Erfahrungen gebracht | ~~das sofort wieder machen~~ | fand ich es | niemandem empfehlen

Thema: Couchsurfing / Frage von Niko

Hallo Leute,
man kann auf Reisen bei Leuten übernachten, die im Internet eine kostenlose Unterkunft anbieten. Das habe ich jetzt schon öfter gehört und würde das auch gern mal ausprobieren. Wer von Euch hat Erfahrung mit Couchsurfing?

Couchsurfing / Antwort von Dela

Letzten Sommer bin ich zwei Wochen durch Großbritannien gereist und habe Couchsurfing gemacht. Ich würde *das sofort wieder machen* (a). Es war eine tolle Zeit mit ______________________ (b). So lernt man das Land und die Leute viel besser kennen. Bei mir hat jeder Tag neue ______________________ (c). Schade, dass die zwei Wochen ______________________ (d).

Couchsurfing / Antwort von Maria66

Bei mir hat es leider ______________________ (e). Ich musste mir mal drei Nächte mit einer Freundin ein kleines Sofa teilen. Außerdem ______________________ (f) anstrengend, dass man immer wieder bei anderen Leuten übernachtet. Das hat mir ______________________ (g). Deshalb würde ich Couchsurfing ______________________ (h).

KB 6 **10** **Was ist richtig? Hören Sie die Radiosendung und kreuzen Sie an.**

▶ 2 42

HÖREN

a Wenn man auf Bauernhöfen von der Organisation AAB hilft, kann man kostenlos übernachten und essen. ⊗
b Man kann nur auf Bauernhöfen in Deutschland arbeiten. ○
c Dan möchte reisen und seine Deutschkenntnisse verbessern. ○
d Morgens kümmert sich Dan um die Tiere. ○
e Der Verein AAB hat Dans Reise nach Deutschland organisiert. ○
f Das Flugticket bezahlt die Organisation. ○
g In der Freizeit verabredet er sich manchmal mit Freunden aus dem Dorf. ○
h Dan vermisst sein Zuhause am meisten. ○
i Dan hat gesagt, dass er in Zukunft in Deutschland arbeiten möchte. ○

TRAINING: SPRECHEN

1 Was kann man zum Thema Reisen fragen?
Sammeln Sie in drei Minuten so viele Fragen wie möglich.

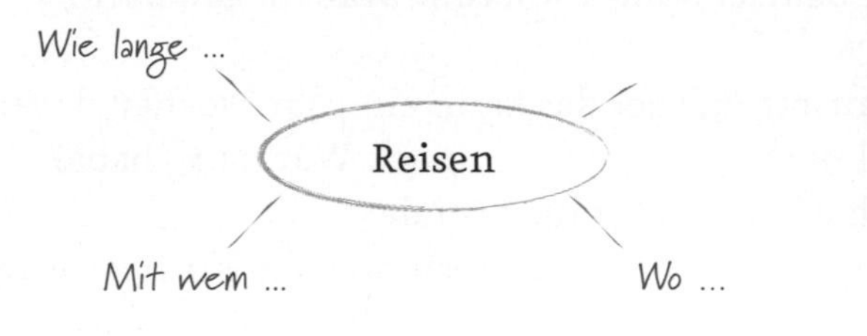

TIPP
Sie möchten sich auf die Prüfung vorbereiten? So können Sie üben: Wählen Sie Themen, die Sie interessieren und sammeln Sie Fragen. Sprechen Sie dann mit Ihrer Partnerin / Ihrem Partner.

2 Kettenspiel: Wer kann die meisten Fragen stellen? Spielen Sie zu dritt.
Sammeln Sie Punkte für jede Frage.

Person A stellt eine Frage. Person B antwortet und stellt eine weitere Frage. Dann antwortet Person C und ...

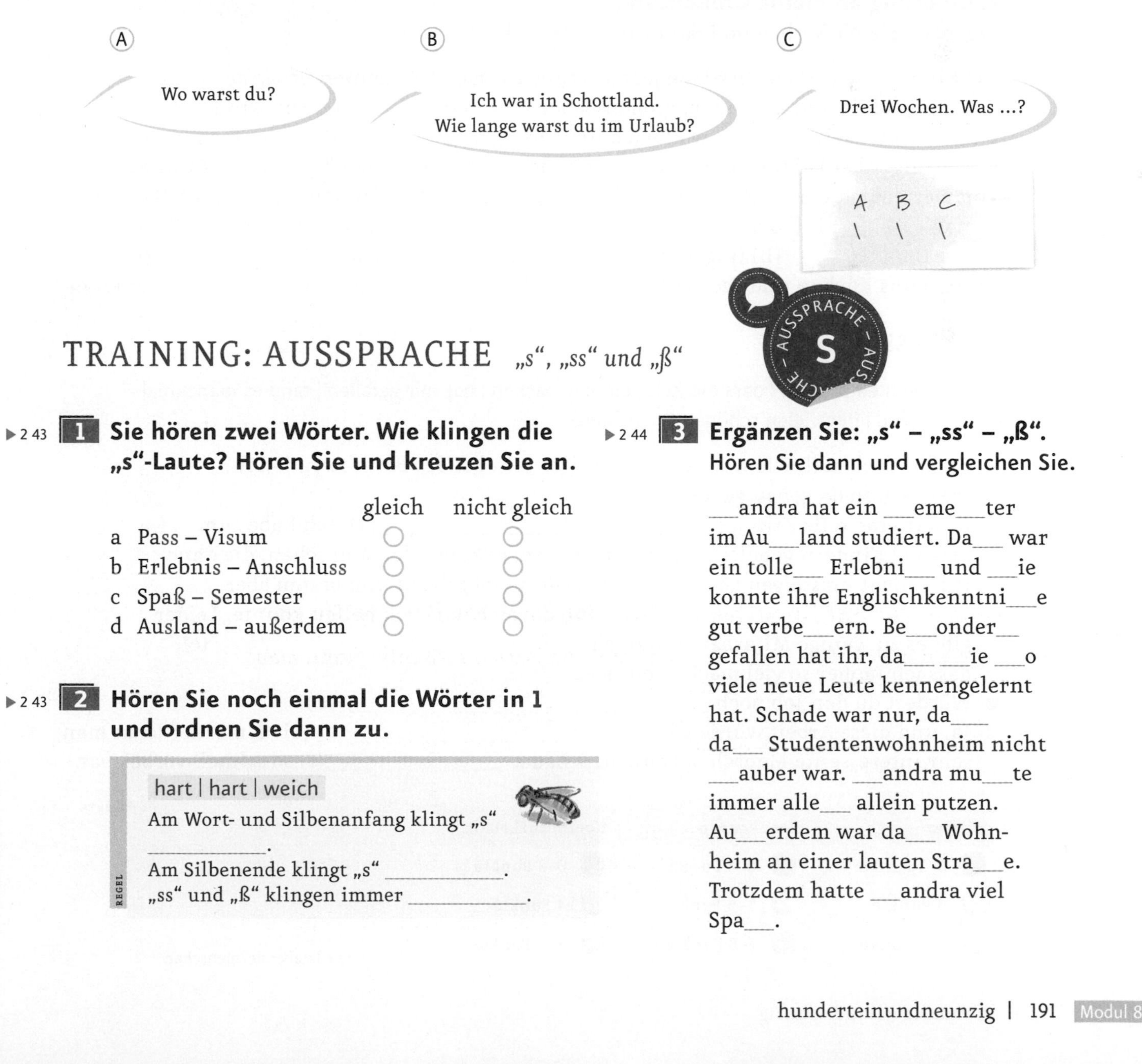

TRAINING: AUSSPRACHE *„s", „ss" und „ß"*

▶ 2 43 **1 Sie hören zwei Wörter. Wie klingen die „s"-Laute? Hören Sie und kreuzen Sie an.**

		gleich	nicht gleich
a	Pass – Visum	○	○
b	Erlebnis – Anschluss	○	○
c	Spaß – Semester	○	○
d	Ausland – außerdem	○	○

▶ 2 43 **2 Hören Sie noch einmal die Wörter in 1 und ordnen Sie dann zu.**

REGEL
hart | hart | weich
Am Wort- und Silbenanfang klingt „s" ___________.
Am Silbenende klingt „s" ___________.
„ss" und „ß" klingen immer ___________.

▶ 2 44 **3 Ergänzen Sie: „s" – „ss" – „ß". Hören Sie dann und vergleichen Sie.**

___andra hat ein ___eme___ter im Au___land studiert. Da___ war ein tolle___ Erlebni___ und ___ie konnte ihre Englischkenntni___e gut verbe___ern. Be___onder___ gefallen hat ihr, da___ ___ie ___o viele neue Leute kennengelernt hat. Schade war nur, da___ da___ Studentenwohnheim nicht ___auber war. ___andra mu___te immer alle___ allein putzen. Au___erdem war da___ Wohnheim an einer lauten Stra___e. Trotzdem hatte ___andra viel Spa___.

Wörter

1 Ordnen Sie zu.

Verspätung | Konsulat | Abflug | Impfungen | Anschluss | ~~Visum~~ | Passkontrolle

a ■ Ich will nächstes Jahr ein Semester in Deutschland studieren. Brauche ich dafür ein Visum?
▲ Ja. Du kannst es beim ______________ beantragen, aber das kann ein paar Wochen dauern.

b ■ Können Sie mir sagen, ob ich in Kassel noch ______________ nach Würzburg habe?
▲ Das weiß ich leider nicht. Momentan hat unser Zug eine Stunde ______________.

c ■ Hast du die Ausweise? Jetzt kommt die ______________, danach müssen wir noch durch den Zoll.
▲ Dauert das noch lange? Ich bin so müde. Seit unserem ______________ sind wir 12 Stunden unterwegs.

d ■ Welche ______________ brauche ich, wenn ich nach Australien fliege?
▲ Das weiß ich nicht, frag am besten deinen Arzt.

_ / 6 Punkte

Strukturen

2 Erinnerung an meine Großeltern

Ergänzen Sie die Verben im Präteritum in der richtigen Form.

Als Kind machte (a) (machen) ich jeden Sommer Ferien bei meinen Großeltern. Sie ________ (b) (leben) auf einem großen Bauernhof und ________ (c) (haben) viele Tiere. Zu Hause bei meinen Eltern wollte ich nie helfen, das ________ (d) (finden) ich immer langweilig. Aber bei Oma und Opa war es anders. Ich stand jeden Tag um sechs Uhr auf, kümmerte mich um die Kühe und ________ (e) (arbeiten) bis zum Mittagessen. Am Nachmittag ________ (f) (kommen) mein Freund und wir ________ (g) (spielen) oft am Fluss. Meine Oma ________ (h) (sagen) immer: „Passt aber gut auf, Kinder!" und ________ (i) (geben) uns Kuchen und Tee für unser Picknick.

_ / 8 Punkte

Kommunikation

3 Ordnen Sie zu.

auch jedem empfehlen | dass die Zeit | einmal machen | hat mir gefallen | fand es manchmal anstrengend | mit vielen schönen Erfahrungen

■ Erzähl doch mal, wie war dein freiwilliges Jahr bei der Bahnhofsmission? Was hast du da genau gemacht?

▲ Es war eine tolle Zeit ______________________________ (a). Ich habe zum Beispiel Kindern geholfen, die alleine reisen, oder blinden Menschen, die ohne Hilfe nicht umsteigen können. Ich habe dort viel gelernt. Am besten aber ______________________________ (b), dass ich wirklich helfen konnte. Leider gibt es zu wenige Mitarbeiter und ich ______________________________ (c), dass ich immer so viel machen musste.

■ Würdest du den Job noch ______________________________ (d)?

▲ Ja, und diese Arbeit würde ich ______________________________ (e), denn hier lernt man sehr interessante Menschen kennen. Schade, ______________________________ (f) so schnell vorbei war.

_ / 6 Punkte

Wörter	Strukturen	Kommunikation
0–3 Punkte	0–4 Punkte	0–3 Punkte
4 Punkte	5–6 Punkte	4 Punkte
5–6 Punkte	7–8 Punkte	5–6 Punkte

www.hueber.de/menschen

LERNWORTSCHATZ

1 Wie heißen die Wörter in Ihrer Sprache? Übersetzen Sie.

Reisen

Abflug der, ⸚e ______
Anschluss der, ⸚e ______
Impfung die, -en ______
Konsulat das, -e ______
Kontrolle die, -n ______
Pass der, ⸚e ______
Verspätung die, -en ______
Visum das, Visa ______
Zoll der, ⸚e ______

beantragen, hat beantragt ______
verlängern, hat verlängert ______
einen Pass verlängern ______

gültig ______

Weitere wichtige Wörter

Apartment das, -s ______
A/CH: Wohnung die, -en
Erinnerung die, -en ______
Geburt die, -en ______
Kenntnis die, -se ______
Zuhause das ______
Zukunft die ______

leiten, hat geleitet ______
sich verabreden, hat verabredet ______

ähnlich ______
sinnvoll ______
wach ______

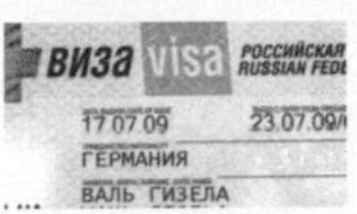

TIPP: Welche Wörter aus früheren Lektionen kennen Sie schon zum Thema „Reisen"? Sammeln Sie bekannte Wörter und schreiben Sie einen kurzen Text.

Insel – Strand – besichtigen – Pass

Letztes Jahr waren wir auf Rügen, das ist die größte deutsche **Insel**. Die weißen **Sandstrände** …

2 Welche Wörter möchten Sie noch lernen? Notieren Sie.

WIEDERHOLUNGSSTATION: WORTSCHATZ

1 Ordnen Sie zu.

anmelden | ~~Unterwegs~~ | kostenlos | mieten | geben | umweltfreundlich | rufen | erreichen | funktioniert

Unterwegs (a) in der Stadt

Wollen Sie Städte wie Hamburg, Wien, Zürich mit dem Fahrrad kennenlernen? In vielen großen Städten kann man Fahrräder ______________ (b). Das ist preiswert und außerdem ______________ (c). Wie geht das? Sie müssen sich nur einmal telefonisch oder online ______________ (d). Dann suchen Sie sich ein freies Rad. Die Räder gibt es am Bahnhof und in der ganzen Stadt. Nun ______________ (e) Sie mit Ihrem Handy die Nummer an, die auf dem Fahrrad steht, schließen es auf und schon kann es losgehen. Wenn Sie das Fahrrad nicht mehr brauchen, ______________ (f) Sie es einfach an einer der vielen Fahrradstationen wieder zurück.

Ein Tipp für die Schweiz: Hier sagt man nicht Fahrrad, sondern Velo. In einigen Städten gibt es ein besonderes Angebot. Man kann sehr günstig unterwegs sein, denn die ersten vier Stunden sind ______________ (g)! Und es gibt sogar Kindervelos und Elektrovelos. Die Anmeldung ______________ (h) hier ganz ohne Handy oder Chipkarte. Sie brauchen nur einen Ausweis.

Die Fahrradstationen haben unterschiedliche Namen wie „StadtRAD", „Call a bike", „Schweizrollt" oder „Citybike". Aber bei allen ______________ (i) Sie entspannt und ohne Stress Ihr Ziel!

2 Lösen Sie das Rätsel.

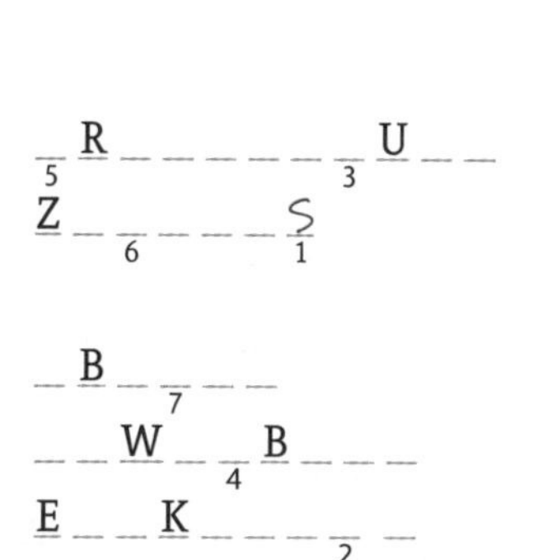

a Dorthin geht man die ersten vier Schuljahre: _ R _ _ _ _ _ _ U _ _ (5, 3)

b Hier stehen viele Noten: Z _ _ _ _ _ S (6, 1)

c Man macht diese Prüfung nach 12 oder 13 Schuljahren. In Österreich und in der Schweiz sagt man „Matura": _ B _ _ _ _ (7)

d Das schreibt man, wenn man einen Job sucht: _ _ W _ _ B _ _ _ (4)

e So nennt man die Bezahlung für Arbeit: E _ _ K _ _ _ _ _ (2)

In Deutschland ist die Note 6 die schlechteste Note, in Österreich ist es die Note 5. Was aber bedeutet die Note 6 in den meisten Teilen (Kantonen) der Schweiz?

S _ _ _ _ _ _
1 2 3 4 5 6 7

3 Welches Wort passt nicht? Streichen Sie das falsche Wort durch.

a Arzt – Grippe – Impfung – ~~Laune~~

b Abflug – Verspätung – Vertrag – Ankunft

c Lehre – Konsulat – Visum – Pass

d Zoll – Zahl – Pass – Kontrolle

e Bahnhof – Anschluss – Kündigung – Zug

WIEDERHOLUNGSSTATION: GRAMMATIK

1 Ausbildung und Arbeit. Verbinden Sie die Sätze mit *seit(dem)* oder *bis*.

a Susanne kann das Abitur machen. Sie muss noch fünf Jahre zur Schule gehen. Bis Susanne das Abitur machen kann, muss sie noch fünf Jahre zur Schule gehen.

b Johanna hat die Schule gewechselt. Johannas Noten sind besser geworden.
Johannas Noten ______________________________.

c Jens macht eine Lehre. Er kann sich erst abends mit seinen Freunden treffen.
______________________________ mit seinen Freunden treffen.

d Es dauert noch zwei Jahre. Thomas ist Elektroinstallateur.

______________________________ noch zwei Jahre.

e Peter musste zwei Wochen warten. Er bekam eine Antwort auf seine Bewerbung.
Peter musste ______________________________.

2 Reisequiz. Ergänzen Sie die Relativpronomen und Wörter.

a Das Dokument, das man vor einer Reise bei einem Konsulat beantragt, heißt V i s u m.

b Die Leute, _____ in einem Land Urlaub machen, nennt man T _ _ _ _ _ _ _ _ _.

c Das Dokument, _____ an der Grenze kontrolliert wird, heißt P _ _ _.

d Der Flug, _____ man beim Umsteigen nicht verpassen darf, heißt A _ _ _ _ _ _ _ _ _.

e Für manche Produkte, _____ man im Ausland kauft, muss man Z _ _ _ bezahlen.

f Der Ort, _____ man erreichen möchte, ist das Z _ _ _.

g Die Person, _____ Besuchern die Sehenswürdigkeiten zeigt, ist R _ _ _ _ _ _ _ _ _ _ _ von Beruf.

3 Carsharing. Ergänzen Sie die Verben im Präteritum.

Als ich das erste Mal bei einer Carsharing-Organisation ein Auto über das Internet mieten ________ (wollen) (a), hatte (haben) (b) ich Probleme. Zuerst ________ (können) (c) ich mich nicht einloggen. Als ich endlich auf der Webseite ________ (sein) (d), ________ (finden) (e) ich kein Auto in der Nähe. Es ________ (geben) (f) nur noch ein freies Auto und das ________ (sein) (g) außerhalb. Ich ________ (müssen) (h) eine halbe Stunde mit der U-Bahn dorthin fahren. Als ich endlich beim Auto ________ (ankommen) (i), ________ (finden) (j) ich meine Chipkarte nicht. Die braucht man aber zum Öffnen. Ich ________ (müssen) (k) also wieder nach Hause fahren und die Chipkarte suchen. Als ich die Karte ________ (haben) (l) und endlich wieder zum Auto ________ (kommen) (m), ________(sehen) (n) ich einen Mann mit dem Auto wegfahren. Er ________ (sagen) (o) nur: „Tut mir leid. Aber ich habe das Auto gerade gemietet."

SELBSTEINSCHÄTZUNG Das kann ich!

Ich kann jetzt ...

... etwas erklären: L22

■ Wie g________ das? Können Sie mir das e________________?
▲ Kein P____________! Gern.

■ Können Sie mir s____________, w______ das hier f______________?
▲ Na k______! Das ist g__________ e______________.

... Zufriedenheit/Unzufriedenheit ausdrücken: L23

Bist du mit deinem Job ____________________?

Ja, ich bin sehr ________________ d____________.
Mein Job ______________ mir großen ________________.

Na j_____, es __________.

Nein, ü______________ n__________.
Immer muss ich kopieren. Das s__________ m__________.

... Begeisterung ausdrücken: L24

Das war eine tolle Z________ mit v__________ schönen Erl______________.
Jeder Tag hat neue Erf______________ g______________.
Das w________ ich jedem empf____________.
Das würde ich sofort w________ m______________.

... Enttäuschung ausdrücken: L24

S__________, dass die Zeit so schnell v__________ war.
Ich f________ es tr__________, dass ich Weihnachten nicht bei meiner Familie war.
L________ hat mir die Zusammenarbeit im Team n________ so gut g____________.
Das würde ich niem________ ________________________.

Ich kenne ...

... 8 Wörter zum Thema „Internet/Online-Anmeldungen“: L22

Das brauche/mache ich oft im Internet:

____

Das brauche/mache ich selten im Internet:

____

... 8 Wörter zum Thema „Schule und Ausbildung“: L23

Das war/ist in meiner Schule/Ausbildung wichtig:

____

Das war/ist in meiner Schule/Ausbildung nicht wichtig:

____

... 10 Wörter zum Thema „Mobilität/Reise/Ausland“: L24

____

SELBSTEINSCHÄTZUNG Das kann ich!

Ich kann auch ...

... Zeiträume angeben (Konjunktion: *bis, seit/seitdem*): L22 ○ ○ ○
Ich hatte ein eigenes Auto, ________ ich gemerkt habe: Das lohnt sich nicht.
Ich bin sehr viel unterwegs, ________ ich als Firmenberaterin arbeite.

... eine Sache oder eine Person genauer beschreiben (Relativsätze): L23 ○ ○ ○
Das ist der Beruf, _____ ich liebe.
Das ist das Buch, _____ so empfehlenswert ist.
Das ist die Arbeit, _____ zu mir passt.
Das sind die Kollegen, _____ ich mag.

... über Vergangenes sprechen (Präteritum): L24 ○ ○ ○
Ich _________ immer ganz schön müde, wenn ich nach Hause _________.
(sein, kommen)
Oft _________ es eine Zwillingsgeburt. (geben)
Alle _________, dass sie mich sehr vermissen. (sagen)
Ich _________ es wirklich toll.(finden)

Üben / Wiederholen möchte ich noch:

____

RÜCKBLICK

Wählen Sie eine Aufgabe zu Lektion 22 ______________________

1 Lesen Sie noch einmal die Anleitung im Kursbuch auf Seite 125 (Aufgabe 4) und kreuzen Sie an.

		richtig	falsch
a	Man kann nur am Tag ein Auto mieten.	○	⊗
b	Vor der ersten Fahrt muss man in der MC-Filiale eine Chipkarte abholen.	○	○
c	Man kann sich mit der Chipkarte auf der Webseite von MC einloggen.	○	○
d	Man kann online ein Fahrzeug in der Nähe suchen.	○	○
e	Man kann das Auto mit einem Schlüssel öffnen.	○	○

2 Suchen Sie im Internet Informationen über eine Carsharing-Organisation in Deutschland, Österreich oder der Schweiz.
Notieren Sie die Antworten und schreiben Sie einen kurzen Text mit Ihren Informationen.

Name: Stattauto
Wo: München
Wie kann man sich anmelden:
Wie kann man das Auto öffnen:
Wo kann man das Auto abholen und zurückbringen:
Wie viel kostet es:

Eine Carsharing-Organisation in München heißt „Stattauto". Wenn man ein Auto leihen will, muss man sich zuerst im Büro von „Stattauto" anmelden. ...

RÜCKBLICK

Wählen Sie eine Aufgabe zu Lektion 23

1 Lesen Sie noch einmal den Text im Kursbuch auf Seite 128 (Aufgabe 3) und ergänzen Sie den tabellarischen Lebenslauf.

LEBENSLAUF		
Daten zur Person	Mark Brügge, geb. 15.06.1963	
Schulausbildung	September 1969–Juni 1982	Grundschule, Gymnasium: ____________
Ausbildung/Studium	September 1982–Februar 1983	Medizin____________
	August 1983–Dezember 1983	____________ als Elektroinstallateur
	März 1984–September 1984	Jurastudium
	August 1987–Juli 1990	Ausbildung als Landschaftsgärtner
Berufliche Erfahrungen	seit August 1990	Tätigkeit als ____________

2 Schreiben Sie Ihren eigenen tabellarischen Lebenslauf.
Wählen Sie die passenden Überschriften aus dem Kasten.

Daten zur Person | Schulausbildung | Ausbildung/Studium | Praktika | Berufliche Erfahrungen | Sprachkenntnisse

Wählen Sie eine Aufgabe zu Lektion 24

1 Lesen Sie noch einmal das Mitarbeiterporträt im Kursbuch auf Seite 132 und beantworten Sie die Fragen:

Was hat Patricia Günther gemacht? *im Sudan als Hebamme gearbeitet*
Wie war die Zusammenarbeit mit den Kollegen? / Was hat sie vermisst?
Wie war der Kontakt zu den Frauen und Kindern? / Was ist ihr nächstes Projekt?

2 Menschen, die die Welt bewegen

Stellen Sie eine berühmte Person vor, die anderen hilft oder geholfen hat. Suchen Sie im Internet nach Informationen. Machen Sie Notizen. Schreiben Sie dann einen Text.

Albert Schweizer war ein bekannter Theologe, Arzt, Philosoph und Musiker. Er lebte von 1875 bis 1965. Er arbeitete ...

Name *Albert Schweizer (1875–1965)*
Beruf *Theologe, Arzt, Philosoph und Musiker*
Wo arbeitet die Person / Wo hat die Person gearbeitet? *Gabun (Afrika)*
Wie lange? *1913–1965*
Was macht die Person dort / Was hat sie dort gemacht? *ein Krankenhaus in Gabun gegründet ...*

ALTE FREUNDE, NEUE FREUNDE

Teil 4: Ganz besonders freut mich ...

„Es ist bald sieben. Diogo sollte schon lange hier sein", sagt Ralf.

„Vielleicht hat das Flugzeug doch Verspätung", sagt Max.

„Nein, das ist schon hier. Schau dort auf die Tafel."

„Vielleicht hat er Probleme mit dem Visum?"

„Ich glaube, Brasilianer brauchen gar kein Visum für Deutschland."

„Ralf, wir müssen gehen. Wir dürfen Inas Vernissage nicht verpassen."

„Aber was ist, wenn Diogo jetzt kommt? In zehn Minuten? In einer halben Stunde?"

„Er hat unsere Telefonnummer. Wir müssen zur Vernissage, wir sind Inas beste Freunde."

Sie gehen zum Ausgang des Flughafens.

„Max, Ralf, wo wollt ihr hin? Wartet! Hier bin ich!"

„Diogo, da bist du ja endlich!", ruft Max.

„Es ist schön, euch wiederzusehen!" Diogo umarmt Max und Ralf.

„Wir müssen schnell los", sagt Ralf. „Inas Vernissage fängt gleich an. Vielleicht sind wir schon zu spät."

„Warum hast du so lange gebraucht?", fragt Max.

„Ich musste am Zoll lange warten. Es hat eine Kontrolle gegeben. So etwas ist mir hier eigentlich noch nie passiert."

„Also kommt, gehen wir!"

„Wo sind denn Max und Ralf?", fragt Ina. „Es ist schon nach sieben."

„Ich weiß es nicht", sagt Mara.

„Und du, Bernd?"

„Ich ... äh ... keine Ahnung."

„Was kann denn so wichtig sein? Ich verstehe das nicht."

„Sie kommen sicher gleich."

„Zehn nach sieben ... wir können nicht noch länger warten ..."

„Aber ..."

Ina geht zu den Besuchern. Viele Leute sind gekommen.

„Liebe Damen und Herren, willkommen bei meiner Ausstellung! Meine Bilder sind ..."

Die Tür geht auf.

„Max, Ralf, da seid ihr ja endlich!", ruft Ina.

„Und wir haben noch einen Freund mitgebracht."

„Einen Freund? ... Oh, das gibt es ja nicht ... Diogo! ... Du bist hier?"

Ina läuft zu ihm und umarmt ihn. „Das ist ja eine tolle Überraschung!"

„Äh, Ina, die Gäste ...", sagt Max leise.

„Natürlich ... Liebe Gäste! Ich freue mich, dass Sie alle gekommen sind. Und ganz besonders freue ich mich, dass auch ein Besucher aus Brasilien hier ist."

GRAMMATIKÜBERSICHT

Artikelwörter und Pronomen

Possessivartikel unser/euer/ihr/Ihr L01				
	wir	**ihr**	**sie (Plural)**	**Sie (Singular/ Plural)**
•	unser	euer	ihr	Ihr Opa
•	unser	euer	ihr	Ihr Baby
•	unsere	eure	ihre	Ihre Tante
•	unsere	eure	ihre	Ihre Neffen

Possessivartikel im Nominativ, Akkusativ und Dativ L01			
	Nominativ Das ist/sind ...	**Akkusativ** Siehst du ...?	**Dativ** mit ...
•	mein Opa	mein**en** Opa	mein**em** Opa
•	mein Baby	mein Baby	mein**em** Baby
•	meine Tante	meine Tante	mein**er** Tante
•	meine Neffen	meine Neffen	mein**en** Neffen
auch so: dein-, sein-, ihr-, unser-, eu(e)r-, ihr-, Ihr-			

Frageartikel welch-? – Demonstrativpronomen dieser, der L21					
Nominativ		**Akkusativ**		**Dativ**	
• Welcher?	Dieser. / Der da.	Welchen?	Diesen. / Den da.	Welchem?	Diesem. / Dem da.
• Welches?	Dieses. / Das hier.	Welches?	Dieses. / Das hier.	Welchem?	Diesem. / Dem hier.
• Welche?	Diese. / Die da.	Welche?	Diese. / Die da.	Welcher?	Dieser. / Der da.
• Welche?	Diese. / Die dort.	Welche?	Diese. / Die dort.	Welchen?	Diesen. / Denen dort.

Relativpronomen und Relativsatz L23		
	Nominativ	**Akkusativ**
• Das ist der Beruf,	der zu mir passt.	den ich liebe.
• Das ist das Buch,	das so empfehlenswert ist.	das ich so gern gelesen habe.
• Das ist die Arbeit,	die zu mir passt.	die ich liebe.
• Das sind die Jobs,	die zu uns passen.	die ich machen könnte.

Verben

Vorschläge und Ratschläge: Konjunktiv II von können, sollen L07		
	können	**sollen**
ich	könnte	sollte
du	könntest	solltest
er/es/sie	könnte	sollte
wir	könnten	sollten
ihr	könntet	solltet
sie/Sie	könnten	sollten

reflexive Verben L11	
Aber ich fühle mich trotzdem prima.	
ich fühle	mich
du fühlst	dich
er/es/sie fühlt	sich
wir fühlen	uns
ihr fühlt	euch
sie/Sie fühlen	sich
auch so: sich ärgern, sich erinnern, sich freuen, sich entschuldigen, sich unterhalten, sich treffen, sich streiten, sich beschweren ...	

Passiv Präsens L14			
		werden	**Partizip**
Singular	Das Päckchen	wird	gepackt.
Plural	Die Geschenke	werden in den Karton	gelegt.

Verben mit Dativ und Akkusativ L15		
	Wem? (Person)	**Was? (Sache)**
Sie können	Ihren Freunden auch	Tatortsendungen kaufen.
auch so bei: schenken, geben, empfehlen, schicken, nehmen, leihen, bringen, erzählen, zeigen, holen, schreiben		

Verben mit Präpositionen L18	
mit Akkusativ	**mit Dativ**
Sie freuen sich auf einen heißen Tee.	Sind Sie zufrieden mit diesem schönen Sommertag?
auch so: Lust haben auf sich interessieren für sich ärgern über sprechen über	*auch so:* sprechen mit träumen von

GRAMMATIKÜBERSICHT

Modalverben: Präteritum L20			
	können	**wollen**	**sollen**
ich	konnte	wollte	sollte
du	konntest	wolltest	solltest
er/es/sie	konnte	wollte	sollte
wir	konnten	wollten	sollten
ihr	konntet	wolltet	solltet
sie/Sie	konnten	wollten	sollten
	dürfen	**müssen**	**mögen**
ich	durfte	musste	mochte
du	durftest	musstest	mochtest
er/es/sie	durfte	musste	mochte
wir	durften	mussten	mochten
ihr	durftet	musstet	mochtet
sie/Sie	durften	mussten	mochten

Verb lassen L21	
ich	lasse
du	lässt
er/es/sie	lässt
wir	lassen
ihr	lasst
sie/Sie	lassen
Ich lasse meinen Briefkasten leeren.	

Präteritum L24					
	regelmäßige Verben	**unregelmäßige Verben**			
	sagen	**kommen**	**geben**	**finden**	**sehen**
ich	sagte	kam	gab	fand	sah
du	sagtest	kamst	gabst	fandest	sahst
er/es/sie	sagte	kam	gab	fand	sah
wir	sagten	kamen	gaben	fanden	sahen
ihr	sagtet	kamt	gabt	fandet	saht
sie/Sie	sagten	kamen	gaben	fanden	sahen

Präpositionen

Wechselpräpositionen mit Akkusativ und Dativ L02				
	Wohin stellen/legen/hängen ...? **Akkusativ**		**Wo steht/liegt/hängt ...?** **Dativ**	
	definiter Artikel	indefiniter Artikel	definiter Artikel	indefiniter Artikel
●	auf den Tisch	auf einen Tisch	auf dem Tisch	auf einem Tisch
●	auf das Regal	auf ein Regal	auf dem Regal	auf einem Regal
●	vor die Wand	vor eine Wand	vor der Wand	vor einer Wand
●	zwischen die Türen	zwischen zwei / –Türen	zwischen den Türen	zwischen zwei / –Türen
auch so bei: an, neben, hinter, über, unter, in ! in dem = im an dem = am				

temporale Präpositionen von … an, von… bis, seit + Dativ L06

Ab wann? O—X—▸X	Wie lange? X——▸X
von morgen an	vom 8. bis zum 10. Juli
vom 1. Januar an	seit 1985

	Wie lange?	X——▸X
●	seit	einem Monat
●		einem Jahr
●		einer Stunde
●		zwei Jahren

temporale Präposition über + Akkusativ L06

	Wie lange?	|—|
●	über	einen Monat
●		ein Jahr
●		eine Stunde
●		30 Jahre

temporale Präpositionen zwischen + Dativ L07

Wann?
zwischen 7.00 und 7.15 Uhr

lokale Präpositionen gegenüber von, an … vorbei + Dativ L16

●	gegenüber von / an … vorbei	einem/dem	Frühstücksraum
●		einem/dem	Restaurant
●		einer/der	Bar
●		zwei	Konferenzräumen

lokale Präposition durch + Akkusativ L16

●	durch	einen/den	Frühstücksraum
●		ein/das	Restaurant
●		eine/die	Bar
●		zwei	Konferenzräume

lokale Präpositionen L17

Wohin? + Akkusativ (außer bei nach)		Wo? + Dativ	
ans	Meer	am	Meer
an	die Küste	an	der Küste
an	den Bodensee/Strand	am	Bodensee/Strand
auf	eine Insel	auf	einer Insel
aufs	Land	auf	dem Land
in	die Wüste / die Berge / den Süden/Wald	in	der Wüste / den Bergen
ins	Gebirge	im	Wald/Gebirge/Süden
nach	Rumänien/Berlin	in	Rumänien/Berlin
! in die Schweiz		! in der Schweiz	

lokale Präpositionen L19

	Woher?	Wo?	Wohin?
Orte	aus dem Kino/Café	im Kino/Café	ins Kino/Café
Aktivitäten	vom Sport/Essen	beim Sport/Essen	zum Sport/Essen
Personen	vom Arzt / von Jana	beim Arzt / bei Jana	zum Arzt / zu Jana

GRAMMATIKÜBERSICHT

Konjunktionen

Konjunktionen: Gründe ausdrücken L08			
Hauptsatz + Nebensatz: weil			
Folge	**Grund**		
Er will mir nur nichts sagen,	weil	meine Krankheit so schlimm	ist.
Du hast Probleme,	weil	du so viel auf deinen Körper	hörst.

Hauptsatz + Hauptsatz: deshalb L08		
Grund	**Folge**	
Meine Krankheit ist so schlimm.	Deshalb	will er mir nichts sagen.
Du hörst so viel auf deinen Körper.	Deshalb	hast du Probleme.

Konjunktion: dass L10			
Ich hoffe,	dass	sie Pommes	haben.

auch so:
Gut/Schön/Schade/..., dass ...
Kann es sein, dass ...?
Ich weiß/finde/denke/glaube/hoffe/..., dass ...

Konjunktion: wenn L12	
Nebensatz	**Hauptsatz**
Wenn es warm ist,	(dann) essen wir meist Salat.
Wenn es schnell gehen muss,	(dann) gibt es auch mal eine Pizza.
Hauptsatz	**Nebensatz**
Wir essen meist Salat,	wenn es warm ist.
Es gibt auch mal eine Pizza,	wenn es schnell gehen muss.

Konjunktion *als* L13		
Nebensatz vor dem Hauptsatz		
Nebensatz		**Hauptsatz**
Als	ich im vierten Semester war,	habe ich das Stipendium bekommen.

Hauptsatz vor dem Nebensatz L13		
Hauptsatz	**Nebensatz**	
Ich habe das Stipendium bekommen,	als	ich im vierten Semester war.

Konjunktionen *bis, seit(dem)* L22	
Nebensatz	**Hauptsatz**
Seit(dem) sie dort wohnt,	fahre ich immer mit dem Auto zu ihr.
Bis man einen Parkplatz findet,	ist man mit dem Fahrrad schon lange am Ziel.
Hauptsatz	**Nebensatz**
Ich hatte ein eigenes Auto,	bis ich gemerkt habe: Das lohnt sich nicht.
Ich bin sehr viel unterwegs,	seit(dem) ich als Firmenberaterin arbeite.

Sätze

Stellung der Objekte L15		
	Wem? (Person) Dativ	**Was? (Sache)** **Akkusativ**
Der Tatort gibt	den Zuschauern/ ihnen	Abwechslung.
	Was? (Sache) **Akkusativpronomen**	Wem? (Person) Dativ
Der Tatort gibt	sie	den Zuschauern./ ihnen.

indirekte Fragen L16		
Ich würde gern wissen,	ob Sie noch ein Zimmer frei	haben?
Darf ich fragen,	wie lange Sie bleiben	möchten?
auch so: Können Sie mir sagen/erklären, ... / Wissen Sie, ... / Ich weiß nicht, ...		

GRAMMATIKÜBERSICHT

Adjektive

Adjektivdeklination: indefiniter Artikel L04						
	Nominativ Das ist/sind …		**Akkusativ** Ich hätte gern …		**Dativ** mit …	
●	ein magerer	Schinken	einen mageren	Schinken	einem mageren	Schinken
●	ein helles	Brot	ein helles	Brot	einem hellen	Brot
●	eine grüne	Paprika	eine grüne	Paprika	einer grünen	Paprika
●	– helle	Brötchen	– helle	Brötchen	– hellen	Brötchen
auch so: kein- / mein- …, aber: ! Plural: keine/meine hellen Brötchen						

Adjektivdeklination: definiter Artikel L05						
	Nominativ Mir gefällt / gefallen …		**Akkusativ** Ich finde … am besten.		**Dativ** mit …	
●	der berühmte	Dom	den alten	Dom	dem netten	Reiseführer
●	das bunte	Fenster	das bunte	Fenster	dem bunten	Fenster
●	die neue	Kamera	die neue	Kamera	der neuen	Kamera
●	die netten	Leute	die netten	Leute	den netten	Leuten

Adjektivdeklination nach Nullartikel L09						
	Nominativ		**Akkusativ**		**Dativ**	
●	guter	Lohn	guten	Lohn	gutem	Lohn
●	großes	Lager	großes	Lager	großem	Lager
●	flexible	Arbeitszeit	flexible	Arbeitszeit	flexibler	Arbeitszeit
●	kleine	Büros	kleine	Büros	kleinen	Büros

Adverbien

temporale Adverbien L07
abends = jeden Abend
auch so: nachts, morgens ... / montags dienstags ...

Fragen und Präpositionaladverbien L18				
	Sachen		**Personen**	
Verb mit Präposition	Fragewort wo + (r*) + Präposition	Präpositionaladverb da + (r*) + Präposition	Präposition + Fragewort	Präposition + Personalpronomen
sich freuen auf	Worauf ...?	Darauf ...	Auf wen ... ?	Auf ihn/-/sie.
sich ärgern über	Worüber ...?	Darüber ...	Über wen ... ?	Über ihn/-/sie.
sich interessieren für	Wofür ...?	Dafür ...	Für wen ... ?	Für ihn/-/sie.
auch so: mit → womit/damit; von → wovon/davon * bei Präpositionen mit Vokal: auf, über				

Wortbildung

Wortbildung: Verb → Nomen L03		
Verb + -er	→	**Nomen**
wander-n + -er	→	der Wander**er**
auch so: vermieten, mieten, fahren, surfen ...		
Verb + -ung	→	**Nomen**
erfahr-en + -ung	→	die Erfahr**ung**
auch so: ordnen, erholen, entspannen, anstrengen, ausrüsten, übernachten, wandern, anmelden, beraten ...		

LÖSUNGSSCHLÜSSEL TESTS

Lektion 1

1 b Neffe **c** Onkel **d** Schwiegermutter

2 b erzählt **c** gestritten **d** gezeichnet **e** gespielt

3 b gefeiert **c** gegessen **d** gelacht **e** telefoniert **f** hatte **g** verstanden **h** hatte

4 b Unsere **c** ihre **d** Ihre

5 a Habe ich **b** Also passt **c** Sie war **d** Ich hatte **e** Dann habe **f** Und wisst **g** Später bin

Lektion 2

1 b Kissen **c** Spiegel **d** Souvenir **e** Vorhang **f** Herd **g** Regal **h** Werkzeug

2 c stellt **d** den **e** steht **f** dem **g** liegen **h** dem **i** stellt **j** ins

3 a eine Lampe auf den Tisch **b** helle Kissen auf das Sofa **c** einen Spiegel an die Wand **d** viele Bücher **e** der Raum zu unordentlich **f** einen Teppich

Lektion 3

1 b Tiere **c** Pflanzen **d** Gruppe **e** wandern **f** aktiv **g** beraten

2 b Wanderung **c** Anmeldung **d** Vermieter **e** Erholung

3 a überhaupt nicht **b** am liebsten **c** finde die Idee **d** würde gern **e** nehme ich lieber **f** gefällt mir am besten

Lektion 4

1 b Dose **c** Kilo **d** Pfund **e** Packung **f** Knoblauch **g** Liter **h** Birnen **i** Bananen **j** Quark **k** Orangensaft

2 b helles **c** rohen **d** fettarme **e** weiche **f** milden **g** leckeren **h** frischen

3 a Was darf es sein **b** Ich hätte gern **c** Möchten Sie lieber **d** Wie viel darf es sein **e** Möchten Sie sonst noch **f** Das ist alles

Lektion 5

1 b Ferien **c** Touristen **d** Stadtrundgang **e** Reiseführerin **f** Sehenswürdigkeiten **g** Geld **h** Postkarte

2 b bunten **c** rote **d** modernen **e** wunderbaren **f** alte **g** grünen **h** jungen **i** beliebten

3 a danach **b** können, auch **c** gefällt, sicher **d** gute Idee **e** wirklich beeindruckend **f** Einverstanden **g** wird bestimmt

Lektion 6

1 b Kunst **c** Veranstaltungen **d** Diskussionen **e** Künstler **f** Eintrittskarte **g** Ermäßigung

2 b seit Mittwoch **c** von Januar an **d** von Dienstag bis Sonntag **e** seit Februar 1989 **f** Von Januar an

3 a vielleicht mitkommen **b** nicht so gut **c** etwas vorschlagen **d** eine gute Idee **e** hältst du davon **f** treffen wir uns **g** das passt

Lektion 7

1 b hebe **c** abnehmen **d** wiege **e** empfehlen **f** öffnen **g** teilnehmen

2 b Von … an **c** Von … bis **d** zwischen **e** seit

3 b sollten **c** sollte **d** könnte **e** solltest **f** könntet

4 a möchte gern **b** würden Sie uns **c** wie wäre **d** könnte er **e** Sie könnten

Lektion 8

1 a Krankenwagen; Notaufnahme; Notfall **b** Verband; Sprechstunde **c** Verletzung

2 b er zu schnell gefahren ist **c** ich Kopfschmerzen habe **d** sie keine Zahnschmerzen mehr hat

3 b Herr Bosch ist zu schnell gefahren. Deshalb hatte er einen Unfall. **c** Ich habe Kopfschmerzen. Deshalb kaufe ich Tabletten in der Apotheke. **d** Lina hat keine Zahnschmerzen mehr. Deshalb ist sie glücklich.

4 a los **b** Hoffentlich **c** leid **d** Angst **e** Ordnung

Lektion 9

1 b Export, Lager **c** Angestellter, Arbeitszeit **d** Lohn **e** Prozent **f** Betrieb, Erfolg

2 a 2 langer **3** internationalen **b 4** Großes **5** freundlichem **6** interessante **c 7** helle **8** schönem **d 9** kleinem **10** netten **11** schönen **e 12** Alte **13** kaputte **f 14** Tolles **15** guter

3 a möchte so gern **b** ist dir das wichtig **c** wäre das wichtiger **d** ist eine gute Idee **e** das machen wir

Lektion 10

1 a Löffel **b** Kanne **c** Öl, Pfeffer **d** Zucker **e** Rechnung, getrennt

2 b die Suppe kalt ist **c** es einen Obstsalat gibt **d** sie Apfelkuchen haben

3 b Ich hoffe, dass die Kinder bald ihr Essen bekommen. **c** Ich glaube, dass das Lokal am Montag geschlossen hat. **d** Schade, dass ich keine Milchprodukte essen darf. **e** Schön, dass unser Chef die Rechnung bezahlt hat.

4 a 1 Ich möchte bitte **2** Was kann ich Ihnen **3** Ich hätte **b 4** Verzeihen Sie **5** Das tut mir **6** Ich gebe es

Lektion 11

1 b Mitarbeiterinnen **c** Rucksäcke **d** Schmuck **e** Briefpapier **f** Meinung **g** Artikel

2 b Erinnerst du dich an den letzten Urlaub **c** Meine Kinder streiten sich schon wieder **d** Tobias ärgert sich sehr **e** Wie fühlen Sie sich

3 a Herzlichen Glückwunsch **b** finde es schön **c** freue ich mich auch **d** für die gute Zusammenarbeit **e** wünschen für die Zukunft **f** viel Erfolg

Lektion 12

1 b genug **c** durchschnittlich **d** Hälfte **e** Prozent

2 b beschwere ich mich **c** sie Geburtstag hat **d** Jugendliche zu viel Alkohol trinken **e** hat er schlechte Laune **f** es mager ist

3 a ich nicht gedacht **b** wirklich **c** mir nicht klar **d** bei uns **e** ich komisch **f** seiner Heimat

Lektion 13

1 a schreibe … auf **b** übersetze **c** schaue … an **d** singe … mit **e** merken, zeichne **f** löse

2 b mein Bruder viel Geld gewonnen hat, hat er eine Weltreise gemacht **c** Ich war sehr glücklich, als ich ein Stipendium bekommen habe. **d** meine Eltern sich auf einer Party kennen gelernt haben, haben sie sich sofort verliebt.

3 b wenn **c** wenn **d** Als

4 a wichtig **b** überhaupt nicht **c** nur einen Weg **d** musst die Sprache **e** am allerwichtigsten

Lektion 14

1 a Paket **b** Briefumschlag **c** Schalter **d** Unterschrift **e** Briefkasten **f** Empfänger

2 b Die Texte werden in drei Sprachen übersetzt. **c** In der Küche wird der Kaffee gekocht. **d** Die Formulare werden unterschrieben. **e** Ein Termin wird vereinbart. **f** Die Rechnungen werden sofort bezahlt. **g** Am Abend wird das Büro geputzt.

3 a Schön, dass du an meinen Geburtstag gedacht hast. **b** vielen Dank für deine tollen Geschenke **c** hat mich sehr gefreut **d** mag sie besonders gern **e** super Idee **f** Ich freue mich

Lektion 15

1 a Krimi **c** Folgen **d** Zuschauer **e** Mediathek **f** Produktion **g** Rundfunk

2 b schenkt seiner Freundin ein Parfüm **c** empfiehlt seinen Freunden den Film **d** zeige meinen Eltern die Urlaubsfotos

3 b es ihr **c** ihn dir/euch **d** sie ihnen

4 a sehe am liebsten **b** treffe mich jeden Sonntag **c** kochen wir zusammen **d** keine Zeit habe **e** gucke ich sie später

LÖSUNGSSCHLÜSSEL TESTS

Lektion 16

1 b Einzelzimmer **c** Nichtraucherzimmer **d** Parkplätze **e** Konferenzräume **f** Schwimmbad **g** Bar **h** Rezeption **i** Aufenthalt

2 b ...ob Sie noch zwei Doppelzimmer frei haben? **c** ... wie ich zum Bahnhof komme? **d** ...ob es hier einen Kiosk gibt? **e** ...wann es Frühstück gibt?

3 b am **c** die **d** der

4 a Ihnen helfen **b** ein Zimmer frei **c** mit Halbpension **d** möchte nur Frühstück **e** ist Ihr Schlüssel **f** ist ab 7 Uhr geöffnet

Lektion 17

1 b 2 Fähre 3 Ankunft **c** 4 Reifen 5 Wagen 6 Werkstatt **d** 7 Panne 8 Motor

2 b auf einem **c** am **d** in der **e** auf dem **f** ins **g** auf einen **h** in **i** in die **j** im **k** in den

3 a nicht langweilig **b** so ein Pech **c** bestimmt anstrengend **d** sicher schrecklich **e** für ein Zufall

Lektion 18

1 b Niederschläge **c** Hagel **d** Temperaturen **e** Frost **f** Hauptstadt **g** Jahreszeit

2 a auf eine **b** mit deinem, über meinen **c** mit, über den, mit

3 a Darüber **b** Wofür **c** Worauf **d** Von wem

4 a es wieder Frost geben **b** das typisch **c** ganz normal **d** nicht höher und nicht niedriger **e** es ist feucht **f** bald wärmer

Lektion 19

1 b beliebte **c** Beginn **d** kostenlos **e** klassische **f** Club **g** Publikum **h** Spaziergang

2 **2** beim **3** in **4** im **5** ins **6** aus **7** vom **8** bei **9** zum

3 a ich weiß nicht **b** mal etwas Besonderes **c** ist doch Unsinn **d** hört sich wirklich interessant **e** probieren wir es

Lektion 20

1 b Bilderbuch **c** Gedicht **d** Krimi, Hörbuch **e** Comics **f** Zeitung

2 b mussten **c** mochte **d** Konntest **e** wollten **f** solltet **g** konnte **h** durfte

3 a Nicht besonders **b** finde ich langweilig **c** interessiert mich sehr **d** Na ja, es geht **e** Nein, daran haben wir überhaupt kein Interesse. **f** Ja, und wie!

Lektion 21

1 a Bargeld, EC-Karte **b** Gesundheitskarte **c** Ausweis

2 b Welche **c** diesem **d** Welchen

3 b lasse, schneiden **c** lässt, wechseln **d** Lasst, sichern

4 a Unfall näher beschreiben **b** Erzählen Sie doch **c** Ich war im **d** Daran kann ich mich **e** Ich kann nur sagen

Lektion 22

1 b wählen **c** klicken **d** Zugangsdaten **e** füllen **f** Passwort **g** Zahlen **h** bestätigen

2 b seit **c** seit **d** bis **e** Bis **f** bis **g** seit

3 a Kannst du mir sagen **b** Na klar **c** Zuerst gehst du **d** Dann klickst du **e** Danach loggst du dich **f** Zuletzt kannst du wählen **g** Das ist ja wirklich

Lektion 23

1 b Prüfungen **c** Lehre **d** Praktikant **e** Berufsschule **f** Noten **g** Zeugnis

2 b die **c** das **d** die **e** die **f** den **g** die

3 a großen Spaß **b** ist prima **c** muss ich alles **d** habe keine Lust **e** möchte ich so bald **f** habe ich fest **g** sehr zufrieden

Lektion 24

1 **a** Konsulat **b** Anschluss, Verspätung **c** Passkontrolle, Abflug **d** Impfungen

2 **b** lebten **c** hatten **d** fand **e** arbeitete **f** kam **g** spielten **h** sagte **i** gab

3 **a** mit vielen schönen Erfahrungen **b** hat mir gefallen **c** fand es manchmal anstrengend **d** einmal machen **e** auch jedem empfehlen **f** dass die Zeit

QUELLENVERZEICHNIS

Cover: © Getty Images/Andreas Kindler
Seite 20: © PantherMedia/Andreas Weber
Seite 21: von oben: © fotolia/Günter Menzl; © fotolia/Andrea Seemann
Seite 22: © fotolia/robepco
Seite 25: von oben: Wald © Thinkstock/iStockphoto; Wiese © Thinkstock/Comstock; Pflanze © Thinkstock/iStockphoto; Dorf © iStockphoto/Sergge; Katze © Thinkstock/Ingram Publishing; Hund © Thinkstock/zoonar; Vogel, Frosch, Meer © Thinkstock/iStockphoto; Strand © Thinkstock/Ablestock.com; See © Thinkstock/Stockbyte; Fluss © fotolia/Undine Aust; Ufer © PantherMedia/Brigitte Götz; Landschaft © Thinkstock/iStockphoto; Berg © Thinkstock/Stockbyte; Hügel © Thinkstock/iStockphoto
Seite 28: © fotolia/Jonny
Seite 31: Hintergrund © Thinkstock/iStockphoto
Seite 32: von oben: Birne © Thinkstock/iStockphoto; Marmelade © Thinkstock/Stockbyte; Cola © Thinkstock/Hemera; Banane © Thinkstock/iStockphoto
Seite 37: von oben: Thunfisch, Salami, Pfirsich, Eistee, Paprika, Knoblauch, Banane, Birne © Thinkstock/iStockphoto; Saft © Thinkstock/Stockbyte; Bohne, Mehl © Thinkstock/iStockphoto; Marmelade © Thinkstock/Stockbyte; Quark © iStockphoto/katyspichal; Cola © Thinkstock/Hemera; Bonbon © Thinkstock/iStockphoto
Seite 44: © ddp images/dapd
Seite 49: Notizzettel © Thinkstock/iStockphoto/scol22
Seite 50: von oben: Marmelade © Thinkstock/iStockphoto; Paprika © Thinkstock/Stockbyte
Seite 54: © fotolia/Waldteufel
Seite 55: Hintergrund © PantherMedia/Roland Niederstrath
Seite 61: von oben: Basketball © Thinkstock/Comstock/Jupiterimages; Volleyball © Thinkstock/Hemera; Handball © PantherMedia/Carme Balcells; Gewichtheben © Thinkstock/iStockphoto; Fitnesstraining © Thinkstock/Hemera; Judo © PantherMedia/auremar; Badminton © Thinkstock/Hemera; Yoga © Thinkstock/Stockbyte/George Doyle; Golf © Thinkstock/Stockbyte; Gymnastik © PantherMedia/vgstudio; Tischtennis © Thinkstock/iStockphoto; Eishockey © Thinkstock/Hemera; Walken © PantherMedia/Bernd Leitner; Aqua-Fitness, Rudern © Thinkstock/iStockphoto
Seite 76: von oben: Tischtennis © Thinkstock/iStockphoto; Badminton © Thinkstock/Hemera
Seite 79: Hintergrund © dpa Picture-Alliance/Felix Hörhager
Seite 85: von oben: Geschirr © Thinkstock/Hemera; Glas © Thinkstock/iStockphoto; Tasse © Thinkstock/Hemera; Kanne © Thinkstock/iStockphoto; Teller © Thinkstock/Stockbyte; Besteck, Gabel, Löffel, Messer © Thinkstock/Hemera; Salz, Pfeffer © Thinkstock/iStockphoto; Essig, Öl © PantherMedia/claire norman; Zucker © fotolia/PRILL Mediendesign; Serviette © Thinkstock/iStockphoto
Seite 91: von oben: Briefumschlag, Briefpapier © Thinkstock/iStockphoto; Postkarte © Thinkstock/Hemera; Blumenmotiv © iStockphoto/lorenzo104; Notizblock © PantherMedia/wu kailiang; Geschenkpapier © Hueber Verlag/Katharina Kiermeir; Geldbörse, Aktentasche © GEPA – The Fair Trade Company; Handtasche © Christiane Frank, 98631 Römhild/OT Milz – www.nadelspitzen.de; Rucksack © www.pigschick.de
Seite 92: von oben: Getreide © Thinkstock/iStockphoto; Fisch © fotolia/Olga Patrina; Limonade © Thinkstock/iStockphoto; Mineralwasser © Thinkstock/Zoonar; Brot © iStockphoto/SednevaAnna; Tee © fotolia/gtranquillity; Statistik mit Zahlen von Statista - http://de.statista.com/statistik/daten/studie/200166/umfrage/beliebteste-freizeitaktivitaeten-der-deutschen/
Seite 94: © fotolia/Henry Schmitt
Seite 95: Statistik mit Zahlen von der Nestlé Studie 2011 – http://www.nestle.de/Unternehmen/Nestle-Studie/Nestle-Studie-2011/Pages/default.aspx
Seite 97: von oben: Obst © fotolia/Andrey Armyagov; Gemüse © Thinkstock/iStockphoto; Wurst © PantherMedia/Birgit Reitz-Hofmann; Fleisch © fotolia/Jacek Chabraszewski; Fisch © fotolia/Olga Patrina; Getreide, Limonade © Thinkstock/iStockphoto; Mineralwasser © Thinkstock/Zoonar
Seite 98: © PantherMedia/Ron Sumners; Statistik mit Zahlen von Statista – de.statista.com und dem Statistischen Bundesamt – www.destatis.de
Seite 103: Hintergrund © dpa Picture-Alliance/Gero Breloer
Seite 105: © Thinkstock/iStock/Valueline
Seite 106: © Thinkstock/iStockphoto
Seite 110: Postkarte © Hueber Verlag/Katharina Kiermeir
Seite 112: © Thinkstock/iStock/AndreyPopov
Seite 115: Päckchen © iStockphoto/JoKMedia; Paket © Thinkstock/iStockphoto; Briefumschlag © Thinkstock/Hemera; Unterschrift © fotolia/lichtmeister; Schalter, Briefkasten © Deutsche Post World Net; Karton © Thinkstock/iStockphoto; weitere Fotos © Hueber Verlag/Katharina Kiermeir
Seite 116: © fotolia/Dan Race

Seite 118: David © Thinkstock/iStockphoto; Peter © Thinkstock/Lifesize/Ciaran Griffin; Alina © Thinkstock/iStockphoto; Manuela © Thinkstock/Photodisc
Seite 121: TV © fotolia/Franz Pfluegl; Krimi © fotolia/Dan Race; Zuschauer © Thinkstock/Comstock; Mediathek © ARD Mediathek; Darsteller © fotolia/contrastwerkstatt; DVD © Hueber Verlag/Katharina Kiermeir; Regisseur © iStockphoto/jackscoldsweat; Fernbedienung © Thinkstock/Photodisc/Thomas Northcut; Sendung © Hueber Verlag/Katharina Kiermeir; Rundfunk © PantherMedia/Vladimir Yudin
Seite 122: Ü3: statistische Daten © de.statista.com, Hamburg
Seite 127: Hintergrund © Thinkstock/Getty Images/Jupiterimages
Seite 131: © Thinkstock/iStockphoto
Seite 133: von oben: Einzelzimmer © PantherMedia/zhang xiangyang; Doppelzimmer © PantherMedia/Peter Jobst; Nichtraucher © iStockphoto/fozrocket; Sauna, Schwimmbad © Thinkstock/iStockphoto; Frühstück © PantherMedia/Dagmar Gissel; Bar © fotolia/Henrik Winther Ander; Rezeption © Thinkstock/Hemera; Konferenzraum © Thinkstock/Digital Vision; Fitnessraum © Thinkstock/Hemera; Restaurant © Thinkstock/Stockbyte/George Doyle; Parkplatz © fotolia/henryart; Kiosk © iStockphoto/gioadventures
Seite 136: Insel © Thinkstock/iStockphoto; Kaffeehaus © fotolia/Markus Schieder; Gipfel © fotolia/tagstiles.com; Kite-Surfen © Thinkstock/Lifesize/Ryan McVay; Panne © Thinkstock/iStockphoto; Straßenansicht © iStockphoto/Maartje van Caspel
Seite 139: von oben: Abfahrt © fotolia/lightpoet; Ankunft © Thinkstock/Ryan McVay; Reifenpanne © Thinkstock/Stockbyte; Tankstelle © Thinkstock/iStockphoto; Werkstatt © Thinkstock/Getty Images/Jupiterimages; Reifen wechseln © fotolia/Kimsonal; Motor © Thinkstock/iStockphoto; Autobahn © Thinkstock/Comstock; Fähre © Thinkstock/iStockphoto; Schiff © Thinkstock/iStockphoto; Wagen © PantherMedia/Jacek Tarczyński; Motorrad © PantherMedia/Bogdan Ionescu
Seite 140: Porträt © Hueber Verlag/Franz Specht; alle Wettersymbole © fotolia/Bastetamon; alle Thermometer © iStockphoto/mervana
Seite 145: von oben: Hoch, Tief © fotolia/oconner; Temperatur © iStockphoto/Mervana; trocken © PantherMedia/sahua; feucht, Niederschlag, Frost, Kälte, Hitze, Wärme, Hagel © fotolia/Bastetamon; Eis © Thinkstock/Getty Images/Dynamic Graphics; Schauer © fotolia/LoopAll
Seite 146: a © Thinkstock/Ryan McVay; b © Thinkstock/Getty Images/Jupiterimages; c © Thinkstock/Stockbyte; d © Thinkstock/Comstock; e © Thinkstock/iStockphoto; f © Thinkstock/iStockphoto
Seite 148: Einzelzimmer © PantherMedia/zhang xiangyang; 2x Wetter © fotolia/Bastetamon
Seite 151: Hintergrund © Thinkstock/iStockphoto
Seite 152: © Thinkstock/Getty Images/Jupiterimages
Seite 163: von oben: Comic © Thinkstock/iStockphoto; Roman © Thinkstock/Brand X Pictures; Krimi © Thinkstock/iStockphoto; Zeitung © Thinkstock/Comstock; Zeitschrift © Hueber Verlag/Katharina Kiermeir; Gedicht © Hueber Verlag; Märchen © fotolia/Bajena; Sachbuch © Hueber Verlag; Ratgeber © Thinkstock/Jupiterimages/Polka Dot; Hörbuch © Thinkstock/iStockphoto; Kinderbuch © PantherMedia/Mo Templin; Bilderbuch © fotolia/n_eri
Seite 169: von oben: EC-Karte © PantherMedia/Helma Spona; Personalausweis © Bundesministerium des Innern; Bargeld © fotolia/Henry Czauderna; Führerschein © Bundesdruckerei GmbH; Gesundheitskarte © AOK-Bundesverband; Kundenkarte © fotolia/DeVIce; Telefonkarte © fotolia/hs-creator und iStockphoto/Trout55; Kreditkarte © Thinkstock/iStockphoto
Seite 175: Hintergrund ©Thinkstock/iStockphoto
Seite 185: Porträt © Thinkstock/iStockphoto
Seite 187: von oben: Schule © PantherMedia/Colette Planken-Kooij; Note © PantherMedia/Peter Jobst; Zeugnis, mündliche Prüfung © Hueber Verlag/Katharina Kiermeir; schriftliche Prüfung © iStockphoto/Goldfaery; Schulabschluss © Project Photos, Augsburg; Lehre © Thinkstock/iStockphoto; Studium © Thinkstock/Digital Vision; Uni © fotolia/line-of-sight; Semester © Hueber Verlag/Katharina Kiermeir; Lebenslauf © fotolia/marog-pixcells; Bewerbung © PantherMedia/Erwin Wodicka
Seite 189: Junger Mann mit Kindern © Thinkstock/iStockphoto
Seite 190: © Thinkstock/iStock/encrier
Seite 193: von oben: Zoll © fotolia/ufotopixl10; Grenze © PantherMedia/Matthias Krüttgen; Konsulat © fotolia/liotru; Visum © Hueber Verlag; Impfung © fotolia/M.Rosenwirth; Pass © fotolia/Peter Mautsch; Piktogramme © fotolia/Dmitry Skvorcov
Seite 194: Foto oben © dpa Picture-Alliance/Uwe Zucchi; Foto unten © Glow Images/ImagebrokerRM
Seite 199: Hintergrund © Thinkstock/iStockphoto

Zeichnungen: Michael Mantel, Barum
Alle Wörterbuchauszüge aus: Hueber Wörterbuch Deutsch als Fremdsprache
Alle übrigen Fotos: Florian Bachmeier, Schliersee